KU-456-247

Theodor Lessing

Haarmann
Die Geschichte eines Werwolfs und andere Gerichtsreportagen

Herausgegeben und
eingeleitet von
Rainer Marwedel

Luchterhand
Literaturverlag

CIP-Titelaufnahme der Deutschen Bibliothek
Lessing, Theodor:
Haarmann : die Geschichte eines Werwolfs und andere Gerichtsreportagen / Theodor Lessing.
Hrsg. u. eingel. von Rainer Marwedel. – Orig.-Ausg. –
Frankfurt am Main : Luchterhand-Literaturverl., 1989
(Sammlung Luchterhand ; 865)
ISBN 3-630-61865-0
NE: GT

Originalausgabe
Sammlung Luchterhand, November 1989
Lektorat: Klaus Binder
Luchterhand Literaturverlag GmbH, Frankfurt am Main. Copyright © 1989 by Luchterhand Literaturverlag GmbH, Frankfurt am Main. Alle Rechte vorbehalten. Umschlagentwurf: Max Bartholl. Satz: Uhl + Massopust, Aalen. Druck: Ebner Ulm. Printed in Germany.
ISBN 3-630-61865-0

Sammlung Luchterhand 865

Für Margit als

Tandemersatz!

22.06.91

von

Hartmut

Über dieses Buch: Bis heute beschäftigt der Fall des Massenmörders Haarmann die Phantasie der Menschen, singt man das kleine Lied: »Warte, warte nur ein Weilchen...« Und wie kaum ein anderer ist dieser Fall, ist die Art und Weise, wie er juristisch »gelöst« wurde, geeignet, der Gesellschaft einen Spiegel vorzuhalten, die in Angst, Abwehr und Sensationsgier mitagiert hat.

Theodor Lessing hat diese Chance genutzt, und entstanden ist ein noch immer aktueller Text, eine psychologisch-kriminalistische Erzählung, ein sozialpsychologisches Porträt eines Außenseiters und derjenigen, die ihn dazu machten: Polizei, Justiz, Gerichtsmedizin, die Medien und ihre Massenwirksamkeit.

Ergänzt wird der Haarmann-Text durch weitere, erstmals wieder veröffentlichte Reportagen und Essays zu Kriminalfällen der 20er Jahre, so daß der vorliegende Band tatsächlich auch ein Porträt dieser Epoche »zwischen den Kriegen« zeichnet, ein Bild des in aller Öffentlichkeit brodelnden Unbewußten einer Zeit, die aus den Fugen geriet.

Über den Autor: Theodor Lessing (1872–1933), Kulturkritiker, Philosoph und Psychologe, war, als er den Haarmann-Prozeß beobachtete und seine Artikelserie schrieb, Professor an der Hannoverschen Universität. Seine Berichterstattung führte nicht nur zum Ausschluß aus dem Gerichtssaal, sie trug ihm auch ein Disziplinarverfahren ein: Haarmann-Buch und ein Artikel gegen Hindenburg (1925) boten endlich Handhabe gegen den unbequemen Professor. 1933 wurde Lessing von Nationalsozialisten in seinem Marienbader Exil ermordet.

Über den Herausgeber: Rainer Marwedel (geboren 1954), Soziologe und Politikwissenschaftler, lebt in Hannover, arbeitet an einer politischen Geschichte des Feuilletons.

Im Luchterhand Literaturverlag erschienen: Rainer Marwedel, »Theodor Lessing. 1972–1933. Eine Biographie«; und: Theodor Lessing, »Ich warf eine Flaschenpost ins Eismeer der Geschichte. Essays und Feuilletons.« Herausgegeben und eingeleitet von Rainer Marwedel (SL 639).

Inhalt

Von Schlachthöfen und Schlachtfeldern

»Das Köppen – und damit fertig.
Und das Kino –« (dreht mit der rechten Hand) »– dann sehen doch alle Leute, daß ich tot bin – in Amerika, China, Japan und der Türkei – da bin ich auch im Kino« (dreht schnell mit der rechten Hand) »– ich bin doch jetzt berühmt. Später kommen auch noch Romane.« (Mit Büchern kann man aber nicht so viel verdienen) »In diesen Sachen ja, so sen – sensonel – sen – sat –« (Sie meinen sensationell) »Ja ja, sensationell.«
Aus den psychiatrischen Vernehmungsprotokollen, Fritz Haarmann, 1924

Nichts ist schrecklicher als die Gewöhnlichkeit.

Unsterblichkeit zu erlangen, den Nachruhm zu planen, weil man auf ungewöhnliche Weise seine Taten vollbracht hat: Das sind Wünsche eines Massenmörders gewesen, die schon vor seiner Hinrichtung in Erfüllung gingen. »Warte, warte nur ein Weilchen / dann kommt Haarmann auch zu dir / mit dem kleinen Hackebeilchen / Und macht Hackefleisch aus dir«: Mit diesem noch heute in ganz Deutschland bekannten Liedchen sangen sich die verängstigten Zeitgenossen des Mörders den Albdruck vom Leib und strömten zugleich in Scharen zu dem Schauprozeß in Hannover, belagerten die an das Gerichtsgebäude angrenzenden Fenster und waren überglücklich, wenn sie an eine der achtzig Zuschauerkarten herankommen konnten. Der Fall Haarmann war ein Stück Unterhaltungsgeschichte der Weimarer Republik. Man nahm Operngläser mit in den Gerichtssaal, um das angeklagte Monster etwas näher in Augenschein nehmen zu können, Sonderausgaben aller Zeitungen hielten die Außenstehenden auf dem laufenden, die düstere Kulisse der Altstadt Hannovers mit verfallenen Häuschen, Animierbaracken und schmutzigen Absteigen, mit ramponierten Figuren, Gaunern, Zuhältern, Roßtäuschern und Kleinbürgern bot der Bilderpresse ideale Schauobjekte für sensationelle Reportagen. Ein Schauerroman in Fortsetzungen, den das Leben verfaßte, mit allem, was dazugehört: Sex und Tod, Polizei und

Unterwelt, Schicksalsgeschichten um Leidenschaft, Habgier, Perversion und Verbrechen.

Der Täter hatte durch Biß in den Kehlkopf fast dreißig junge Männer getötet, die Opfer zerstückelt und in den nahegelegenen Fluß geworfen. Sein kleiner Dachverschlag wurde zum Schlachthaus, viele Jahre wollte niemand etwas davon bemerkt haben. Nachdem der Mörder verhaftet worden war, entwikkelte sich aus den Berichten über das Unvorstellbare ein großes Schauhaus der voyeuristischen Lüste, ein Lichtspieltheater der Öffentlichkeit, Entsetzen und Neugier verschmolzen; die Angehörigen der Opfer blieben allein mit ihrem Schmerz.

In den zwanziger Jahren dieses Jahrhunderts war der Film das Medium für Unsterblichkeit, Ruhm und Größe, das entging auch einem Massenmörder nicht. Seine größenwahnsinnigen Reden gegenüber dem psychiatrischen Gutachter, sein geschärfter Sinn fürs Geschäftemachen mit den Bluttaten wiesen ihn als einen Mann aus, der auf der Höhe der Zeit war, der die Verwertung von Sensationen nicht der Presse und dem Film allein überlassen wollte. Die Kausalität zwischen Mord und Mordsgeschäft war für Haarmann ein Indiz, daß seine Taten nicht umsonst geschehen waren, und er wußte auch, daß er »geköppt« werden mußte, damit sein geplanter »Roman« (dürftige Aufzeichnungen über seine Lebensstationen) ein Kassenschlager werden konnte. So verband sich das Schaugeschäft mit dem Schlachthof, Reflex einer mörderischen Zeit, in der Presse und Film bereits alle Züge der Unterhaltungsindustrie angenommen hatten. Im August 1924 annoncierte eine Filmgesellschaft einen 440 Meter langen Streifen über den Fall Haarmann: »Das beste Geschäft ist der Film des Massenmörders Haarmann. Haarmann; das Verkehrslokal Haarmanns; seine letzten Opfer und seine Angehörigen; seine Wohnung; seine Wirtin; Absuchen der Leine nach Knochenresten.«[1*] Der Innenminister fand keinen Gefallen an diesem Filmrummel und ließ sämtliche Polizeibehörden prüfen, ob die Voraussetzungen für ein ortspolizeiliches Verbot vorlägen. Nachdem die Film-Oberprüf-

* *Die Anmerkungen finden sich im Anhang des Bandes, Seite 282ff.*

stelle das Machwerk zunächst freigegeben hatte, verbot sie es schließlich doch.[2] Andererseits schätzte die Polizei den Wert des neuen Mediums, sie beauftragte die Döring-Filmwerke in Hannover-Hainholz damit, die beiden Angeklagten, Haarmann und seinen Kumpanen Grans, zu filmen. Man wollte deren »typische Bewegungen» aufnehmen, um das Filmmaterial »möglichst weiten Kreisen« vorzuführen, weil man sich davon eine Erleichterung bei der kriminalistischen Ermittlungsarbeit versprach.[3]

Um die Attraktivität der Polizei zu erhöhen, scheute man auf der großen Berliner Polizeiausstellung 1926 sich nicht, dem Publikum eine Sensation anzubieten: die genaue Nachbildung von Haarmanns Mordzimmer mit Bett, Petroleumlampe, Wasserkessel und Fleischwolf.[4] Einer der Sachverständigen, der Medizinalrat Schackwitz, schlug auf andere Weise seinen Profit aus der monströsen Geschichte, er zog mit einem dreistündigen Lichtbildvortrag übers Land.[5]

Es gab einen Prozeßbeobachter, der mit seinen Zeitungsberichten sich das übliche Zeilengeld verdiente, den aber weder Sensationsgier noch hohe Honorare dazu bewegt hatten, sich mit dem Fall Haarmann zu beschäftigen. Theodor Lessing analysierte den Mörder als Psychologe und Kulturphilosoph, schilderte einfühlsam die kurze Lebensgeschichte der Opfer, porträtierte die Prozeßbeteiligten und klagte Polizei und Justiz an, die viel zu lange mit dem Eingreifen gewartet hatten und nun auch noch Haarmanns Spitzeltätigkeit vertuschen wollten. Sein Buch über Haarmann ist eine psychologisch-kriminalistische Erzählung über eine Stadt in der Mitte der zwanziger Jahre, ein Zeitbild, auf dem sich sozialpsychologische und politische Stimmungshorizonte abspiegeln: die Physiognomie einer wölfischen Zeit, die noch mörderischere Zeiten vorausahnen ließ: staatlich sanktioniertes Verbrechen an Millionen Menschen. Lange vor der Entdeckung der Mordserie des Haarmann hatte Theodor Lessing die blutige Wirklichkeit eines anderen organisierten Abschlachtens in einen Zusammenhang mit dem »kitzelnden Schauspiel der Schauhäuser«[6] gebracht. Auf den

Schlachtfeldern des Ersten Weltkriegs starben täglich die Menschen für die Ehre des Vaterlandes, bald schon sollte ihr sinnloser Tod in Büchern und Filmen »literarisch« werden.[7] Die theatralische Inszenierung des Grauens konnte dank der weiterentwickelten Technik noch beschleunigt werden. »Während die Schlacht geschlagen wird, wird sie schon gefilmt, und die am Morgen empfangene Wunde kannst du am Abend im Kino begutachten.«[8] Die Opfer der Geschichte, die täglich in den Zeitungen und Tagesschauen ausgestellten Opfer aus Alltag und politischem Terror, Bürgerkrieg und Naturkatastrophe, die zu kleinen Meldungen geschrumpften Opfer aus dem »Vermischten«, sie sind immer schon gut gewesen für ein öffentliches Drama, für tragische und sentimentale Szenerien, sie eignen sich zur Auflagensteigerung und zum Hochschnellen der Einschaltquoten. Die Opfer werden unsterblich: einen Medientag lang.

Die Taten eines Haarmann in seinem privaten Schlachthaus in der Roten Reihe 2 verwiesen auf die staatlich angeordneten Taten in einem Krieg, der ohne ein »Blutbad« nicht auskommen kann und zur »weltgeschichtlichen Metzelei«[9] expandierte. Die Stadt Hannover ließ 1916 einen Aufruf verbreiten, in welchem den Einwohnern das Trinken von Ochsenblut als »Volkskräftigungsmittel« anempfohlen wurde. Der Text begann mit einem Goethe-Zitat: »Blut ist ein ganz besonderer Saft«, und schloß, zeitgemäß: »Am deutschen Wesen soll die Welt genesen.«[10] 1925 las Tucholsky im Nordosten von Paris, in La Vilette, dem Schlachthofareal, an einer Eingangstür auf einer Tafel, die den Toten des Ersten Weltkrieges gewidmet und von den vereinigten Großschlächtereien der Stadt Paris aufgehängt worden war, diese Zeile: »La Boucherie en gros / 1914–1918«.[11] Das kollektive Abschlachten wurde Theodor Lessing zum Symbol für die Raubtiernatur der angeblich so kultivierten Staaten und Nationen, die sich mit Hilfe einer »Mordchemie« in einen »Blutrausch«[12] versetzten, Verbrechen um Verbrechen begehend und dabei noch immer ein reines Gewissen vorweisend, weil alle Bluttaten im Namen von Volk und Vaterland getan würden. Alle Urtriebe des Menschen, auch die Wollust des Tötens, wurden »in den Dienst heroischer Phrasen eingespannt«[13], so daß sich niemand der Massenschlächtereien schämen mußte. Auch im Kleinen griff der Todeswahnsinn um sich. Lessing berichtet über die Giftmorde eines netten jungen Mannes, der seine verletzten Kameraden ganz grundlos, wie zum Spaß, im Lazarett mit Arsen tötete.

Diese Zeit brachte den Typus des motivlosen Massenmörders hervor: »Er experimentierte mit Menschen. [...] Jeder General operierte mit Menschen als mit Figuren des Schachbretts. Jeder Chirurg behandelte den Menschen wie der Monteur die Maschine, der Chemiker die Stoffe behandelt. Dieser frischfröhliche unwissende Junge tat, was die Kriegsjahre mit allen taten. Er operierte am Menschenmaterial und war dabei vielleicht nicht weniger gemütlos wie die großen Feldherrn, die zehntausend in den Tod schicken und warmherzige Familienbriefe schreiben.«[14] Einen Weltkrieg darauf, in den Vernichtungslagern des SS-Staates, saßen wieder gemütvolle Repräsentanten des Menschengeschlechts in ihren Stuben und verfaßten zartherzige Briefe an die Lieben daheim, während sie kurz zuvor am Giftgashahn gedreht hatten.

Nach dem Ersten Weltkrieg kämpfte Theodor Lessing für die Rechte der Namenlosen, für die Opfer der Gewaltgeschichte, die Opfer der »Raubimperien«, der politischen Verbrecher auf Regierungsstühlen: »Gekrönte Bluthunde und Henkersknechte. [...] Gewissenlose Händler mit Menschenfleisch, wie weiland so mancher Landesvater in Braunschweig, Hessen-Kassel, Hessen-Nassau, Hannover, Waldeck, Ansbach, Anhalt-Zerbst.«[15] Ungezählte Millionen wurden auf den Schlachtfeldern, die man sich in ruhigeren Phasen gern als Bühne der Weltgeschichte vorstellt, hingemordet. Wer nicht auf den Schlachtfeldern umkam, wurde in den Schlachthöfen ermordet. Der SS-Staat verfügte über beide Tötungsmaschinerien, er führte Krieg und rottete Millionen Menschen in den Gaskammern und Verbrennungsöfen aus. Keine Blutspur sollte zurückbleiben, nichts Verräterisches auf die Untaten hinweisen.

Haarmann zerhackte seine Opfer, um sie unauffällig beseitigen zu können, er warf sie in den Leinefluß, eine dilettantische

Methode, und doch dauerte es lange, bis die ersten angeschwemmten Leichenteile sich anfanden.

In einem Klima öffentlicher Pathologie entstehen leichter pathologische Täter, was nicht heißt, daß allein die pathologische Gesellschaftsstruktur zur Erzeugung von kranken Triebtätern führt. Bei Haarmann war es vor allem anderen das pathogene familiäre Milieu; aus seinen Defekten gestaltete er bald sein ganzes Leben als Einbrecher, Hehler und Sexualstraftäter. Zwischen dem ersten und dem zweiten Mord lag eine lange Spanne Zeit, dann wurde das Töten zu einer Zwangshandlung, und doch war der Mord kaum mehr als ein nicht zu vermeidendes Nebenergebnis einer Sexualität, die nur noch im aggressiven Saugen und Beißen ihre Befriedigung fand.[16] Haarmanns unkontrolliertes Triebleben vergleicht Lessing mit dem Werwolf aus der Sage. Auf den Grundtrieben, durch nichts zu zähmen, säße eine »gespenstische Schlauheit und Berechnung im Dienste eines vormenschlichen Triebwahns«.[17] Unter einem übermächtigen Triebdruck lebend, impotent und allein in oraler Sexualität noch Lust empfindend, wurde Haarmann dazu »gezwungen, dem großen Liebestodgesetz eine scheußliche Treue zu wahren. Scheußlich, weil verschoben; wie durch falsche Weichenstellung ein Waggon auf die Strecke gerät, wo das andere Wagenmodell Typ ist«.[18] Ein Epileptiker, der sich nach vollbrachter Tat nicht mehr genau erinnern konnte, wie es dazu hatte kommen können, ein psychotischer Krimineller, dessen epileptische Anfälle ihn zu einem unbegrenzt mordenden Kranken machten.[19]

Es könnte sein, sagte Lessing damals ohne großes Prophetenpathos, daß noch eine Zeit kommen werde, wo man sich über Massenmörder vom Kaliber eines Haarmann nicht mehr aufrege, ihn eher als Stümper belächeln werde. Am Tag der Urteilsverkündung konnte der Käufer einer Abendzeitung in einer Extraausgabe zwei Sondermeldungen neben den Schlagzeilen und Kommentaren über das Todesurteil für Haarmann lesen: »Hitler freigelassen / Ein neuer Massenmörder?«[20] In der ersten Hälfte dieses blutigen Jahrhunderts gab es allerdings eine ungewöhnlich große Zahl von Massenmördern. Alle waren sie unscheinbare, harmlose Bürger, die Fassade wahrend, dahinter wütete die giftige Triebenergie von Menschenfressern. So ermordete der Landwirt Karl Denke zwischen 1902 und 1924 seine vielen Opfer nicht nur, er pökelte sie ein, verzeichnete in einem Haushaltsbuch ihr »Schlachtgewicht«[21], aß vermutlich von dem Fleisch, verkaufte es, schnitt sich aus der Haut der Opfer Schnürriemen und Hosenträger; als er verhaftet wurde, trug er ein Paar davon. Dem Würstchenverkäufer Grossmann wurde 1921 der Prozeß gemacht, er hatte vierzehn Frauen zu Wurst verarbeitet; auf ihn muß das Haarmann-Lied zurückgehen, denn der hannoversche Massenmörder scheint tatsächlich die ihm zugeschriebenen »Haarmann-Würstchen« nicht hergestellt und auf dem Schützenfest und in der Markthalle verkauft zu haben.[22]

In den USA verzehrte ein Albert Howard Fish seine Opfer nur mit Gemüse, drei Psychiater hatten ihn als Geisteskranken eingestuft, vier meinten jedoch, ihn für zurechnungsfähig halten zu müssen. Einer der Psychiater bewertete diesen Fall von Koprophagie mit der launigen Bemerkung: »Man kann 9 Tage lang dieses [Menschen-]Fleisch essen und doch an keiner Psychose leiden. Geschmäcker sind verschieden.«[23]

Der Fall Peter Kürten, 1929 in Düsseldorf, war der zweite große, spektakuläre Massenmörderprozeß der Weimarer Republik, und auch hier standen die Psychiater vor einem Rätsel, das sie aber flugs mit der Verneinung von § 51 zu beantworten wußten. 1949 erregte in den USA der Fall John George Haigh (The Acid Bath Murder) großes Aufsehen: er hatte das Blut seiner Opfer getrunken und die Körper anschließend in eine Betonwanne mit Schwefelsäure geworfen.[24]

In der Bundesrepublik war es der Fall Jürgen Bartsch (1963), der die Gemüter erhitzte und pogromähnliche Stimmungen hervorrief.[25] Aber auch Fälle aus der allerjüngsten Vergangenheit machen überdeutlich, daß die Wiederkehr von Werwölfen inmitten einer technologisch hochgezüchteten Gesellschaftsform nie ganz ausgeschlossen sein wird: so in den Fällen Fritz Honka (1975) und Joachim Kroll (1982), beide Triebtäter mit hypertropher Mutterbindung, beide mit Gehirnschäden.[26] 1873 war der geisteskranke Mörder Döpke, 1897 der an Hirnverletzungen leidende Mörder Vacher hingerichtet worden[27]; an dem 1925 mit der Fallschwertmaschine zu Tode gebrachten Haarmann hatte man nach einer Gehirnsektion feststellen müssen, daß das Gehirn an mehreren Stellen mit der inneren Schädelhaut verwachsen war, und das konnte nur von einer früh erlittenen Gehirnhauterkrankung herrühren, die zu epatanten Veränderungen der Charaktereigenschaften führen kann.[28]

Es hat einen Massenmörder gegeben, der völlig in Vergessenheit geraten ist, und das ist nicht ganz zufällig so: Ein Massenmörder in einem massenmörderischen Unstaat, das stimmte nicht mit dem sauberen Propagandabild der etablierten Herrenrasse überein. Bruno Luedke wurde Anfang 1943 verhaftet und gab vierundachtzig Sexualmorde zu, vierundfünfzig konnten ihm für den Zeitraum zwischen 1928 und 1943 nachgewiesen werden. Er hatte seine Opfer erwürgt und sich dann an ihnen sexuell vergangen. Während die Justiz versuchte, die Sache im stillen zu erledigen, tat sich Goebbels in einem Brief an Himmler mit einem Vorschlag zur »Sonderbehandlung« hervor. Er verlangte, daß »der bestialische Massenmörder und Frauenschlächter keines normalen Henkertodes stirbt. Ich schlage vor, ihn bei lebendigem Leibe verbrennen oder vierteilen zu lassen.«[29] Öffentliche Blutrituale diesen Ausmaßes paßten nicht in das Kriegsjahr 1943, das Regime konnte sich von derlei mittelalterlichem Spuk keinen ideologischen Profit, keinen zusätzlichen Rückhalt von seiten der terrorisierten Bevölkerung erhoffen. Luedke wurde als »Menschenmaterial« deklariert und in ein kriminaltechnisches Institut nach Wien verbracht, wo er bei »Experimenten« zu Tode kam. Vorher hatte man seine Aussagen daraufhin überprüft, ob sich der »typische Untermensch« dahinter verberge.

Die Psychiatrie war in der Mitte der zwanziger Jahre, als der Prozeß gegen Haarmann begann, eine von den Juristen anerkannte gesellschaftliche Instanz, als Sachverständige durften nur Psychiater vor Gericht ihre Gutachten abgeben. Die Gerichtsmediziner waren willige Hilfskräfte bei der Feststellung der verfahrensrelevanten Tatsachen, sie hatten sich im Laufe des 19. Jahrhunderts diese Wächterfunktion erobert und sie, nicht mehr der Klerus, bestimmten nun, was Normalität war und was nicht.[30] Höchst anfechtbare Behauptungen über die menschliche Psyche und über das sexuelle Verhalten wurden als strenge Wissenschaft ausgegeben. Die Psychiatrie war, wie die deutsche Geschichtswissenschaft, in den Rang einer Herrschafts- und Legitimationsideologie aufgestiegen. »Die deskriptive Klassifizierung pathologischer Tatbestände (in der Schule Kraepelins) war das Ende lebendiger Medizin.«[31] Wer die psychiatrischen Vernehmungsprotokolle, aufgezeichnet zwischen dem 18. August und dem 25. September 1924 in der Landesheil- und Pflegeanstalt Göttingen, liest, faßt sich an den Kopf. Tausend Seiten Kläglichkeit, ein manisch fixierter Psychiater, der Haarmann auf Herz und Nieren nach den Grundrechenarten prüft und ihm immer wieder die Frage nach der Art der Tötung vorlegt. Daß Haarmann seinen Opfern den Kehlkopf durchgebissen hatte, wollte dem Psychiater Ernst Schultze nicht einleuchten, doch hätte er von jedem Anatomen oder aus der Zeitung, aus einem Artikel von Magnus Hirschfeld, erfahren können, daß der Kehlkopf bei einem Sechzehn- bis Zwanzigjährigen sich noch nicht verknöchert hat, er sich mithin leichter zusammenpressen und auch durchbeißen läßt.[32] Haarmann litt seit langem an Impotenz, seine sexuellen Bedürfnisse befriedigte er mit dem, was Wissenschaftler als »mutuelle Onanie« bezeichnen. Bei diesem oft Stunden andauernden »Polieren« und Lutschen kam Haarmann langsam in einen Zustand großer sexueller Erregung, und da sich seine Sexualität vollständig auf das Orale verlagert hatte, war neben dem Onanieren das Küssen, Lutschen, Saugen und schließlich das Beißen eine natürliche Konsequenz; in diesen Situationen kam es dann meist zum Todesbiß. Haarmann verurteilte die üblichen homosexuellen Praktiken, ein »Hinterpommer«[33] sei er nie gewesen, doch als Psychiater Schultze ihm dann auch noch das Onanieren als »unnatürlich« vorhielt, die Lehrmeinung des einflußreichen Dr. Tissot aus dem 19. Jahrhundert hervorkramend, da konnte der so Befragte mit Recht nur zur Antwort geben: »Ja, was soll man denn machen, wenn ich das nicht habe?«[34] Das Gutachten ging denn auch ausdrücklich nicht auf »das Geschlechtsleben Haarmanns« ein, mit der Begründung, daß Haarmanns Angaben »in dieser Beziehung zu widerspruchsvoll sind«, um sich ein klares Bild machen zu können; außerdem seien die Aussagen aller Zeugen noch nicht zugänglich. So kam der Psychiater zu dem Ergebnis, daß der Täter zwar eine »pathologische Persönlichkeit« sei, die Voraussetzungen des § 51, die Unzurechnungsfähigkeit, nach dem ihm vorliegenden Material aber nicht vorlägen.[35] Andere Ärzte und Psychiater hatten bei Haarmann während der letzten Jahrzehnte immer wieder Epilepsie und andere Erkrankungen festgestellt, doch fand sich stets ein anderer Sachverständiger, der Gegenteiliges ausmachen konnte; auf diese Weise entsprang Haarmann jedesmal den Fachmeinungen und Lehrrichtungen. Das klinische Bild blieb unverändert, nur die Ansichten der Psychiater wechselten. Da konnte ein Kollege Schultzes aus der psychiatrischen Praxis in einem Zeitungsbeitrag für einen lichten Augenblick lang den Schleier über dem wahren Tatbestand lüften, als er gestand: Beim Haarmann-Prozeß könne jeder Psychiater »unter allen Umständen, wenn er es nur irgendwie mit seinem psychiatrischen Gewissen vereinigen kann, froh sein, wenn er ihn der Strafe überantworten kann«.[36] Es war der Direktor des Irrenhauses in Hildesheim, in dem auch Haarmann eine Weile eingesperrt gewesen war; vor dieser Anstalt hatte er größere Angst als vor dem Tod.

Ein Psychoanalytiker spitzte diesen offenherzigen Befund noch etwas zu. Es habe in Hannover zwischen der Staatsanwaltschaft und den medizinischen Autoritäten »volle Übereinstimmung« im Hinblick auf den § 51 geherrscht; die Staatsanwaltschaft habe sogar vor Prozeßbeginn erklärt, sie sei entschlossen, »als Laie selbst gegen die Wissenschaft anzukämpfen«, falls diese Haarmann als Unzurechnungsfähigen bezeichnen sollte.[37] In einem Telegramm des Oberstaatsanwalts an den Psychiater Schultze vom 18. November 1924 wird der massenpsychologische Zweck dieser Strategie offenkundig, denn »mit ruecksicht auf volksstimmung« sei der Dezember-Termin für den Prozeß »unbedingt notwendig«.[38] Wie Theodor Lessing äußerte auch der Sachverständige im Flessa-Prozeß sein Unverständnis über diese ebenso einfache wie törichte Anwendung der Strafgesetze. »Bestünde die rechtliche Möglichkeit, sollte H. zu lebenslänglichem Zuchthaus begnadigt werden: Um der Psychologie und Kriminalistik Gelegenheit zu geben, dieses außergewöhnliche Exemplar zu studieren, von ihm zu erfahren – was es noch zu sagen hätte.«[39]

Haarmanns einzige Antwort an seinen psychiatrischen Fragesteller war: »Köppen!« Nichts anderes wollte die Justiz, beide Seiten übten sich in der klassischen Form der Verdrängung von nicht erkannter Schuld. Reue über seine Untaten zeigte Haarmann nicht, über »Pupenjungens« konnte er nicht trauern, es waren Perverse für ihn, weil sie es für Geld machten, während er, den Herrn Jedermann bei jeder Gelegenheit hervorkehrend, von sich meinte, er sei ja von Natur aus so veranlagt, er könne also nichts dafür.[40] Es sei »doch eine ganze Portion gewesen«, die er umgebracht habe, aber leid könnten sie ihm nicht tun, »alles Pupenjungens, die tauchten doch nichts«.[41]

Große Zuneigung hatte Haarmann zu seinem neuen »Vater«, dem Psychiater Schultze gefaßt, und als der ihm eines Tages sechs Zigarren mitbrachte, umarmte er ihn und machte, wie das Protokoll vermerkt, »sogar Miene ihn zu küssen« – der in Verwirrung gestürzte Experte riß sich von Haarmann los, worauf der besänftigend plauderte: »Sie brauchen keine Angst zu haben, ich beiße nicht.«[42]

Die Ohnmacht der biologistischen Kriminalpsychiatrie gegenüber dem »Rätsel« Haarmann, das Herumhantieren mit Klassifikationen und Schematismen, war für die junge Konkurrenz, die Psychoanalyse, einmal mehr der Beweis für eine entleerte Diagnostik, die nicht imstande war, die im einzelnen wirksamen psychischen Mechanismen im Täterbild dechiffrieren, verstehen und erklären zu können. Die grobe Umschreibung von äußerlichen Merkmalen war dafür nicht ausreichend, denn weder konnte man damit die frühkindliche Entwicklung, die darin angelegten Konflikte und Defekte aufhellen, noch das Unbewußte in seiner ganzen komplexen Struktur aufdecken. Mit dem § 51 war festgeschrieben, daß es keine kriminellen Handlungen geben könne, die im Zustand der Bewußtlosigkeit oder einer anderen krankhaften Störung des psychischen Apparates begangen worden wären, nur auf schwere, seltene Grenzfälle konnte und sollte dieser Paragraph Anwendung finden.[43] Die Richter mußten sich auf das Herrschaftswissen der Psychiater stützen, sie konnten nur glauben, was in den Gutachten stand. Und so war die Krise der Psychiatrie auch eine Krise der Justiz. Denn die schroffe Zurückweisung der Psychoanalyse von seiten der deutschen Juristen bewirkte eine weitere Verknöcherung der ohnehin starren juristischen Denkstrukturen. Es war Angstabwehr, die Juristen zu ihrer Ablehnung einer neuen Wissenschaft bewegte.

Nach einer fast dreißigjährigen Erprobungszeit war die Psychoanalyse um 1925 soweit, eine Synthese ihrer Reflexionen zum Strafrecht anbieten zu können: die »psychoanalytische Kriminologie«. In die Gerichtsverhandlung gegen Haarmann wirkte sie nicht hinein, doch zeigt die Zahl der Fachaufsätze und Abhandlungen zum Thema Strafrecht und Psychoanalyse, daß es damals einige Juristen gab, die nicht nur die Zulassung von Psychoanalytikern vor Gericht forderten, sondern auch die psychoanalytische Behandlung im Strafvollzug für möglich, wenn auch schwierig und kostspielig, hielten.[44] Es entbehrt nicht einer gewissen Tragikomik, daß der erste psychoanalytische Experte, keineswegs ein originaler Psychoanalytiker, im Juli 1925 vor Gericht zwar ein tiefenpsychologisches Gutachten zum Fall Angerstein vortragen durfte, das Gericht ihm jedoch untersagt hatte, mit dem Angeklagten zu sprechen.[45] Die unerwünschte Aufdeckung von unbewußten Triebanteilen bei der Tatbewertung war gewiß ein Grund für die Abwehrfront der deutschen Justiz, wenngleich es aufgeschlossene Strafrechtler gab, die sich in die psychoanalytische Terminologie eingearbeitet hatten und die vor Fachpublikum die Vor- und Nachteile der Psychoanalyse für die eigene Arbeit diskutierten.[46]

Selbst vor harscher Kritik an heiligen Autoritäten der Gerichtspsychiatrie schreckte man gelegentlich nicht zurück: »Auch der Unbefangene fühlt, daß ein herbeigeholter Psychiater, der nur die groben biologisch greifbaren Merkmale erfaßt, mit der Feststellung, der Kriminelle gehöre zu den psychopathischen Persönlichkeiten, er sei ein hysterischer, epileptischer oder zyklothymer Charakter, nicht den Schlüssel zu den Verflochtenheiten des Innenlebens bietet.[47] Sätze dieser Güte waren eine Seltenheit, nur ganz wenige Juristen wollten von den gängigen Schulweisheiten der Psychiatrie sich nicht mehr zufriedenstellen lassen, aber sie wollten auch nicht sofort wieder in die Abhängigkeit von neuen Autoritäten geraten. Psychoanalytische Arbeitskreise für Richter, Staatsanwälte, Gerichtsmediziner und Rechtsanwälte sollten davor bewahren, dazu mußte man allerdings in Berlin wohnen, in die Provinz drang die Psychoanalyse nur vereinzelt vor.[48]

Die Psychiater sahen in solchen Formen praktischer Zusammenarbeit einen Angriff gegen die institutionellen Grundlagen des eigenen Fachs, ein wissenschaftlicher Dialog mit der Konkurrenz war unter diesen Gegebenheiten ausgeschlossen. Mit der unsinnigen Unterstellung, die Psychoanalytiker wollten den Täter exkulpieren und damit das Schuldstrafrecht zerstören, blockierte man jede freie Erörterung über die Vorzüge und Schwächen der verhaßten Psychoanalyse. Und so muß man Karl Kraus recht geben, der 1904 meinte, daß die Herrschaften der Gerichtspsychiatrie von dem »morschen Wissenszweig«, auf dem sie saßen, »heruntergepurzelt« seien; allenfalls als »Glaube« könne die Gerichtspsychiatrie noch »eine bescheidene Existenz« führen. Im Schein und Spiel würde sie zu ihrem wahren Wesen vordringen: »Sie ist von allen Gesellschaftsspielen doch das unterhaltendste.« Nur bei ihr könne man noch »Stunden ungetrübten Frohsinns« verbringen.[49]

In der strafrechtlichen Debatte der Weimarer Republik konzentrierte man sich auf die Fragen nach der Todesstrafe, der Sicherungsverwahrung, der Sterilisation und Kastration, wirkliche Reformen im Bereich der juristischen Behandlung von devianter Sexualität wurden nicht erreicht. Die Zeit war knapp; und von 1933 bis 1945 bestimmten Schreckensfiguren wie Roland Freisler, wo straffällig Gewordene hingehörten: in den »Ascheimer der Volksgemeinschaft«.

Die psychoanalytische Beratung und Begutachtung ist in der Bundesrepublik nichts Außergewöhnliches mehr, und doch zeigt die Fachdiskussion, daß das schwierige Verhältnis zwischen Psychoanalyse und Justiz noch lange nicht hinreichend geklärt ist und alte Fragen weiterhin nach einer Lösung verlangen.[50] Was die Gerichtspsychiatrie in jüngster Zeit zur Selbstaufklärung beigetragen hat, ist nicht durchweg ermutigend, doch scheint die Bereitschaft zu wachsen, interdisziplinär zu denken, wenigstens solange die Existenz des Faches nicht gefährdet zu sein scheint.[51]

Wer immer im letzten Viertel des vergangenen Jahrhunderts zu lesen, zu schreiben begann, sein Weg wurde überstrahlt von einem philosophischen Doppelgestirn: Schopenhauer und Nietzsche. Nicht nur Theodor Lessing stand unter diesem Einfluß, viele Schriftsteller holten sich aus diesen Schatzkammern der psychologischen Erkenntnis ihre Anregungen und formten literarische Gestalten daraus. Als die Psychoanalyse nach und nach zu einer psychopolitischen Macht sich ausgebildet hatte, als die ersten Abweichler von der reinen Lehre vom Clan um Freud mit Fluch- und Bannsprüchen belegt wurden, war auch die Kritik an den sachlichen Leistungen der Psychoanalyse längst zu einer eigenen Tradition geworden. Lessing verwarf die Psychoanalyse nicht, auch schmälerte er ihren praktischen Wert als Therapie keineswegs, doch erinnerte er daran, daß es bereits vor Freud eine bedeutende Reihe von Psychologen und Philosophen gegeben hatte, die wichtige Vorarbeiten zu einer sexualpathologischen Gesamttheorie geleistet hatten. Freud verleugnete die Lektüre von Schopenhauer und Nietzsche, um sein Idealbild von sich selbst, bei wissenschaftlichen Entdeckungen immer der Erste sein zu müssen, nicht beschädigt zu sehen.[52] Theodor Lessing ahnte, daß die Psychoanalyse zum populären Gesellschaftsspiel, zunächst der »Eliterudel«[53], später auch der »kleinen Leute«, werden würde. Unverbindliches Geschwätz über Komplexe und Verdrängungen, unbeteiligtes Geplapper über Triebschicksale und Kompensationen würden nur die Selbstgefälligkeit fördern, den »Leerlauf des Willens«.[54] Alles und jedes auf sexuelle Urtriebe zurückzuführen, sei ein zwar vergnügliches, doch auch sehr eintöniges Spiel; der psychoanalytischen Theorie machte er den Vorwurf, mit einem eindimensionalen Urtriebmodell zu arbeiten, mit einer »in den Leerlauf geratene[n] und bis zu ihrer nackten Isolation gediehene[n] Sexualität«.[55] Kunst, Religion, Philosophie, Musik, Rausch und Träume könne man nicht auf ein Letztes beziehen, man müsse diese Welten des Traums schützen vor der psychoanalytischen »Reduzierung des Unausdeutbaren«.[56] Für Karl Kraus war der Traum eine Gegenwelt zur bloßen Wirklichkeit, diese Träume sollten nicht durch naturwissenschaftlich-psychologische Begriffe zergliedert und damit zerstört werden.[57] So wie die Germanisten mit ihren konjunkturbedingten Interpretationsschemata die Schönheit eines literarischen Kunstwerks noch immer kleingekriegt haben, indem sie sie auf ihren jeweiligen Begriffshorizont zurechtstutzen, so sahen Kraus, Lessing und andere Autoren in den Psychoanalytikern seelenlose Aufräummaschinen, die rücksichtslos die Träume und literarischen Phantasien durchpflügten auf Symbole, Fehlleistungen und andere Defekte.

Theodor Lessings Buch über den Fall Haarmann lebt von seiner elementaren Sprache, den bildkräftigen Wörtern, der charakterologischen Porträtkunst, der psychologischen Aufmerksamkeit für das einzelne und scheinbar Unbedeutende: auch die Nebenfiguren geraten in das Blickfeld, erhalten ihre Psychologie und werden gestaltet, ebensosehr wie das Umfeld der Ereignisse, die Schauplätze und Orte. In Lessings Stil liegt eine suggestive Psychologie, sie soll zu den vielen kleinen Einzelbeweisen hinleiten und politische Erkenntnis stiften. Von innen heraus wachsen den Figuren ihre ihnen zugeteilten Rollen zu; so wurde aus einer Folge feuilletonistischer Gerichtsreportagen eine psychologisch-kriminalistische Erzählung.

Ein Schriftsteller, der die rohen Materialien des Lebens für seine Arbeit zu schätzen wußte und der wie Theodor Lessing im Physiologischen sich auskannte, weil er wie Lessing Medizin studiert hatte und sogar eine kassenärztliche Praxis als Neurologe und Psychiater unterhielt, hat das Haarmann-Buch bestimmt genauer und häufiger gelesen als irgendein anderer: Alfred Döblin. Als 1929 sein Stadtroman *Berlin Alexanderplatz* erschien, wurde das Buch mit dem *Ulysses* verglichen, aber niemand kam auf den Gedanken, daß Lessings psychologische Chronik der Massenmorde in Hannover das Vorbild für Döblins bekanntesten und erfolgreichsten Roman abgegeben hatte. Erst 1988 wurde in einer ausgezeichneten Dissertation über die Darstellung von Kriminalität in der deutschen Literatur überzeugend nachgewiesen, daß Döblin bis in kleinste Einzelheiten hinein Lessings Studie für seine Geschichte vom Franz Biberkopf verwendet hatte.[58] Das reicht von Anspielungen auf den ominösen »Schlachter-Karl« über Motivketten zur Homosexualität, Haarmanns Trink- und Eßgewohnheiten und seinen Redensarten bis zu der großen Allegorie über den Schlachthof. In diesen Passagen über das industrielle Töten von Tieren taucht das Leitmotiv des Romans, der Opfergedanke, am prägnantesten auf, begleitet von der im Buch wiederkehrenden Zeile: »Es ist ein Schnitter, der heißt Tod.« Sogar die erste Strophe des Haarmann-Liedchens wird zitiert. Es sollte dieser Roman ein »Enthüllungsprozeß besonderer Art«[59] sein, liest man am Ende des Werkes, und schon in der Mitte des Buches versichert der Erzähler seinen Lesern, daß sie keinen Grund zur Verzweiflung zu haben brauchten, er werde diese Geschichte zu Ende bringen. Der Mann, von dem sie handelt, sei »zwar kein gewöhnlicher Mann, aber doch insofern ein gewöhnlicher Mann, als wir ihn genau verstehen und manchmal sagen: wir könnten Schritt um Schritt dasselbe getan haben wie er und dasselbe erlebt haben wie auf er«.[60] Elementarpsychoanalyse auf Döblinsche Art.

Die Reaktion der Öffentlichkeit, der erregten Bevölkerung auf Mordfälle war immer gleich: Rache und der Wunsch nach Strafe. »Denn die Macht des eigenen Über-Ichs wird dann schwer erschüttert, wenn ein Täter straflos bleibt«[61], wenn eine Ausnahme beim Ausagieren von schweren Aggressionen gemacht wird, die sich alle anderen Mitglieder der Gesellschaft nicht herausnehmen dürfen. Neben dem Krieg, der Parteipolitik und den Sportwettkämpfen sei jede Gerichtsverhandlung »eines der wenigen Abfuhrventile für gehemmten Sadismus«[62], erläuterte ein Psychoanalytiker 1931 einem Fachpublikum. Das wußte Döblin auch und schuf darum mit der Kunstfigur Franz Biberkopf (ein Tiername, auf den Werwolf deutend) einen Charakter, der nicht gleich Vergeltungsgelüste und Haßgefühle heraufbeschwor, ein gebrochener Mensch, den der Leser manchmal nur allzugut verstehen und seine Handlungen entschuldigen kann, weil von ihm selbst gesprochen wird. Nachdem Döblin diese psychologischen Sperren im Leser aufgehoben hat, kann er ihn unbedenklich in einen Schlachthof führen, wo ihm das Schicksal von Kälbern und Schweinen mit drastischen Worten vor Augen gehalten wird. Und so wie der Leser zum Zeugen blutiger Verbrechen gemacht wird, wird er bis zu der Frage geführt, ob nicht auch er, unter gewissen Umständen, zum Mörder werden könnte. Durch diese psychoanalytische Spurenlese könnte der Leser vielleicht eine Vorstellung von Krankheit, Verbrechen und Schuld bekommen.

Doch damit gibt sich der Kassenarzt Döblin noch nicht zufrieden, er läßt seinen Helden alle Qualen und Ängste, alle Schmerzen und alle Not nacherleben, die die Opfer des Mörders erleiden mußten. Im ersten Schluß des Romans tritt der Tod auf die Szene und singt ein langsames Lied; Biberkopf fleht um ein rasches Ende, wie Haarmann, aber der Tod antwortet: »Ich habe nur ein Beil in der Hand. Alles andere hast du in der Hand.«[63] Biberkopf soll sich erinnern und seine Schuld einsehen, und das hat allein er in der Hand, die fiktive Psychotherapie markiert dafür die Weglinien; es gelingt. Und im zweiten Schluß kann Döblin einen anderen Biberkopf erfinden, der als Hilfsportier weiterlebt, nicht unter dem Fallbeil endet oder in einem Irrenhaus verdämmert. Aber diese psychoanalytische Utopie durchkreuzt Döblin mit einem zweiten allegorischen Bild: Plötzlich krachen die Kanonen, und über ein Schlachtfeld ruft es: »Es lebe der Kaiser, lebe der Kaiser! Das Opfer, das Opfer, das ist der Tod!«[64] Die Weltgeschichte ist ein unaufhörliches Abschlachten, der Krieg ist absolutes Grauen. 1937, zwei Jahre vor dem nächsten großen Krieg, ist Döblin auf der Flucht vor wohlorganisierten Schlächtern und beginnt im Exil mit seinem monumentalen Roman über die niedergeschlagene deutsche Revolution: *November 1918.*[65] In den vier Bänden trifft man auf Denkmotive von Theodor Lessings Geschichtsphilosophie; über das Hauptwerk *Geschichte als Sinngebung des Sinnlosen* hatte Döblin 1927 geschrieben: »Wenn man Lessings Buch gelesen hat, so fragt man sich: ja, wer hat nun noch Lust, Geschichte zu schreiben?«[66] Döblin resignierte nicht; in *November 1918* läßt er panoramatisch die Täter und die Opfer vorüberziehen, damit nicht in Vergessenheit gerät, wer für die Blutbäder in der deutschen Geschichte verantwortlich zu machen ist. Karl Liebknecht und Rosa Luxemburg unterhalten sich in einer dieser Szenen über die kriegerischen Figuren in Deutschland, und Liebknecht sagt, es sei dieser »kleine deutsche Mensch«, der eine so sonderbare Art habe und schaue, als wolle er einen belagern: »Sie haben einen niederträchtigen Blick, das Wolfsgebiß.« Der Krieg habe eine fürchterliche Verrohung und Verwahrlosung verursacht, diese Nachkriegsfiguren machten auf Liebknecht den »Eindruck von Raubtieren. Man kann von ihnen alles erwarten.«[67] In die Ermordungsszene der Mieze durch Biberkopfs Kumpanen Reinhold hat Döblin zwei Sätze über die Schlachtung eines Kälbchens montiert (»Darauf schlägt man mit der Holzkeule dem Tier in den Nakken und öffnet mit dem Messer an beiden Halsseiten die Schlagadern. Das Blut fängt man in Metallbecken auf.«[68]); dies wiederholt sich in der Schilderung der Ermordung von Rosa Luxemburg in *November 1918* (»Er schwingt den Kolben über sich und schmettert ihn über ihren Schädel mit solcher Wucht, daß es kracht und sie wie ein gefälltes Tier zugleich mit dem Kolben zu Boden geht. [...] Die blutige Rosa, die rote Sau, jetzt liegt sie da, man kann sich freuen. [...] und so soll's allen gehn, allen Schweinen und Juden.«[69]).

So löste Döblin mit seinen Romanen die Forderung nach psychoanalytischer Kriminologie ein, während die Vertreter von Justiz und Psychoanalyse nur unergiebige Gefechte absolvierten. Seine Kunstfiguren spielen vor, wie man sich eine psychoanalytische Rückwendung vorzustellen hat, und Döblin übersetzte die individualpsychologischen Krisen und Katastrophen auf die politische Ebene und hielt der deutschen Republik ihr blutbeflecktes Spiegelbild vor Augen: »Das Deutsche Reich ist eine Republik, und wer's nicht glaubt, kriegt eins ins Genick.«[70]

Im Ersten Weltkrieg waren alte Strukturen des gesellschaftlichen Zusammenlebens aufgesprengt worden, die Sexualität hatte den Charakter einer Flucht vor dem plötzlichen, gewaltsamen Tod erhalten, und als endlich Frieden war, schien etwas Erotisches in der Luft zu liegen, während gleichzeitig die mordenden Banden der Freikorps durch die Lande zogen: Wie soll man dies Jahrzehnt auf einen gemeinsamen Nenner bringen? Frank Wedekinds *Frühlingserwachen* war das theatralische Symbol für die kurze Phase der Sexualisierung des öffentlichen Lebens in den »Goldenen Zwanzigern«. In Zeitungen und Zeitschriften wurde der Körper als erotische Erfahrungszone entdeckt, sexuelle Aufklärungsfilme kamen in die Kinos, einige Begriffe der Psychoanalyse wanderten in die Alltagssprache ein und formten das Bewußtsein um. Die Sexualität begann, jenseits von ernsthaften und manchmal allzu gutgemeinten Aufklärungsschriften, zu einem Geschäftszweig der Unterhaltungsindustrie zu werden. Wie erlebte die Weimarer Jugend diese Zeit der neuen Erotik und Sachlichkeit, des Expressionismus und einer munter sich ausbreitenden Freizeit-Moderne, in der Sexualität wie eine lockere Sportart sich präsentierte?

Im zweiten Teil dieses Buches sind einige Gerichtsreportagen von Theodor Lessing abgedruckt, die Schlaglichter werfen auf diese Frage, denn in vielen Mordprozessen der zwanziger Jahre erscheint Sexualität als auslösendes Moment für kriminelles Verhalten, nicht nur bei Jugendlichen oder bei einem Sonderfall wie Haarmann. Es sind Kinder aus guten bürgerlichen Häusern, aus beengten Kleinbürgerfamilien, und es sind Arbeitslose, die unversehens ins Verbrechen stürzen, Sexualmorde begehen und oft nicht recht wissen, wie sie zu dieser Tat überhaupt gekommen sind. Dahintreibende ohne Kurs und Ziel, ohne Steuer und Plan, allenfalls ahnen sie dumpf die Konfusion ihres traurigen Lebens. Schiefe Ideale, Sehnsucht und Überstiegenheit, einen »Leerlauf des Willens«[71] bemerkt Lessing an ihnen, eine Zeitkrankheit, die Taten einer gleichgültigen, phantasiearmen, leichtsinnigen Jugend ermöglicht. Sexueller Leerlauf, den die Sensationspresse auszuschlachten nicht müde wurde. In Theodor Lessings feinfühligen psychologischen Gerichtsfeuilletons sieht man die Charaktere und Temperamente vor sich, wird vertraut gemacht mit den ebenso tragischen wie banalen Vorgängen um Liebe und Tod. Die Erwachsenen und ihre Institutionen reagierten auf diese »Jugendkatastrophen«[72] hilflos und blind; exemplarisch wird diese wütende Ohnmacht in einer symbolischen Szene, erzählt von dem ehemaligen Hauptangeklagten im Krantz-Prozeß: »Der Vernehmungsrichter [...] brüllte mich an: ›Sie haben mit einem minderjährigen Mädchen Unzucht getrieben. Darauf steht Zuchthaus.‹ Ich kann mich auch heute [1971] nicht des Eindrucks erwehren, daß sich die Behörden, ein guter Teil der Presse, ja sogar einige Sachverständige und ganz gewiß die überwiegende Mehrzahl der Prozeßzuhörer und Zeitungsleser, kurzum die sogenannte ›Erwachsenenwelt‹, von der Sexualatmosphäre des Falles viel betroffener und verstörter zeigten als von der unseligen Bluttat selbst.«[73]

Wann immer in dieser Zeit Resolutionen und Petitionen zur Reform der Sexualgesetzgebung zur Unterzeichnung herumgereicht wurden, stand Theodor Lessings Name darunter; auch der Kampf gegen die Kriminalisierung der Homosexualität, in diesem Band mit zwei kleinen Artikeln dokumentiert, zeugt vom persönlichen Mut, den man aufbringen mußte, um einer autoritären Gesellschaft ein Stück lebbarer Freiheit abzuringen.[74] Wie ein kleines Wunder erscheint es da, wenn ein Reformer wie Fritz Kleist in Celle zum Strafanstaltsdirektor wurde; Lessing hat seinem Freund Fritz Kleist mit einem Artikel etwas Rückendeckung verschafft.[75] Im abschließenden Aufsatz dieses Buches *Epochen der Schuld* skizziert Lessing die Grundlinien seiner rechtsphilosophischen Theorie, erläutert er die Identität von Schuld und Kausalität mit einem Ausblick auf eine zukünftige Sozialethik. Sie wartet noch auf ihre Verwirklichung.

Es wird weitergemordet. Und es muß nicht gleich ein »neuer

Haarmann« sein[76], es kann auch eine Mutter von zwei Kindern ihren früheren Freund strangulieren, zersägen, kochen, braten und dann, in Plastiktüten einer Videothek verpackt, tiefgefrieren.[77] Dabei müßte eigentlich gar nicht mehr gemordet werden, das geschieht alles schon auf Videokassetten mit vorzüglicher Perfektion und Brillanz. Ein Heer von Schauspielern in stellvertretender Aktion für die Videovoyeure, die sich auch weit nach Mitternacht in einer Videothek Passendes ausleihen können und die Blutopern natürlich nur aus technischem Interesse wahrnehmen: Solche Schlächterfilme, erklärt ein freundlicher Videokonsument einem Reporter, gefallen ihm »ned vom Abschlachten her, sondern weil sie so gut g'macht sind«.[78]

Wer in Paris über die Straßen und Boulevards flaniert, wer in den Metrostationen die großen Plakatflächen betrachtet, wird die elektronische Version der sexuellen Allmachtsphantasien unter der Zahlenkombination 36.15 nicht übersehen können. Zusammen mit einem Codewort – Natacha, Marisa, Cruella – kann man an seinem Minitel gewisse Botschaften loswerden: »messageries roses«, und am anderen Ende des Bildschirms antworten erotische Animateure; der Code 36.15 SM hat neben Altbewährtem auch simulierte Strangulationen im Angebot. Wer sich von diesen flimmernden Bildschirmphantasmen nicht zufriedengestellt fühlt, wer Sexmodelle aus Fleisch und Blut treffen will, braucht nicht mehr in die laute und dreckige Rue Saint-Denis zu gehen, er tippt ein Codewort und vereinbart eine Verabredung; im letzten Jahr wurden in Paris sechs Frauen erwürgt aufgefunden, sie waren 36.15-Modelle gewesen.[79] »Solange beim Menschen die Eckzähne noch so verdächtig markiert sind, so lange wird es Leute geben, die sich auf die Natur berufen und fröhlich weiterschlachten.«[80]

Rainer Marwedel

Haarmann

»Kaum jemals ist ein bedeutender Prozeß unfähiger, kleinlicher und törichter geführt worden. Die Hoffnung, daß mein Buch die Wiederaufnahme des Verfahrens erwirken würde, hat sich nicht erfüllt.

Im übrigen dürfte meine Darstellung des Kriminalfalls älter werden als die Akten des Gerichts und in irgendwelchen denkenden und forschenden Köpfen dennoch zur Wiederaufnahme des Verfahrens führen.«

Theodor Lessing, 1925

Ein Kriminalfall

Seit Monaten machte sich in der Umgebung Hannovers eine Epidemie des Aberglaubens bemerkbar. Mädchen, die in die Stadt zum Einkaufen geschickt wurden, weigerten sich, in die Läden zu gehen. Im Volke herrschte das gruselige Gerede, in Fleischerläden der Vororte werde Menschenfleisch feilgehalten. Dann wieder wurde herumerzählt, es gäbe in den winkeligen Straßen der Altstadt geheime Versenkungen. Kinder würden in die Häuser hineingelockt und kämen dann nicht wieder zum Vorschein. Besonders knüpften sich solche Faselgeschichten an die phantastischen alten Gäßchen in der Gegend des »Hohen Ufers«, an die alten Häuser in der Umgebung der Synagoge. Von den alten Häusern am Leineufer führen Treppen zum Wasser hinab. Die Keller liegen oft tief unter dem Niveau des Flusses. Hier sollten Kinder verschwunden sein. Solche Ammenmärchen beunruhigten die Gemüter. Es kam in der letzten Zeit oft vor, daß die Lehrer in den Volksschulen, die Geistlichkeit von den Kanzeln vor dieser Gruselepidemie warnte. Aber sie war nicht auszurotten, und dies war umso auffallender, als unsere nüchterne und klare Bevölkerung eigentlich für Spuk- und Hexengeschichten wenig Neigung hat. Es wurde schlimm, als zwei grausige Funde gemacht wurden, die aber (wie man jetzt weiß), in keiner Verbindung miteinander stehen. Spielende Kinder fanden im Bett der Leine einen Sack, welcher Schädel und Knochen enthielt. Sie wurden als Knochen und Schädel junger Menschen agnosziert. In einem benachbarten Dorfe Ihme fanden große Einbruchsdiebstähle statt. Ein Bauer, der bestohlen wurde, ging zu einem Hellseher. Der Hellseher verwies im Traumschlaf auf ein bestimmtes Gehölz. Als man dort nachforschte, fand man einen Platz, dessen Erde niedergetreten und mit Laub bedeckt war. Als man nachgrub, fand man zwar nichts von den gestohlenen Sachen, wohl aber ein ungeheures Lager von Sprengstoffen und Pulver. Daran knüpfte sich sogleich die Fama, auch an anderen Stellen der Stadt seien Höllenmaschinen gefunden worden. Die Gemüter waren nun endgültig beunruhigt. Am letzten Sonntag des Juni sah man aus den Vororten und Vorstädten viele hundert Menschen den Leinefluß hinabwandern. Sie hielten Brücken und Stege besetzt. Gräßliche Gerüchte schwirrten umher. Hie und da meldeten sich Phantasten, welche behaupteten, sie hätten Skelette oder Leichenteile im Flusse gesehen.

Man mußte überzeugt sein, eine Art Volkspsychose, eine Gruselepidemie zu erleben; dergleichen in den Kriegsjahren hie und da wohl erlebt worden ist. Da ereignete sich ein Kriminalfall, der auf den eigentlichen Kern der umlaufenden Gruselgeschichten hinwies und fast erschreckend klar machte, daß der Massenseele irgend eine Kraft des Ahnens und Vorfühlens innewohnt. Angeblich soll sich das Ereignis folgendermaßen abgespielt haben. Ein Knabe wird auf der Straße von einem Manne gefragt, ob er wohl gegen drei Mark Entgelt einen Brief an eine in der Nachbarschaft wohnende Person bringen wolle. Der Junge übernimmt das gern, trifft aber unterwegs einen älteren Bekannten, der ihn fragt, wohin er wolle und sehr verwundert ist, daß der Junge für eine so kleine Dienstleistung einen so hohen Betrag bezahlt erhielt. Er erbietet sich, den Jungen zu begleiten oder hinter ihm her zu gehen und vor dem betreffenden Hause in der »Rote Reihe« genannten Straße zu warten. Der Junge geht in das Haus, kommt nicht wieder. Der andere wird unruhig, dringt nun in das Haus und da ihm in dem betreffenden Stockwerk nicht geöffnet wird, so schlägt er Lärm. Schließlich öffnet ein Mann (wie sich später ergab derselbe, der dem Knaben den Brief übergeben hatte). Den Knaben findet man entkleidet und offenbar in Betäubung auf einem Bett. Der Mann wird verhaftet. Er ist 45 Jahre alt, mittelgroß, schwächlich, heißt Fritz Haarmann, ist ein der Polizei bekanntes schlecht beleumundetes, mit Zuchthaus vorbestraftes Individium. Der Verhaftete gibt zu, ein Sittlichkeitsverbrechen geplant zu haben. Man hält bei der Gelegenheit Haussuchung. Es werden auf dem Boden Bündel voll Kleider und Wäsche gefunden. Ihr Vorhandensein wird von dem Verhafteten damit erklärt, daß er mit alten Kleidern und Wäsche Handel treibe. Wohl die kursierenden Schaudergeschichten und die große Beunruhigung im Volke bringt die Kriminalbeamten auf den Einfall, die in den Wäschestücken eingestickten Initialien mit den Anfangsbuchstaben der Namen letzthin vermißter Kinder und junger Leute zu vergleichen. Da ergibt sich die erschreckende Uebereinstimmung der Buchstaben. Es stellt sich auch heraus, daß der Verhaftete schon einmal im Jahre 1918 verhaftet gewesen war unter dem Verdacht, beim Verschwinden eines jungen Menschen beteiligt zu sein; man hatte ihn, da keine Beweise da waren, wieder laufen lassen. Hier muß gesagt sein, daß in den letzten Jahren das Verschwinden von Knaben und Jünglingen in Hannover auffallend und häufig geworden war. Gerade auf Grund dieses immer neuen Verschwindens und Vermißtwerdens jugendlicher Menschen hatten sich im Volke die Greuellegenden gebildet. Einmal handelte es sich um einen 16jährigen Schüler, der auf dem Heimwege von der Schule von vielen Kameraden gesehen worden war, dessen Weg man bis unmittelbar ans Elternhaus verfolgen konnte und der dennoch nicht nach Hause kehrte und seit Jahr und Tag verschollen blieb. Ein andermal wurde ein kleiner Lehrling, der einen Brief auf die Post zu tragen hatte, von einem Manne um eine Gefälligkeit gebeten, kehrte dann nicht wieder ins Geschäft zurück und blieb verschollen. Ein drittesmal verschwand ein zugereister junger Handwerksbursche aus der Herberge zur Heimat und wurde nie wieder gesehen. Dergleichen Fälle verzeichnete der Polizeibericht der letzten Jahre in erschreckend großer Zahl. Das verhaftete Individuum konnte für die Übereinstimmung der Wäscheinitialen mit dem Namen solcher vermißter Personen keine Erklärung geben. In die Enge getrieben, gestand er schließlich, einige dieser Personen gekannt zu haben. Es ließ sich ferner feststellen, daß der Verhaftete an verschiedenen Stellen der Stadt gleichzeitig mehrere Zimmer innehatte. Seit 1918 betrieb er eine Wirtschaft in der unmittelbar am Leinefluß sich hinziehenden sogenannten »Neuen Straße«, eine der verrufensten Straßen der Stadt. Die Polizei wußte, daß in der Wirtschaft lichtscheues Gesindel zusammenkam, daß sie zumal homosexuell Belasteten zur Zusammenkunft diente. Auch wurde dort ein Handel mit billigem Fleisch, angeblich Pferdefleisch getrieben. Der Verdacht verdichtete sich, als man ein Holzbrett mit Blutspuren auffand. Aber noch ehe der Streit der Chemiker entschieden war, ob dies Blut Menschen- oder Tierblut sei, wurde ein neuer gräßlicher Fund gemacht. In einem Teiche der Herrenhäuser Gärten fand man wiederum einen Sack mit Menschenknochen. Von allen diesen Knochen war das Fleisch sorgfältig abgeschabt. Das schließliche Geständnis des Scheusäligen erreicht man, wie so oft, durch einen raschen Coup. Man sagte dem Manne, das alles entdeckt und nichts mehr zu leugnen sei und konfrontierte ihn plötzlich mit allen den gefundenen Leichenresten. Der völlig Zusammengebrochene leistete nun ein Geständnis, das wenigstens einen großen Teil der in der Bevölkerung seit langem kursierenden Gerüchte gräßlich bestätigte. Die Anzahl seiner Opfer behauptete er nicht mehr zu wissen. In sieben Fällen wurden ihm die Mordtaten bewiesen und klar eingestanden. Als man in den letzten Tagen abermals Reste einer Knabenleiche auffand, wurde auch dieser achte Mord zugestanden. (Es sind inzwischen zwölf Morde eingestanden.) Der Fall ist wohl gräßlich abnorm. Dennoch bietet er dem Psychiater und Psychologen kaum besondere Rätsel. Der geständige Mörder hat in der Tat mehrere Jahre hindurch eine Art Menschenschlächterei als Handwerk geübt. Vielleicht das tollste ist, daß er dabei im Dienst der Polizei stand, indem er von einem Detektivinstitut als Spitzel beschäftigt wurde. Die Ausweiskarte als Polizeispion trug er bei seinen Taten bei sich. Er benutzte seine Tätigkeit, um irrsinnigen Neigungen zu fröhnen. Er war wiederholt wegen homosexueller und sadistischer Handlungen angezeigt, aber, wohl weil seine Opfer sich scheuten hervorzutreten, immer wieder freigelassen worden. Sein gewöhnliches Verfahren war dies, daß er vor dem Hauptbahnhof oder vor Jugendherbergen sich an Knaben und Jünglinge heranmachte, die er dann unter irgend einem Vorwand in eine seiner Wohnungen zu locken wußte. Dort wurden sie betäubt und geschlachtet. Bei der Tötung, so behauptet der untertierische Werwolf, habe er in sexueller Raserei die Kehle durchbissen, dann den Kopf mit dem Schlächtermeser vom Rumpf getrennt. Seine geschlechtliche Begier sei geknüpft an den Willen, Blut zu trinken. Die Leichen habe er zerstückelt, die Eingeweide auf Kirchhöfen vergraben, die vom Fleisch gereinigten Knochen in Säcke vernäht und in Teiche oder Flüsse geworfen. Ob die gräßliche Mär, daß dies unselige Tier Menschenfleisch verkauft habe, richtig ist oder einen wahren Kern enthält, läßt sich nicht feststellen. Die ganze Angelegenheit ist maßlos widerwärtig. Vollkommen begreiflich aber scheint es mir, daß die Empörung der Bevölkerung sich nicht nur gegen den unseligen Mordbuben, sondern vor allem gegen die Behörden richtet. Im hannoverschen Stadtparlament stellten die Kommunisten den Antrag, den Oberpräsidenten von Hannover, Noske, sowie den Polizeipräsidenten anläßlich dieser Vorkommnisse glatt des Amtes zu entsetzen. Die Vertreter der anderen Parteien lehnten das ab. Die Polizeibehörden suchen zu besänftigen, abzumildern, zu vertuschen. Die gräßlichen Details wird die Öffentlichkeit wenn überhaupt je, nur bei der Hauptverhandlung erfahren. Es ist aber so viel fraglos sicher: Von 1918 bis 1924 konnte in einer deutschen Stadt von 400.000 Einwohnern ein Mordherd bestehen, konnte ein perverser Mensch Mord auf Mord verüben, ohne daß es in einem dieser Fälle der Polizei gelang, die Spur vermißter Knaben und Jünglinge aufzufinden. Vor kurzem spielte in Berlin ein ähnlicher Greuelfall. Der betreffende Unhold hauste in den Spreewäldern und pürschte dort jahrelang auf Menschen: Seine Opfer wurden besonders die jungen Liebespaare. Die Männer erschoß er, die Frauen mißbrauchte er. Auch der Fall ist unsagbar abscheulich: aber bewahrt doch noch einen Rest elementarer Tierheit. Die hannoversche Affäre aber ist nichts als Unnatur. Sie spielt in Häusern, die von Hunderten eng zusammengepferchter Menschen bewohnt sind. Man greift sich an den Kopf und fragt: Wie ist das möglich? Und wenn das möglich ist, in welcher Zeit, welchem Staate leben wir? [1924]

Bekanntmachung.

Der Kaufmann **Fritz Haarmann** aus Hannover ist heute vormittag 6 Uhr hingerichtet worden.

Er ist durch rechtskräftiges Urteil des Schwurgerichts Hannover vom 19. Dezember 1924 wegen Mordes, begangen zu Hannover

im September 1918 an dem Schüler **Friedel Rothe**,
im Februar 1923 an dem Lehrling **Fritz Franke**,
im März 1923 an dem Lehrling **Wilhelm Schulze**,
im Mai 1923 an dem Schüler **Roland Huch**,
im Mai 1923 an dem Arbeiter **Hans Sonnenfeld**,
im Juni 1923 an dem Schüler **Ernst Ehrenberg**,
im August 1923 an dem Bürogehilfen **Heinrich Struß**,
im September 1923 an dem Lehrling **Paul Bronischewski**,
im Oktober 1923 an dem Arbeiter **Richard Grä**.,
im Oktober 1923 an dem Lehrling **Wilhelm Erdner**,
im Oktober 1923 an dem Schüler **Heinz Brinkmann**,
im November 1923 an dem Zimmermann **Adolf Hannappel**,
im Januar 1924 an dem Schlosser **Ernst Spiecker**,
im Januar 1924 an dem Arbeiter **Heinrich Koch**,
im Februar 1924 an dem Arbeiter **Willi Senger**,
im Februar 1924 an dem Lehrling **Hermann Speichert**,
im April 1924 an dem Lehrling **Alfred Hogrefe**,
im April 1924 an dem Lehrling **Wilhelm Apel**,
Ende April 1924 an dem Lehrling **Robert Witzel**,
im Mai 1924 an dem Lehrling **Heinz Martin**,
in der Nacht vom 25. zum 26. Mai 1924 an dem Reisenden **Fritz Wittig**,
im Mai 1924 an dem Schüler **Friedrich Abeling**,
im Juni 1924 an dem Lehrling **Friedrich Koch**,
im Juni 1924 an dem Bäckergesellen **Erich de Vries**,

zum Tode verurteilt worden.

Hannover, den 15. April 1925.

Der Oberstaatsanwalt.
Dr. Wilde.

Vorhalle des Hannoverschen Hauptbahnhofs. Treffpunkt der Schieber und Obdachlosen. Hier tätigte Haarmann seine Geschäfte und Spitzeldienste, suchte er seine Opfer.

Wartesaal I & II Klasse
Fahrkartenausgabe I II u. III. Kl.
Expressgut u. Gepäck
ung der Reichsbahn.
Reisegepäck-Versicherung
am Gepäckschalter

Die Leine am Welfenschloß; Fundort der ersten Leichenteile.
Georgstraße mit Café Kröpcke und Hoftheater;
dazwischen lag der Schwulenstrich.
»Klein-Venedig«: An der Calenberger Straße in der Altstadt.

Haarmanns Dachkammer im Haus Rote Reihe 2.

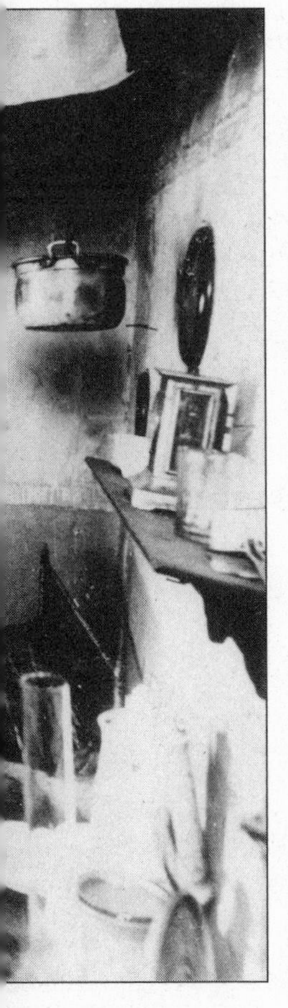

RESTAURANT

»Man denke sich in den Tiefen der Untersee einen zähen, klugen Taschenkrebs, welcher nistet auf dem Höhlenhaus eines im Dunkel sich vollsaugenden, schleimigen Quallentieres, etwa eines pflanzenhaften Riesenpolypen, so hat man ein ungefähres Bild für die merkwürdige »Symbiose« von Triebverbrechen und Intelligenzdrohnentum, welche vom Oktober 1919 ab den blonden, zarten, mädchenhaften Hans Grans mit dem um 22 Jahre älteren, weibisch rohen, schwammigen und wüsten Haarmann untrennbar verband. Und jeder bewunderte den Ausfall des anderen: der gerissene Fuchs den Wolfsblutdurst, welcher zwecklos ins Bodenlose springt; der irrsinnige Wolf aber jene Fuchsbesonnenheit, die nie etwas ohne Vorteil tut.« (Theodor Lessing)

Hans Grans und Fritz Haarmann, die beiden Angeklagten.

»Man rechtsprechelte fürs Auge. In dem überhitzten Gerichtssaal, zehn Tage lang früh bis spät, unausgeschlafen, überrege und überarbeitet, Stuhl an Stuhl sitzend, vermochte keiner der Berufsautomaten und Zivilisationspuppen etwas anderes erfühlen als nur sich selber: Oberpräsident, Regierungspräsident, Polizeipräsident, die Kommissare – das sitzt alles da in ledernen Stühlen und sieht dem Schauspiel zuckender Todesnot zu, dem traurigen Kleinstadtschauspiel gekränkten Juristenehrgeizes, medizinischer Selbstgerechtigkeit und amtlichen Machtmißbrauchs.«
(Theodor Lessing)

Schwurgerichtssaal des hannoverschen Landgerichts. Mit verschränkten Armen sitzt Haarmann vor einer großen Skizze der Wohnungen im Haus Rote Reihe 2.

Haarmann
Die Geschichte eines Werwolfs

Kein Baum und kein Wald rauscht durch diese Geschichte. Keine Blume und kein Stern blicken tröstend darein. Es handelt sich um das hoffnungslos dunkle Gemälde einer von allen Naturgöttern ausgestoßenen Höhlenmenschheit, welcher auch das Beglückendste und Heiligste, das im Kosmos waltet: die schöpferische Liebesmacht der Natur zu Verbrechen und Krankheit, Laster und Unnatur mißraten ist. Nur mit Widerwillen, ja oft mit Ekel bin ich, ganz andersartige Lebensarbeit unterbrechend, der Chronist dieses Stückes »Kulturgeschichte« geworden. Aber erstens wurde ich da hineingedrängt durch ein Gericht, das die Wahrheit zu verschleiern drohte und mithin das ewig gültige Recht zu Gunsten des bloß zeitlich geltenden Rechtes zu beugen unternahm. Weil aber die Wahrheit bedroht war, so wurde es fast zur Pflicht, folgerichtig durchzugreifen und den gesamten Rechtsfall klar und sachlich vor die Nachwelt zu bringen. Dazu aber kam ein Zweites: In Stadt und Schauplatz gewurzelt, war ich der Einzige, der Ort, Zeit, Personen und Zusammenhänge völlig übersehen konnte. Und so wurde es auch von dieser Seite her zur Pflicht gegen die künftigen Geschlechter, den merkwürdigsten Rechtsfall unserer Tage aufzubewahren. Es geschah so, daß dem einfachen Leser alle Vorgänge bildhaft lebendig werden, daß andererseits aber auch für die Wissenschaft: Psychologie, Psychiatrie, Strafrecht und Rechtsethik, das Studium dieses Kriminalfalles wertvoll bleibt. Darüber hinaus aber sehe man in dieser Schrift ein Stück Zeitkritik und Charakterkunde; denn in dieser Hinsicht kann dies Buch gelten als ein sinnfälliges Beispiel zu den Lehren, die ich in »Untergang der Erde am Geist« und »Geschichte als Sinngebung des Sinnlosen« über Philosophie der Kultur und in der »Symbolik der menschlichen Gestalt« zur Psychologie niedergelegt habe.

Hannover, im Januar 1925
Theodor Lessing
Dr. med. und phil. Prof. der Psychologie

Erster Teil

Ort und Zeit des Dramas

Hannover, die Hauptstadt der gleichnamigen deutschen Provinz und der Mittelpunkt der niedersächsischen Lande, liegt an den letzten Ausläufern des deutschen Mittelgebirges, von welchem aus sich die norddeutsche Ebene mit ihren sandigen Kiefern- und Heidebezirken bis fern zur Nordseeküste hinabzieht. Das Flüßchen Leine, vom Eichsfelde kommend und die zwischen Harz und Weserbergen eingesenkte hügelige Mulde Göttingens durchfließend, erreicht unterhalb Elze, zwischen dem Hildesheimer Walde und dem Osterwalde hervorbrechend, die kahle norddeutsche Ebene; von Hannover ab macht der Fluß einen Bogen nach Westen und mündet hinter Hudemühlen im Großen Moor. Das »Hohe Ufer«, dort wo der Fluß die Deisterbäche Ihme und Fösse aufnahm und in schnellem Laufe die Altstadt durcheilt, hat wohl dem um 1050 zuerst erwähnten Orte den Namen gegeben: »Honovere«. – Eine Stadt im Grünen! Denn ein Waldgürtel, die Eilenriede genannt, 2500 Morgen weit, umzieht die Stadt in weitem Halbkreis und läßt nur nach Süden die Ebene offen, in welche sich die sogenannte Masch (oder Marsch) hineinschiebt, ein wasserreiches, sumpfiges Flachland, an dessen Rande wiederum Waldhügel, genannt Deister (von Dixter-Dichtwald), die Stadt umgrenzen. Wenige europäische Städte haben zwischen 1850 und 1900 so völlig ihr Antlitz verändert. Bis 1866 war Hannover die weltfern-vornehme Residenz der alten englischen Welfenkönige. In dem grünumbuschten Idyll der durch sechshundert Jahre träumenden Niedersachsenstadt schlugen die ersten Lerchen der deutschen Lyrik: Hölty und Bürger, sodann die Frühnachtigallen der Romantik: die Brüder Schlegel; hier grübelten Lichtenberg und Leisewitz, Detmold und Feder, und vor allem der wissensreichste deutsche Denker: Leibniz. Moritz und Iffland sind hier geboren, sowie Hartleben und Frank Wedekind. Als Hannover 1866 durch Bismarck für Preußen annektiert wurde, hatte die Stadt kaum 70 000 Einwohner. Aber in der Zeit nach dem siegreichen Kriege mit Frankreich zwischen 1870 und 1873, in der sogenannten Gründerzeit, hielt die Industrie machtvoll Einzug, so daß die kleinen lieblichen Dörfer der Umgebung, Hainholz, Döhren, Limmer, List bald zu rußigen Fabrikvororten sich wandelten. Eine Technische Hochschule wurde gebaut; die Deisterkohle geschürft, und vollends änderte sich das Stadtbild, als der schiffbare Rhein-Weser-Leine-Kanal angelegt und in den großen »Mittellandkanal« überführt wurde, gleichzeitig aber die riesigen Kalischätze des Bodens rund um Hannover abgebaut zu werden begannen. Eine einzige Fabrikanlage, die sogen. »Continental«, welche sich mit dem Herstellen künstlichen Kautschuks beschäftigte, machte binnen weniger Jahre aus dem kleinen Vorort Vahrenwald ein fünfzehntausendköpfiges Proletarierviertel. Brauereien, Spinnereien, Wollwäschereien, die Maschinenfabriken von Gebr. Körting und Georg Egestorff und die sogen. Hanomag, eine Wagen- und Waggonfabrik wandelten das jenseits der Ihme gelegene Dorf Linden in eine Fabrikvorstadt von über hunderttausend Beamten- und Proletarierfamilien. Immerhin war diese Entwicklung zu Geldherrschaft und Werkertum, darunter die alte Adels- und Bauernkultur Niedersachsens erstickte, keineswegs ungewöhnlich. Sie war das allgemeine Wesensgepräge des wilhelminischen Deutschlands. Wahres Höllenchaos aber setzte ein, als dies preußische Machtreich zerbrach, und eine an Töten und »Requirieren« gewöhnte, im fünfjährigen Weltkriege verwilderte Jugend, alle Zucht und Form abschüttelnd, in die völlig armgewordene, ausgesogene Heimat zurückkehrte. 14 Millionen Tote! Im Osten Hungersnöte, welche ganze Länderstriche dahinrafften und schließlich dahin führten, daß Eltern ihre Kinder, Kinder ihre Eltern fraßen. Entartung, Verarmung, Verwirrung ohnegleichen. Das deutsche Geld auf dem Weltmarkt so entwertet, daß nur durch das immer neue Drucken und Hinausschleudern immer neuer wertloser Papierfetzen ein trostloses Scheinleben von Tag zu Tag gefristet wurde. In dieser sogenannten »Inflationszeit«, anhebend mit dem Zusammenbruch der deutschen Heere im Weltkrieg und den Stürmen der deutschen Revolution, begann die Bedeutung der Stadt Hannover als eines internationalen Durchgangs- und Schiebermarktes plötzlich zu wachsen. Die Stadt beherbergte um 1918 etwa 450000 Menschen. Knapp vier Eisenbahnstunden von Berlin, Deutschlands großem Wasserkopfe entfernt, knapp acht Stunden entfernt von Köln (wo damals Engländer-, Franzosen- und Belgierherrschaft begann), war Hannover der günstigste Mittelpunkt für das Tausch-, Schieber- und Transaktions-Geschäft, welches Tausende ernährte. Alle Welt lebte von Spekulation. Da Geld nichts mehr galt, und nur Sachwerte das Leben fristen konnten, so wurde aufgekauft, getauscht und gestohlen wie nie zuvor. Und zwischen Berlin, in welches der slavische, wendische, polnische, jüdische Osten einströmte; Amsterdam, wo viel Reichtum abfloß nach Holland und England und endlich Köln, welches nach Belgien und Frankreich die Brücke schlug, lag Hannover aufs günstigste in der Mitte, so daß sich hier aufzutun vermochten hundert neue Gründungen, hundert neue Vergnügungs- und Lasterstätten, die ein schlimmes Händler-, Schieber-, Parasiten- und Schmarotzervolk ins Land brachte, langsam zerfressend die alte bürgerliche Tüchtigkeit und ehrenfeste Solidität der (wie ein großer Dichter sie nannte) »fahlsten unserer Städte«.

An drei Stellen der Stadt erhob sich ein Gauner-, Hehler- und Prostitutionsmarkt ohnegleichen, dessen die Behörden nicht mehr Herr wurden. Zunächst im Bahnhof und auf den ihn umgebenden Plätzen. Hier wurde in der schweren Brotmarkenzeit, wo man Brot, Fleisch und Milch nur in kleinsten Rationen gegen teures Geld und nach stundenlangem »Schlangenstehn« erhalten konnte, unter der Hand ein schwunghafter Handel mit gestohlenem und heimlich geschlachtetem Nutzvieh, auch mit Kaninchen, Ziegen, Hunden und Katzen, mit Kartoffeln, Mehl und mit allerhand gepaschter und verschobener Ware getrieben; vor allem aber mit Kleidern, Wäsche und Schuhen. Hier versammelten sich allnächtlich in den Wartesälen viele Obdachlose, Arbeitslose, Hungrige und Entgleiste.

Geht man vom Bahnhof aus die breite Baumallee der Bahnhofsstraße entlang, so gelangt man nach wenigen Minuten in die Georgstraße, die Herzader der Stadt. Ein weiter Boulevard, lindenüberblüht, voller Beete, Gartenanlagen, Pavillons und Denkmäler. Und dort zwischen dem alten berühmten Hoftheater und den schönen Gartenanlagen des sogenannten Café Kröpcke befand sich um 1918 ein zweites Zentrum der Sittenlosigkeit: der »Markt der männlichen Prostituierten«, deren 500 damals in den Polizeilisten eingeschrieben standen, indes der Kriminaloberinspektor die Gesamtzahl der sogenannten Homosexuellen in Hannover auf nahezu 40 000 veranschlagte. Sie bildeten eine eigene kleine Welt. In einem der schönsten Lokale der Calenberger Vorstadt, dem sogen. Neustädter Gesellschaftshaus, veranstalteten sie Gesellschaftsabende und Bälle, bei denen Knaben und Jünglinge in weiblicher Ballkleidung den Damenflor vertraten. Ein zweiter minder vornehmer Treffpunkt war der alte Ballhof, ein Barocksaal aus der Königs- und Kurfürstenzeit. Und für die allerunterste Schicht gab es in einer der ältesten und verrufensten Straßen der Altstadt, welche »Neue Straße« heißt, ein kleines Tanzlokal, genannt »Zur schwulen Guste«, wo, nur auf ein bestimmtes Zeichen hin zugelassen, lesbische Mädchen und gleichgeschlechtlich gerichtete Männer nachts zusammenkamen. Aber das dritte Hauptzentrum alles Luder- und Lasterlebens war die malerische Altstadt, dort, wo der Fluß an dem sogenannten Hohen Ufer entlang eine von vielen Brücken überquerte, als »Klein-Venedig« bekannte, uralte Inselstadt bildet: Verfallene Winkel, Jahrhunderte altes Gemäuer, ein trotziger altsächsischer Beguinenturm und ein Gewirre von Giebeln, Fachwerk und baufälligen, noch ans Mittelalter mahnenden Gassen, aus deren Mitte jene Kirche ragt, in welcher Leibniz begraben liegt, sowie der auf dem »Berge«, einer plangemachten Rampe, erbaute maurische Judentempel. Dieser Stadtteil, unmittelbar benachbart dem vom Strome bespülten mächtigen Schlosse der Welfen, war einst der vornehmste Stadtteil, ist aber im Laufe der Zeiten, ähnlich der Umgebung des Berliner Schlosses, zum ärmsten Kaschemmen- und Verbrecherviertel herabgesunken. Gleich dem alten Hildesheim, Braunschweig und Goslar, das Entzücken für jedes schönheitsuchende Auge, wurde dieses älteste Hannover die Brutstätte lichtloser, armutgelber, in Verfall und Moder atmender, zum Unglück verfluchter Geschlechter. –

Die »Neue Straße« mit dem einstigen Wohnhaus des Herzogs Friedrich Wilhelm von Braunschweig, dem späteren Armenhaus, zieht sich entlang der steilen Uferhöhe des Flusses. Die Hinterwände ihrer dreihundertjährigen Häuser, ihre Erker und Balkone stürzen jäh hinab in den Fluß, über dessen Ufern die grünumbuschten armen Höfe und rührend bescheidenen Gärtchen schweben. Nicht weit davon, dem Judentempel gegenüber, liegt die sogenannte »Rote Reihe«; eine Gruppe müder, einander kaum noch stützender morscher Häuser, in deren einem (dem Mordhaus benachbart) einst der Elektrotechniker Rühmkorff die Induktionselektrizität entdeckte. In diesem schmutzigen Häusergewirre, auf den seit Jahrhunderten ausgetretenen elenden Holzstiegen, in Verschlägen, mehr Käfigen gleich, nur durch dünne Tapetenwände oder Bretterverschläge voneinander abgetrennt, hausten in Deutschlands Elendszeit die Ärmsten der Armen. Die aus dem großen Kriege übriggebliebene Jugend hatte die Lehre begriffen, daß man um eines Rockes, um eines Paar Stiefel willen den Feind töten darf. Und »Feind« ist jeder andere. Auf der »Insel« war Diebesbörse und Hehlermarkt. Hier wurde (in der Sprache dieser Hinterwelt geredet) allabendlich geküngelt und gekütchebütcht. Hier wurde Schores geschoben (d. h. Diebesware verhandelt), wurde Rebbes gemacht, wurde manche »heiße Sache gedreht«. Abends, wenn der Mond hing über den morschen Dächern und grauen Schloten und den gespenstigen schwarzen Fluß versilberte, kam die schwere, dürre, zermürbte, zerarbeitete Leidensmenschheit aus ihren alten Kästen hervor und hing und hockte über der stinkenden Lagune, auf der alten Brücke: arme, sorgenschwere, kinderreiche Mütter, müdegewordene, früh verstumpfte Männer. Und dazwischen wimmelte lebensgierig das junge Volk; die Unzahl der Gassendirnen und ihrer Zuhälter, »Nepper«, »Strezer«, »Schoresmacher«, die in der »Kreuzklappe«, im »Kleeblatt«, im »Deutschen Hermann« manche Missetat baldowerten, während die rätselhaften Sterne glitzerten im dunklen Wasser des in sich selbst versumpfenden Stromes.

Die ersten Leichenfunde

Am 17. Mai 1924 fanden Kinder, die an der Wasserkunst nahe dem Schlosse Herrenhausen spielten, einen Menschenschädel. Am 29. Mai wurde mitten in der Stadt an der Brückmühle hinterm Leineschloß im Mühlengraben ein feiner Jünglingsschädel angespült. Am 13. Juni klagten die augenlosen Höhlen zweier neuer Schädel zum Licht. Wiederum: der eine im Osten der Stadt bei der Wasserkunst; der andere im Westen neben der Brückmühle. Die gerichtsärztliche Untersuchung ergab, daß es sich handelte um Köpfe junger Menschen im Alter von 18 bis 20 Jahren. Bei dem am 13. Juni bei der Brückmühle gefundenen um den eines 11 bis 13 Jahre alten Knaben. Bei allen Schädeln war festzustellen, daß sie mit einem scharfen Instrument vom Rumpfe getrennt worden waren. Fleischteile fehlten fast völlig oder waren verwest, da die Knochen anscheinend schon lange Zeit im Wasser gelegen hatten. An dem am 13. Juni bei der »Wasserkunst« gefundenen Kopfe ließ sich feststellen, daß die Kopfhaut durch einen skalpartigen Schnitt vom Knochen abgelöst worden war. Man riet zunächst darauf, daß die Schädel aus der Göttinger Anatomie stammten, oder daß sie in Alfeld, wo zu jener Zeit eine Typhusepidemie herrschte, in die Leine geworfen waren, oder endlich, daß sie ins Wasser geschleudert wurden, gelegentlich von Gräberschändungen, die im Engesohder Friedhof entdeckt wurden. Keine von diesen Vermutungen bestätigte sich. Dagegen fanden Knaben, die auf einer Wiese in der Döhrener Masch spielten, einen Sack mit menschlichen Knochen, und am 24. Juli wurde in der Feldmark Garbsen abermals ein offenbar vom Körper getrennter skalpierter Schädel aufgefunden, welcher wiederum von einem ganz jungen Menschen stammte. Die vielen Knochenfunde konnten nicht verborgen bleiben. Es bemächtigte sich weiter Volkskreise eine schon lange vorbereitete Schrecksucht. Schon seit Jahr und Tag nämlich war im Volke ein abergläubisches Gerücht im Schwange: »Es gibt in der Altstadt Menschenfallen. Junge Kinder verschwinden in Kellern. Knaben werden in den Fluß versenkt.« Man erzählte, daß in der schweren Notzeit Menschenfleisch auf dem Markt verkauft worden sei. In den Dörfern um

Hannover weigerten sich junge Mägde, in die Stadt einkaufen zu gehen. Und die ungewisse Angst vor einem die Gegend unsicher machenden »Werwolf« wuchs von Tag zu Tag. In den Jahren 1918 bis 1924 waren außergewöhnlich viele Menschen vermißt oder verschwunden. Im Jahre 1923 wuchs die Zahl der als vermißt Gemeldeten auf fast 600, und wenn auch die größere Anzahl der Vermißten sich wieder einfand, so blieb doch im Vergleich mit anderen gleichgroßen Städten die Anzahl der Verschwundenen in Hannover ziemlich groß. Die Nachforschung zeigte, daß es sich recht häufig handelte um Knaben und Jünglinge zwischen 14 und 18 Jahren.

Am Pfingstsonntag des Jahres 1924 zogen Hunderte aus Hannover und Umgebung an die »Hohen Ufer«, besetzten die kleinen Stege und Leinebrücken der Altstadt und begannen ein fieberhaftes Suchen nach Leichenteilen und Knochen. Am fünften Juli in der Morgenfrühe wurde, nachdem man noch eine ganze Anzahl menschlicher Knochen gefunden hatte, das ganze Flußbett von der Brückmühle an bis zur großen Leinebrücke am Clevertor abgedämmt und durch Polizeibeamte und städtische Arbeiter gründlich nach Leichenteilen durchsucht. Diese Stelle der Leine liegt mitten in der Stadt. Sie kann von Selbstmördern wegen des dort stattfindenden starken Verkehrs nicht aufgesucht werden. Das Ergebnis war furchtbar. Es wurden über 500 Leichenteile gefunden, deren Untersuchung durch den Gerichtsarzt ergab, daß es sich um die Reste von mindestens 22 Personen handelte, von denen ungefähr ein Drittel im Alter zwischen 15 und 20 gestanden haben mochte. Etwa die Hälfte hatte schon längere Zeit im Wasser gelegen. – An den noch frischen Knochen aber wiesen die Gelenke glatte Schnittflächen auf.

Inzwischen war teils durch das forsch zugreifende Vorgehen des Kriminalkommissars Rätz, eines freundlichen jungen Riesen, teils durch eine Reihe merkwürdiger Zufälle die Aufklärung gelungen. Am 23. Juni wurde der vermutliche Täter ins Gerichtsgefängnis eingeliefert. Es war der am 25. Oktober 1879 zu Hannover geborene Friedrich, genannt Fritz, Haarmann; fünfzehnmal vorbestraft; seit 1918 Spitzel im Dienste der Kriminalpolizei; im übrigen Handel treibend mit Kleidern und Fleisch; seit vielen Jahren auf der Sicherheits- und Kriminalpolizei bekannt als Homosexueller. – Seine Erscheinung warf alle gewohnten Vorstellungen von Mord und Mördern über den Haufen.

Das Signalement

Vor uns steht eine keineswegs unsympathische Erscheinung. Äußerlich betrachtet: ein schlichter Mann aus dem Volke. Freundlich blickend und gefällig, zuvorkommend; auffallend gepflegt, sauber und »tipp-topp«. Er ist gut mittelgroß, breit und wohlgebaut und hat ein zwar derbes, grobes aber gleichsam wie blankgescheuertes, klares und offenes Vollmondsgesicht mit frischen Farben und kleinen neugierigen und fröhlichen Tieräuglein. Sein Schädel ist rund, zeigt breite fliehende Stirn, schmales Mittelhaupt und eine steile Linie des Hinterhauptes. Die Ohren sind nicht groß, liegen ein wenig unterhalb der Augenhöhe und stehen vom Kopfe ab. Auch die Nase ist nicht groß und so wenig auffallend wie das ganze Antlitz. Im Profil nicht unedel, sieht sie doch von vorn betrachtet etwas knollig aus, ist an der Wurzel breit und hat starke witternde Flügel. Der Mund ist klein, frech und dicklippig. Die Zunge, in der Erregung vorschnellend und die Lippen netzend, ist auffallend fleischig; die Zähne sind weiß, stark, scharf und gesund; das Kinn tritt energisch vor. Die Oberlippe schmückt ein kleines, englisches Bärtchen, die vollen Wangen sind sauber rasiert. Sein bräunliches Haupthaar, glatt anliegend und links gescheitelt, ist nicht eben voll. Das zwischen braun und grau schillernde Auge ist kalt und seelenlos; aber gerissen und verschlagen und meistens in Bewegung. Der Blick ist suchend nach außen gekehrt; aber vergletschert zu unnahbarer Verschlossenheit, sobald die hysterisch auf- und abflutende Stimmung auf Peinliches festgelegt wird. Merkwürdig aber ist folgender Gegensatz: Diese Physiognomie ist auffallend gebunden, ungelöst, und »wie eingespunden im Fasse ihres Ich«. Zugleich aber gibt sich der Mann unerträglich geschwätzig, mitteilungsbedürftig und überbeweglich. Er redet fortwährend auf sein Gegenüber ein; dabei fuchtelt er mit seinen weißen weichlichen Händen und den langen Fingern, an denen er in der Nervosität unaufhörlich zerrt und zupft. An der linken Hand fehlt ihm ein Fingerglied. Er gibt an, daß es bei einer Schlägerei ihm abgebissen worden sei. Auch sein Rumpf ist gut entwickelt; der Nacken ist stark und gemein; Brust und Rücken zeigen wie das Gesäß rundliche weibische Fettpolster. Der Leib ist zwar derb; aber hat etwas vom Weibe. Das Geschlechtsglied ist stark; die Schambehaarung verläuft nicht im spitzen Winkel zum Nabel, sondern im flachen Bogen oberhalb des Schambeines. Die plumpen Füße haben flache Sohlen. Die Stimme, breiig, schleimig und nah am Diskant, erinnert an das Organ alter Frauen. Der ganze Habitus ist »androgyn«. Man möchte sagen: nicht männlich, nicht weiblich, nicht kindlich. Aber männisch, weibisch und kindisch zugleich. Am auffallendsten an dem Mann (leider von den Sachverständigen nicht studiert und nicht einmal beachtet) sind die vielen Automatismen und Stereotypien. (Als »Automatismen« bezeichne ich solche Ausdrucksbewegungen, die unwillkürlich wiederkehren; als »Stereotypien« solche, die allmählich zu Gewohnheit geworden sind.) Automatisch sind z. B. gewisse Bewegungen: eine Art Taperigkeit oder Tatteligkeit des Ganges, sodann (besonders wenn man ihn lobt oder in Verlegenheit bringt) eine fast kokette Schwänzelei mit Gesäß und Unterkörper. Ferner: Sobald er müde wird, beginnt er automatisch mit der linken Hand an eine bestimmte Stelle des rechten Mittelhauptes zu greifen, als wenn sich dort ein kranker Fleck befände. Wenn er den Faden verliert (denn er muß wie Sternes Korporal Trim »alle Sachen ganz von vorn erzählen«) macht er eine typische Leckbewegung mit der fleischigen Zunge. Stereotyp ist an ihm jenes ewige Zerren an den Fingern, das Benetzen der Lippen, das Einkneifen der Augenlider, sobald er eine Verteidigungshaltung annimmt. Auch sind alle seine Reden übervoll von stereotypen Redensarten. (Nüch? nüch wahr? Och! Och ne! »Und so weiter, und so weiter!« Ach Unsinn!... Er spricht übrigens auffallend hannoveranisch.) Bestimmte Lieblingsvorstellungen kehren immer wieder. (Z. B., daß alle Jungens in ihn verliebt seien; daß nicht er hinter Knaben, sondern daß die Knaben alle hinter ihm her seien; daß auch die Frauen (die er im übrigen tief verachtet und gleichsam als Nebenbuhlerinnen empfindet) gern mit ihm »poussieren« möchten.) Obwohl er nicht den mindesten Sinn hat für fremde Rechte und überhaupt keine sozialen (sympathetischen, altruistischen; aus Mitleid fließenden) Gefühle hegt, ist er doch durchaus gesellig. Die beiden tiefsten Gefühle seiner Natur sind das Bedürfnis nach Wollust und das Bedürfnis nach Zärtlichkeit. Und sie sind so aneinandergefesselt, wie im Mahabharata der Menschenfresser Hidimba, der Dämon der Blutgier, gebunden ist an seine Schwester Hidimba, die Göttin der zärtlichen Schönheit. Er möchte geliebt, ja er möchte gerne bewundert sein und steckt voll von Beachtungs- und Beeinträchtigungsideen, wobei er mault und schmollt wie ein dummes, störrisches Kind, das sich immer benachteiligt wähnt. – Er liebt weibliche Arbeiten, backt, kocht und stopft Strümpfe, raucht aber dabei schwere Zigarren. Immerhin gehört er zum Typus des »Weibmannes« (die sogenannten Tante). Seine Lieblingsgenüsse sind Bohnenkaffee, starke Zigarren und Harzkäse. Im allgemeinen erscheint er wie ein gar nicht bösartiges, ganz im Augenblick lebendes, völlig eigenbezügliches und durchaus triebhaftes Tier; renommistisch, aber leicht lenkbar. Jede Vorstellung, die man ihm eingibt, hat die Strebung, für sein Bewußtsein sofort »Wirklichkeit« zu werden; eben darum ist er vollkommen außerstande, abstrakte, d. h. unbildliche Vorstellungen festzuhalten. Man könnte in dieser Hinsicht sagen, daß sein Verstand weit schlechter entwickelt ist als seine Vernunft. Dieser »Kurzschluß« zwischen Vorstellung und Wirklichkeit ist so unmittelbar, daß, wenn er z. B. vom Köpfen (»Geköppt werden«) spricht, er bildhaft den Gang zum Schafott und das Fallen des Fallmessers dem Besucher vorahmt; wenn er erzählt, wie er die Leichen zerstückelte, so ahmt er mit den Händen die Schnitte nach; steigert er sich in Sentimentales hinein (»Ich will auf dem Klagesmarkt hingerichtet werden. Auf meinem Grabe steht der Spruch: ›Hier ruht der Massenmörder Haarmann.‹ An meinem Geburtstage kommt Hans und legt einen Kranz nieder«), dann kommen ihm sogleich Tränen ins Auge; berichtet er von Geschlechtlichem, dann greift er (selbst im Gerichtssaal) automatisch in die Geschlechtsgegend. Er ist ein Stück Natur; ohne Logik und ohne Moral. Aber auch ohne logische und moralische Heuchelei.

Elternhaus und Jugend

Am 25. Dezember 1921 verstarb, 76 Jahre alt, in Hannover der »olle Haarmann«. Manche Hannoveraner erinnern sich noch an das vermickerte, gnitterische, zänkische, immer übellaunige und übelnehmerische Männlein, als an das Urbild eines Krakehlers und mißwollenden Pfennigfuchsers. -- Hinter allen »Schürzen« war er her. Abendlich aber randalierte oder prahlte er in den alten Pinten, Kabakken und Kabuffs der Altstadt. Schon sein Vater war Querulant und Trinker gewesen. Und in der Familie gab es ebensoviel Erbbelastete wie in Zolas Familie Rougon-Macquart. Der »Olle Haarmann« war in seiner Jugend Lokomotivheizer; hatte aber den Dienst, darin er für unzuverlässig galt, 1886 verlassen, wegen eines angeblich im Betriebe erlittenen Unfalls, wobei sein Lokomotivführer zu Tode kam. Er prozessierte, ein typischer Rentenhysteriker, mit der Eisenbahndirektion, obwohl er eigentlich in ganz behaglichen Verhältnissen leben konnte. Denn durch eine Nutzheirat mit einer sieben Jahre älteren Frau, seiner am 5. April 1901 verstorbenen Ehefrau Johanne, geb. Claudius, waren ihm ein paar Häuser und ein kleines Vermögen in die Hände gekommen, so daß er, in der »Gründerzeit« zum wohlhabenden Bürger geworden, fortan auskömmlich zu leben vermochte. – Er war ein wüster, zänkischer, kleinlicher, verschlagener Mensch, und sein unzufriedenes Wesen wurde unleidlicher noch, als er, in reifen Jahren syphilitisch geworden, seinen alten Frauenzimmergeschichten – (bald nach seiner Heirat schon nahm er mehrfach Maitressen ins Haus) – nicht mehr nachgehen konnte... Die Mutter des Mörders war eine einfältige, etwas blöde Person, früh verbraucht, überaltert und seit der Geburt des sechsten Kindes (eben des Triebverbrechers) immer bettlägerig dahinkränkelnd. Von den sechs Kindern wurde der älteste Sohn Adolf ein braver kleinbürgerlicher Werkmeister auf der »Continental«, ordentlicher Philister und Familienvater. Der zweite Sohn, Wilhelm, wurde in jungen Jahren wegen eines Sittlichkeitsdelikts bestraft, begangen an dem 12jährigen Töchterchen eines benachbarten Gastwirts, und auch die drei Töchter, alle drei von ihren Männern früh geschieden, erwiesen sich als leicht aufgeregte, triebbelastete Naturen. Eine der Schwestern, Frau Rüdiger, verstarb in den Kriegsjahren. Mit der zweiten, Frau Erfurdt, konnte der Mörder sich nie recht vertragen, und nur die Schwester Emma, eine Frau Burschel, blieb stets mit ihm verbunden, was aber doch nicht ausschloß, daß auch diese beiden Geschwister zwischendurch miteinander prozessierten, ja, daß der Bruder gelegentlich in dem Zigarrenladen der Schwester Diebstähle und sogar Einbrüche veranstaltete, die er nachher unter Tränen ableugnete oder anderen in die Schuhe schob. – Friedrich (genannt Fritz), Heinrich, Karl Haarmann wurde am 25. Oktober 1879 als jüngstes Kind geboren; die Mutter war damals 41 Jahre alt. Aus der frühesten Jugend wissen wir nur (aus Erzählungen der Geschwister), daß dieses Kind von der immer kränklichen Mutter sehr verhätschelt wurde. – Für den Seelenforscher ist es von Wichtigkeit, daß schon der kleine Knabe in dem Vater eine Art Nebenbuhler sah, welchen er haßte und tot wünschte. Durch das ganze Leben zieht sich diese Feindschaft mit dem Vater. Die beiden beschuldigen und bedrohen einander. Der Vater droht, den Sohn ins Irrenhaus zu bringen, der Sohn will den Vater (wegen eines angeblichen Mordes an seinem Lokomotivführer) ins Zuchthaus setzen. Es kommt immer wieder zu Mißhandlungen und Schlägereien. Jeder behauptet, daß der andere ihm nach dem Leben trachte, ihn vergiften wolle, ihn beeinträchtige. Zwischendurch verbinden sie sich aber auch mal wieder zu gemeinsamen Betrügereien oder entlasten einander vor Gericht. Das Verhältnis Haarmanns zur Mutter dagegen ist von immer gleicher Schwärmerei. Sie ist die Einzige, von der er Gütiges zu erzählen weiß und stets mit sentimentalen Gefühlen spricht. Im übrigen ist die Familie heillos zerrüttet. Die Geschwister prozessieren unaufhörlich. Erst um das Erbteil der am 5. April 1901 verstorbenen Mutter; späterhin auch um das väterliche Erbe. Aus den Anekdoten, die wir aus den Kinderjahren Haarmanns erfahren konnten, entnehmen wir zwei Züge: Erstens seine weiblichen (»transvestiten«) Neigungen. Er spielte gern mit Puppen, machte auch weibliche Handarbeiten und wurde in Gesellschaft von Knaben rot und verlegen. Zweitens: seine Neigung, Angst und Entsetzen in seiner Umgebung zu erregen, indem er die Schwestern festband, ausgestopfte Kleiderpuppen auf die Treppe legte, heimlich nachts an die Fenster klopfte und Gespensterfurcht erweckte. Ostern 1886 kam er auf die Bürgerschule 4 am Engelbostelerdamm. Die Lehrer schildern das hübsche Kind als verwöhnt, verzärtelt, still, leicht lenksam, allgemein beliebt und verträumt. Sein Betragen war »musterhaft«; aber alle Leistungen weit unter Durchschnitt. Nachdem er zweimal (1888 und 1890) in der siebenstufigen Schule »sitzen geblieben« war, wurde er 1894 als Schüler der 3. Klasse in der Christuskirche von Pastor Hardelandt konfirmiert. Noch nach einem Menschenalter beklagte er sich bitter darüber, daß er bei dieser Gelegenheit ein altes Gesangbuch getragen habe, während seine Geschwister ein neues bekommen hätten. Er sollte nun Schlosserlehrling werden, erwies sich aber als unbrauchbar, und so gab man ihn mit einem Schub anderer Kapitulanten auf die Unteroffizier-Vorschule Neu-Breisach. Am 4. April 1895 kam er in Neu-Breisach im Breisgau an: ein körperlich gut entwickelter, kräftiger, etwas zu Korpulenz neigender, 16jähriger, gesunder Junge mit hübschem, regelmäßigem, aber ausdruckslosem Gesicht. Er war ein guter Turner, ein folgsamer Soldat; aber am 3. September wird er in das Garnison-Lazarett überführt, weil sich plötzlich »Anzeichen von geistiger Störung« bei ihm bemerkbar machten. Es handelte sich um zeitweise Bewußtseinstrübungen (Absenzen) oder um eine Angstneurose. Man führte sie auf eine Gehirnerschütterung beim Reckturnen zurück oder auf einen während der Manöverübungen erlittenen Sonnenstich. Nach 14 Tagen wurde er als gesund entlassen, weil nur vorübergehende Halluzinationen hatten festgestellt werden können. Aber schon am 11. Oktober mußte er wiederum dem Lazarett zugeführt werden, weil sich bei ihm erneut eine Störung zeigte, die im Krankenjournal bezeichnet wurde als »Epileptisches Äquivalent«. So wurde er denn am

3. November 1895 als ungeheilt in die Heimat entlassen, nachdem er selbst um seine Entlassung gebeten hatte, »weil es ihm auf der Unteroffizierschule nicht mehr gefalle«. Sein Vater, der 1888 eine kleine Zigarrenfabrik begründet hatte, wollte ihn in dieser beschäftigen, aber, da der Junge nicht arbeiten mochte, so kam es nun täglich zu neuen Zänkereien zwischen Vater und Sohn. Inzwischen hatte auch das Geschlechtsleben des Frühentwickelten mächtig eingesetzt. Nachdem (offenbar schon im siebenten Lebensjahre) Geschlechtsvergehen auf der Schulbank den Jungen früh verdorben hatten und ihn zum Verderber für andere Knaben werden ließen, scheint seine erste »Liebeserfahrung« die gewesen zu sein, daß eine in der Nachbarschaft wohnende 35jährige mannweibliche Frauensperson den 16jährigen dazu verführte, nachts über ein Dach hinweg durchs Fenster bei ihr einzusteigen; von da ab setzten dann ein: jene fortwährenden Sittlichkeitsdelikte an kleinen und größeren Kindern, die durch das ganze Leben Haarmanns, man könnte fast sagen Tag um Tag, hindurch gehen (und es bedauerlich machen, daß man diesen Triebirrsinnigen nicht nach dem neunten oder zehnten Triebvergehen ruhig kastriert hat, wodurch alle seine späteren Mordtaten wären verhindert worden). Mitte Juli 1896 wurde ein erstes Strafverfahren gegen den 17jährigen eingeleitet, weil er in mehreren Fällen kleine Kinder in Hauseingänge oder in Keller gelockt und mit ihnen unzüchtige Handlungen vorgenommen hatte. Auf Entschluß der Strafkammer wurde am 6. Februar 1897 der Bursche zur Beobachtung seines Geisteszustandes in die Provinzial-Heil- und Pflegeanstalt Hildesheim überführt. Hier wurde bei ihm »Geisteskrankheit« (angeborener Schwachsinn) festgestellt. Er wurde am 25. März 1897 in Hildesheim entlassen und nunmehr von der Polizei als »gemeingefährlicher Geisteskranker« dem städtischen Krankenhaus auf der Bult in Hannover zugeführt. Das Strafverfahren wurde auf Grund des § 51 St.G.B. eingestellt. Im Bultkrankenhause verblieb der Schwerbelastete bis zum 28. Mai 1897. An diesem Tage wurde er auf Antrag des Magistrats Hannover wieder in die Hildesheimer Irrenanstalt gebracht, nachdem durch das Gutachten des Stadtarztes Dr. Schmalfuß (den ich

als besonnenen und gewissenhaften Arzt kannte), unheilbarer Schwachsinn festgestellt war. In der Irrenanstalt Hildesheim nun muß der junge Mensch ein »psychisches Trauma«, d.h. eine Seelenverängstigung erlitten haben, die für sein ganzes weiteres Leben entscheidend blieb. Obwohl ich Haarmann als einen Erzschauspieler gekannt habe und nie geneigt war, ihm eine Angabe mehr als halb zu glauben, so glaube ich ihm doch ohne weiteres jene immer wiederkehrende Angst vor dem Irrenhause, die ihn immer neu ausrufen ließ: »Köpft mich; aber bringt mich nicht wieder ins Irrenhaus.« – Der Kreis von Lebensschmarotzern, der in späteren Jahren den monomanen Triebirrsinn des Unseligen ausnutzte und gleichsam auf den Spuren dieses Werwolfs sein Leben fristete wie Hyänen auf Spuren des Panthers, hatte unbedingt Gewalt über Haarmann, sobald man ihn nur mit der Drohung einschüchterte: »Wir bringen dich ins Irrenhaus.« Schon am 13. Oktober gelang es ihm, gelegentlich einer Gartenarbeit aus dem Irrenhause zu entweichen. Aber fünf Tage später wurde er in seiner elterlichen Wohnung ergriffen und nach Hildesheim zurückgebracht. Aber von nun ab lauerte er nur auf Gelegenheit, wieder auszubrechen. Sie bot sich, als man ihn Weihnachten nach der Idiotenanstalt in Langenhagen versetzte; zwei Tage später, am 25. Dezember 1897 – während der Lichterbaum brannte – war er entwichen. Er flüchtete – anscheinend mit Hilfe der Eltern – in die Schweiz, wo ein Verwandter der Mutter in der Nähe von Zürich als Kunstmaler lebte. Unerklärlich freilich ist es, wie es ihm gelang, von der Polizei ein Unbescholtenheitszeugnis zu erhalten.

Von Mai 98 bis März 99 arbeitete er erst als Handlanger auf einer Schiffswerft, dann beim Apotheker Dürenberger in Zürich. Im April 99 kehrte er nach Hannover zurück, wo inzwischen sein Entweichen in Vergessenheit geraten war. Er war jetzt 20 Jahre alt...

Wieder begann das alte Lungerleben. Der Vater versuchte, ihn in seiner Zigarrenfabrik zu beschäftigen. Der Sohn zeigte sich arbeitsscheu. Vater und Sohn schlugen sich; die schwache, vom Manne unterdrückte Mutter trat ohne rechten Rückhalt für den

Jungen ein. In einem dem alten Haarmann gehörigen Hause in der Burgstraße wohnte ein Arbeiter namens Loewert. Seine Tochter Erna, ein derbes, blondes Mädchen, grob und hübsch, wurde Haarmanns »Braut«; Weihnachten 1899 verlobten sie sich förmlich, mit Einstimmung der beiden Familien, die von dieser festen Bindung eine Heilung für das Herumstreichertum des jungen Mannes erhofften. Dieses Liebesverhältnis dauerte drei Jahre. Die Erna Loewert wurde die nächste Freundin der Schwestern Haarmann. Sie wurde im Jahre 1901 von dem 23jährigen Burschen schwanger; aber das Kind wurde durch eine Hebamme abgetrieben. Im Oktober 1900 erhielt Haarmann einen Gestellungsbefehl. Er unterbrach sein arbeitsscheues Herumtreiberleben, um abermals Soldat zu werden. Am 12. Oktober 1900 wurde er als Ersatzrekrut beim Jägerbataillon 10 in Bitsch bei Colmar eingestellt. Von dieser Zeit sprach er stets als von der schönsten seines Lebens. Seine Vorgesetzten waren mit ihm zufrieden. Hauptmann v. Gottberg nahm ihn zum Burschen. Leutnant Fischer lobte ihn als »den besten Schützen in der Kompagnie«. In diese Militärdienstzeit fiel der Tod seiner Mutter, zu deren Beerdigung er Ostern 1901 nach Hannover in Urlaub fuhr. Der Vater wollte jetzt den Verkehr mit der Erna Loewert nicht mehr leiden und schrieb, um das Verhältnis zu hintertreiben, an den Bataillonskommandeur nach Bitsch; aber man hatte keinen Anlaß, den dienstwilligen Soldaten zu tadeln, bis im Oktober die Manöver kamen und bei einem anstrengenden Marsch Haarmann zusammenbrach, wonach Schwindelanfälle und Schwächezustände eintraten, infolge deren er am 4. Dezember wegen »Neurasthenie« ans Garnisonlazarett in Bitsch überwiesen wurde. Hier soll ein junger Stabsarzt sich für den hübschen Jungen ungebührlich interessiert haben. Er blieb länger als vier Monate im Lazarett. Da man aus seinem Leiden nicht klug werden konnte, so wurde er am 14. Mai 1902 nach Straßburg ins Garnisonlazarett I auf die Station für Nervenkranke überführt. Und dort wurde Folgendes festgestellt: »Es liegt ein schon lange bestehender Intelligenzdefekt vor, der aber nur bei systematischer Prüfung zu Tage tritt, da im übrigen Haarmann durchaus keinen schwachsinnigen Eindruck macht. Mit höchster Wahrscheinlichkeit ist anzunehmen, daß er im Jahre 1895 an Hebephrenie (Jugendirrsinn) erkrankte, daß sich hieran ein erheblicher Schwachsinn anschloß, der eine angeborene Idiotie vortäuschte, worauf allmählich wieder eine gewisse Besserung eintrat. Haarmann ist wegen überstandener Geisteskrankheit, die einen gewissen Schwachsinn hinterlassen hat, für dienstunbrauchbar und teilweise erwerbsunfähig zu betrachten.« – Beim Generalkommando des 15. Armeekorps in Straßburg wurde angenommen, daß das früher bei Haarmann bestehende Leiden durch den Militärdienst, insbesondere durch die Anstrengungen bei den Herbstübungen 1901 erheblich verschlimmert worden sei. Durch Verfügung vom 23. Juli 1902 wurde er demgemäß »auf Grund innerer Dienstbeschädigung als dauernd ganzinvalide, zeitig teilweise erwerbsunfähig und dauernd untauglich zur Verwendung im Zivildienst anerkannt.« Er wurde sodann am 28. Juli vom Jägerbataillon in Bitsch entlassen. In der Überweisungsnationale ist seine Führung als »recht gut« bezeichnet. – Er bezog von nun an eine militärische Rente, die monatlich 21 Mark betrug. Er zog nunmehr zu seiner in Hannover wohnenden Schwester, Frau Burschel. Und wieder begann der alte Kriegszustand mit dem Vater. Er verklagte diesen (1902) auf Gewährung von Unterhalt, da er wegen seines Nerven- und Herzleidens außerstande sei, regelmäßig zu arbeiten und von seiner militärischen Rente nicht leben könne. Der Vater wendete ein, daß der Sohn seine Krankheit nur vorgetäuscht habe, um vom Militär frei kommen und sein Verhältnis mit der Erna Loewert fortsetzen zu können. Er sei ganz gesund und nur zu träge, um regelmäßig zu arbeiten. Haarmann wurde denn auch mit seiner Klage auf Unterhalt abgewiesen. Aber nunmehr wurde das Verhältnis zum Vater vollends unerträglich. Im Februar 1903 erstattete der Vater bei der Staatsanwaltschaft Anzeige, daß Haarmann ihn und seine Geschwister mit Totschlag bedroht, ihn der Ermordung des Lokomotivführers Schröder bezichtigt und von seinem Bruder Adolf habe Geld erpressen wollen. Gleichzeitig beantragte er (eigentlich im Widerspruch zu der früheren Angabe, daß der Sohn seine Krankheit nur vortäusche), den Haarmann als gemeingefährlichen Geisteskranken in eine Irrenanstalt unterzubringen. Das Verfahren wurde eingestellt, weil die Angehörigen bei ihrer polizeilichen Vernehmung die Behauptungen des Vaters nicht bestätigten. Der Sohn drehte nun den Spieß um und verklagte den Vater wegen wissentlich falscher Anschuldigung, worauf nunmehr wieder die Geschwister bei ihrer gerichtlichen Vernehmung die Angaben des Vaters bestätigten, so daß auch dies Verfahren ergebnislos eingestellt werden mußte. Auf Grund der in der Anzeige des Vaters enthaltenen Angaben über die Gemeingefährlichkeit des Sohnes, veranlaßte aber nunmehr das Polizeipräsidium in Hannover eine Untersuchung durch den Kreisarzt Dr. Andrae. Dieser erstattete am 14. Mai 1903 sein Gutachten. Es kam darauf hinaus, daß »Haarmann zwar moralisch minderwertig, wenig intelligent, träge, roh, leicht reizbar, rachsüchtig und gänzlich egoistisch, nicht aber im eigentlichen Sinn ›geisteskrank‹ sei, so daß kein Anlaß bestehe, ihn von Amts wegen in eine Irrenanstalt unterzubringen«. Demgemäß wurde davon Abstand genommen. So war denn der Wolf (24 Jahre alt) auf die menschliche Gesellschaft losgelassen.

Auf der Verbrecherlaufbahn

Zunächst versteckte sich der junge Faulpelz hinter seiner »Braut«. Der Vater leiht 1500 Mark. Damit begründet der Sohn auf den Namen seiner Braut ein Fischgeschäft. (An der Lutherkirche 9.) Davon soll sie ihn ernähren. Er selbst versucht sich als Versicherungsagent; arbeitet aber gar nicht mehr, als durch Verfügung des Generalkommandos des X. Armeekorps in Hannover vom 15. Juli 1904 er als dauernd ganzinvalide und größtenteils erwerbsunfähig anerkannt und seine Monatsrente auf 24 Mark erhöht wird. Schon zu Anfang 1904 war das vom Vater erhaltene Geld völlig aufgezehrt, und mit dem Fischgeschäft ging es abwärts. Um diese Zeit ging auch die Verlobung mit Erna in die Brüche. Haarmann erzählt uns das so: »Erna war in anderen Umständen von mir; sie war lieb zu mir und wollte weiter poussieren; aber ich konnte nicht mehr. Sie verkehrte mit Student Heinemann. Ich sagte es zu Emma. Da wurde Erna giftig und hat mich aus dem Geschäft 'rausgeschmissen und da es auf ihren Namen eingetragen war, konnte ich nichts machen.« – Die Wahrheit ist, daß Haarmann bei seinem Luderleben um diese Zeit gonorrhoisch erkrankte und seither, den Frauen gegenüber immer gleichgültiger werdend, sich ausschließlich einem gleichgeschlechtlichen Triebleben dahingab. Aber erst aus dem Frühjahr 1905 kann ein längeres Verhältnis mit einem Manne nachgewiesen werden, in welchem Haarmann zweifellos der passive Teil gewesen ist. Der betreffende (um 1916 verstorben) war ein gräflicher Kammerdiener, namens Adolf Meil, damals schon ein Mann Ende vierzig (der von seiner ehemaligen Herrin eine Rente bezog, angeblich, weil er »etwas nachgeholfen hatte«, als der alte Graf im Bade einem Schlaganfall erlag und die junge Gräfin zur Witwe machte). Haarmann erzählte die Anfänge dieser Bekanntschaft uns folgendermaßen: »Ich komme vom Jahrmarkt und denke reine gar nichts. Plötzlich redet Einer mich an. Er hat 'ne Brille auf. Er sagt: ›Kommen Sie auch vom Marcht?‹ Ich denke, das ist ein Schullehrer. Er nahm mich mit zur Nelkenstraße. Bei der Kranzbinderei von Goslar bleibt er stehen und sagt: ›Hier wohne ich nun.‹ Ich ging mit 'rauf. Er kochte Bohnenkaffee. Er küßt mich. Ich bin schüchtern. Mittlerweile wirds zwölf. Er sagt: ›Es ist doch schon so spät, schlafe bei mir.‹ Ich tat es. Er machte alles, was ich noch nicht kannte. Ich kriegte es mit der Angst. Ich habe ihm das ganze Bett vollgemacht. Danach lernte ich aber hundert solchene kennen.« – Bis 1904 war Haarmann immer der Justiz entgangen. Aber von seinem 26. Lebensjahre an rollt sich ab eine solche Strafliste, daß in den folgenden zwanzig Jahren nahezu ein Drittel aller Tage in Untersuchungszellen, Gefängnissen oder Zuchthäusern verbracht wurde. Seine erste Straftat hat einen Beigeschmack von Komik. Er liest in der Zeitung, daß in der Ultramarinfabrik »Laux & Vaubel« ein »Fakturist« gesucht werde. Er weiß nicht, was das Wort Fakturist bedeutet, aber er entsendet ein glänzend geschriebenes Bewerbungsschreiben. Der Chef läßt ihn kommen, und er verspricht mit der ganzen Treuherzigkeit, die er vorzutäuschen verstand, jede nur erforderliche Leistung. Man ließ ihn nun Rechnungen ausziehen; aber entdeckt nach einigen Tagen zahllose Unpünktlichkeiten. Er entschuldigt sich mit Krankheit und gelobt Besserung. Auf seinem Büro arbeitet ein kleiner Lehrling, den er durch Zigaretten und Liebkosungen besticht, statt seiner die schwierigeren Arbeiten zu machen. Er selbst kontrolliert lediglich die Nummern der abfahrenden Wagen. Er freundet sich an mit der in der Fabrik reinmachenden Scheuerfrau Guhlisch. Eine energische, vorurteilsfreie Person mit einem ebenso »vorurteilsfreien« zehnjährigen Schlingel von Sohn. Die drei begründeten eine Art Diebskompagnie. Nach Schluß der Büros werden große Mengen Marineblau und andere Farbstoffe auf die Seite geschafft. Haarmann arbeitet dabei als Angestellter der Frau Guhlisch. Zwischendurch macht man auch bei einem Hausgenossen der Guhlisch kleinere Einbruchsdiebstähle und an freien Abenden unternehmen Haarmann und der kleine Guhlisch methodische Streifzüge auf die Kirchhöfe, wo sie Ketten, Metalle, Teile von Grabdenkmälern stehlen. – Die Diebstähle in der Fabrik kamen erst heraus, als Haarmann schon lange wegen Unbrauchbarkeit entlassen war, und zwar wurden sie erst entdeckt, als die Kunden sich darüber beschwerten, daß Waren, welche sie von Haarmann stets zu halben Preisen bezogen hätten, nunmehr wieder doppelt so teuer bezahlt werden mußten. Vom 4. Juli bis 19. Oktober 1904 wurde Haarmann nicht weniger als viermal vom Schöffengericht und von der Strafkammer wegen schweren Diebstahls und Unterschlagung verurteilt. Die folgenden Jahre brachten dann eine fortlaufende Kette neuer Diebstähle, Einbrüche, Betrügereien und Sittlichkeitsverbrechen, und es ist wohl auch für die Praxis des Strafvollzuges im 20. Jahrhundert kennzeichnend, daß jedes Mal, wenn der Übeltäter aus dem »Kittchen« zurückkehrte, seine Verschlagenheit wie sein Verbrechen größer wurde. Die Planmäßigkeit seiner Taten war erstaunlich. Er kaufte sich z. B. einen kleinen Desinfektionsapparat und mietete ein Hofzimmer, angeblich, um eine Desinfektionsanstalt zu betreiben. Dann verfolgte er die Todesanzeigen in den Zeitungen und ging in die Trauerhäuser, wo er sich als »Beamter der städtischen Desinfektion« vorstellte und den Leuten riet, daß sie das Totenzimmer oder die Sachen des Verstorbenen desinfizieren lassen sollten; diese Desinfektion nahm er dann dem Scheine nach vor und benutzte die Gelegenheit zu Diebstählen; wenn man ihm gelegentlich eine Erquickung anbot, so lehnte er treuherzig ab mit der Begründung: »Ich darf als Beamter in den Häusern nichts annehmen.« Ein andermal wurde er nahe der Herrenhäuser Allee beim Abschrauben eines Türdrückers ertappt; er wies nach, daß an seiner Haustüre der Drücker fehle und daß er das fehlende eben habe ergänzen wollen. Seine Frechheit war so groß, daß er einmal unmittelbar, ehe er in Untersuchungshaft abgeführt wurde, noch schnell seinem Logiswirt einen Topf mit sechzig eingelegten Eiern stahl. Während des Jahres 1905 wurde Haarmann insgesamt zu 13 Monaten Gefängnis verurteilt; aber in den späteren Jahren scheint er seine Taten vorsichtiger ausgeführt oder besser verborgen gehalten zu haben. Die Feindschaft mit dem Vater, welcher ihn für kerngesund aber arbeitsscheu hielt und als großen Simulanten bezeichnete, führte dahin, daß Haarmann am 1. November 1906 wegen Körperverletzung des Vaters zu einem Monat Gefängnis verurteilt wurde. Die Streitigkeiten zwischen beiden hatten hauptsächlich zum Gegenstande, daß der Sohn die Herausgabe seines mütterlichen Erbteils verlangte und der Vater es nicht auszahlen zu können erklärte. In den folgenden Jahren unternahm er immer wieder mit dem jungen Guhlisch Raubausflüge auf die Kirchhöfe (wobei vielleicht der Grund gelegt wurde zu seiner späteren Gleichgültigkeit gegen das Hantieren mit Leichenteilen). Zwischendurch fand er durch Vermittlung seines Bruders Adolf Stellung auf der »Continental«, wo er gut verdiente. – Man darf es als Glücksfall betrachten, daß Haarmann ein Jahr vor Ausbruch des Weltkrieges eine Zuchthausstrafe von 5 Jahren erlitt, so daß er während der Kriegsjahre in den Strafanstalten Celle, Lüneburg, Rendsburg und Rawitsch interniert war; es wäre nicht auszudenken, was ein solcher Mensch in einer Zeit, wo jeder Gewaltinstinkt dem »Feinde« gegenüber freigegeben wurde, an Verbrechertaten hätte begehen können. Übrigens kann auch der folgende Umstand zu denken geben: Als in den letzten Kriegsjahren Mangel an Arbeitskräften herrschte, weil alle verfügbare

Mannheit an der Front war, da wurden die Zuchthaussträflinge als Landarbeiter auf Gütern verwendet; auch Haarmann arbeitete in dieser Zeit auf den Ländereien eines Rittergutsbesitzers v. Hugo bei Rendsburg; und zwar so zu allgemeiner Zufriedenheit, daß man ihn lieb gewann und nicht wieder ziehen lassen wollte. Die fünfjährige Zuchthausstrafe 1913 wurde unter sehr erschwerenden Umständen verhängt. Ende 1913 fanden in dem vornehmen Viertel »die List« zahlreiche Kellerdiebstähle statt. Schließlich wurde Haarmann bei dem Versuch, einen Kellereinbruch zu verüben, ertappt und festgenommen. Man fand bei der Durchsuchung seiner Wohnung ein riesiges Lager gestohlener Konserven, Weinflaschen, Eier und Fleischwaren. Seiner Wohnungswirtin und seinem 17jährigen Freund Fritz Algermissen hatte er lange Zeit hindurch Eßwaren geschenkt oder billig verkauft, unter dem Vorgeben, er sei Chemiker auf der Continental-Fabrik und habe eine Agentur für Lebensmittel. Trotz einwandfreier Beweise für schwere Diebstähle in zehn Fällen, schwur Haarmann: »Bei Gott und dem Grabe meiner Mutter. Machen Sie mich nicht unglücklich. Ich bin unschuldig«, verzichtete aber, als er zu fünf Jahren Zuchthaus verurteilt wurde, auf Einlegung eines Rechtsmittels. Von Ende 1905 bis Ende 1912 befand er sich nur wenige Monate in Freiheit. Merkwürdig ist es, daß, obwohl nach Haarmanns eigenen Angaben die sittlichen Verfehlungen an Knaben und Jünglingen, sobald er in Freiheit war, nahezu zur täglichen Gewohnheit wurden, die Verurteilung wegen solcher Vergehen verhältnismäßig selten erfolgte; meistens darum, weil die Betroffenen zu schamhaft waren ihn anzuzeigen. Erst 1911 wurde eine Anzeige wegen Vergehens gegen § 175 StGB. erstattet, indem vier Väter wegen »Beleidigung« ihrer Kinder gemeinsam klagten, doch wurde das Verfahren eingestellt, da die Aussagen der Knaben gar zu unbestimmt blieben. Am abscheulichsten war wohl jener Fall, der im November 1912 ihm eine Zusatzstrafe von zwei Monaten Zuchthaus eintrug: er hatte einem ihm gänzlich unbekannten 13jährigen Schulknaben auf der Straße angesprochen und gegen Geldversprechen, mit der Mahnung, er dürfe seinen Eltern nichts davon sagen, in seine Wohnung zu verschleppen und zu homosexuellem Verkehr zu verlocken gesucht. –

Diese Vorgeschichte lag vor, als Haarmann im April 1918 aus dem Zuchthause entlassen, nach kurzem Gastspiele in Berlin, wieder in Hannover auftauchte. Und nun erfolgten die ersten Mordtaten. Die ersten wenigstens, welche man (allerdings erst sechs Jahre später) ihm nachzuweisen vermochte.

Die Zeit der Revolution 1918/19

Die Zeit der Heimkehr aus dem Zuchthause Rawitsch schilderte uns Haarmann folgendermaßen: »Als ich aus dem Kittchen entlassen wurde, fuhr ich nach Berlin. Aber da war nicht viel los. Da ging ich wieder nach Hannover. Ich ging gleich zu Emma. Bertchen, Emmas Jüngste, sagte: ›Iß nicht so viel Brot, Onkel. Wir stehn Schlange; sind alle krank.‹ Da sagte ich: ›Will mal sehen, mein Kind, was sich machen läßt.‹ Ich ging gleich zum Bahnhof. Emma gab Geld. Da sind ja die Schiebers, die Hamsterers! Da klauten wir. Da hatten wir alles. Da wurden wir alle wieder schöne dick. Emma verkaufte weiter. Da ging aber der olle Haarmann zum Hauswirt. Da hat er mich verklatscht. Da sagte Emma: ›Fritz, geh' man wieder weg‹.« – Haarmann war in eine Zeit hineingeraten, in der alle seine bösen Urtriebe wild ins Kraut schießen konnten. Sein Hauptquartier wurde die große Vorhalle des Hauptbahnhofs in Hannover, wo ein schwunghafter Handel mit gestohlenem oder schwarzgeschlachtetem Fleisch und mit allen, in jenen Tagen nicht mehr aufzutreibenden, in Deutschland schwer entbehrten Gebrauchsgütern getrieben wurde. April 1918 mietete Haarmann von der Ww. Schildt in dem Hause Cellerstraße 27 einen Laden mit Hinterzimmer, angeblich zu Bürozwecken. Der Laden wurde mit einigen Möbelstücken notdürftig ausgestattet. Er wohnte zunächst bei seiner Schwester Burschel; zog aber Ende August in das Hinterzimmer des Ladens. Es begann dort ein Betrieb, der den Hausbewohnern immer rätselhafter und unheimlicher wurde. Aus und ein flogen junge Leute. Sie brachten Rucksäcke mit Fleisch. Nachts hörten die Nachbarn ein Hakken und Klopfen in dem Hinterzimmer; sie nahmen an, daß

Haarmann das zu seinem Schleichhandel »gehamsterte« Fleisch zerlege. Neben dem Haarmannschen Laden war der Gemüseladen von Frau Seemann, einer verängstigten Frau, die in jenen schweren Tagen mit ihrem Nachbarn wohl ein bißchen Kippe machte und gelegentlich ebenfalls von den bei Haarmann ein- und ausgehenden jungen Leuten einige Schleichwaren billig erstand. Diese bängliche Frau war wohl die erste, der eine Ahnung davon aufstieg, daß in dem Nebenraum dunkle Mordtaten vorgehen könnten. Einmal, als Haarmann im Nebenraum Knochen hackte, klopfte sie an die Wand und rief hinüber: »Krieg' ich auch was ab?« Haarmann rief zurück: »Ne, das nächste Mal.« Anderen Tages brachte er ihr einen Sack Knochen. »Ich machte Sülze daraus, aber ich dachte: I gitte, die sehn so weiß aus; mir wird fies davor.« Erst sechs Jahre später klärte sich auf, daß in diesem Hinterzimmer in der Cellerstraße mindestens zwei Personen getötet wurden: der 14jährige Sohn Hermann des Fahrradhändlers G. Koch und der 15jährige Friedel des Gastwirts Rothe; und wenn auch ungewiß blieb, ob Haarmann das Fleisch der getöteten Knaben bei seinem Fleischhandel mit verwendete (vielleicht hat ein letztes Restchen menschlicher Scham ihn abgehalten, das Gräßlichste einzugestehen), so ist doch so viel gewiß, daß nicht erst 1923 der Tötungszwangstrieb einsetzte, sondern daß schon in den Jahren 1918–1923 manche Mordtat geschehen sein muß. Diese Taten sind nicht ans Tageslicht gekommen. Haarmann, der sonst ein ausgezeichnetes Erinnerungsvermögen hat, konnte sich an die Zahl seiner Opfer so wenig erinnern, wie an ihre Gesichter (wie er denn überhaupt alles Quälende aus seinem Bewußtsein zu verdrängen versucht). Nach der Zahl seiner Morde befragt, pflegte er, unsicher und wortkarg werdend, sofort zu erwidern: »Es können dreißig, es können vierzig sein; ich weiß das nicht«; im einzelnen aber gab er immer nur solche Fälle zu, die ihm nachgewiesen werden konnten, und mit einem fast gemütlichen Hohn hielt er oft dem Staatsanwalt vor: »Es sind auch Opfer da, die Sie nicht wissen. Die aber, die Sie meinen, sind es nicht.«

Stellung zur Polizei

Das Schauergemälde der Jahre 1918–1924 wird sich uns im Laufe des Prozesses enthüllen. Um aber das Ungeheuerliche der äußeren Möglichkeit nach zu begreifen, müssen wir uns vorweg erinnern an jene Rechts- und Polizeizustände, die gegen Ende des fünfjährigen Völkermordens fast in ganz Europa herrschten; in jenen Tagen, wo mehr als eine Million Menschen unter den Augen der »Kulturmenschheit« glattweg verhungerte. Deutschland hatte kein Heer. Die proletarische Jugend, aufgeregt, verwildert, und jahrelang aufs unverantwortlichste irregeleitet und mißbraucht, entbehrte plötzlich der Hemmung und Führung. Das geschlagene Volk schlug zurück. Der politische Mord wurde zur Gewohnheit. Die durch den Vertrag von Versailles beschränkte Polizeimacht (Schutz-, Sicherheits- und Kriminalpolizei) konnte mit den aus langem Kriegsleben Zurückkehrenden, der bürgerlichen Seßhaftigkeit entwöhnten verbrecherischen Elementen nicht fertig werden. Die untere Polizeimannschaft, nach der 4. bis 7. Gehaltsklasse besoldet, Männer, die mehrmals in der Woche die Nächte bis früh 4 Uhr auf der Straße zubringen und dann doch schon wieder gegen 9 Uhr auf dem Büro sein müssen, war so jämmerlich bezahlt, daß sie für jede kleinste Hilfe und für jedes Geschenk, sogar aus Verbrecherhänden, immer empfänglicher wurde. Man verlangte von diesen mit Recht verbitterten, nur wenig gebildeten Subalternbeamten Übermenschliches. Das gesamte Unzuchtsdezernat der Kriminalpolizei in Hannover bestand zu Haarmanns Zeiten aus 12 Kriminalbeamten und einem Kommissar, welche ungefähr 4000 von Prostitution lebende Frauen (wovon nur 400 eingeschriebene Dirnen sind) und mindestens 300 männliche Prostituenten zu überwachen hatten. Für die Nachforschung und das Wiederermitteln von »Vermißten« war (und ist) vom Staat eine so lächerlich geringe Geldsumme zur Verfügung gestellt, daß schon um der Kosten willen eine wirklich gründliche Suche nach verschwundenen Personen nicht einsetzen konnte. Dort, wo von Haarmanns Opfern die Spuren gefunden wurden, geschah das fast immer durch Privat-Detektive oder durch die nachforschenden Angehörigen selbst. Die Schuld lag also zweifellos am System, nicht an den einzelnen Beamten. Es ist aber klar, daß gerade in solchen verwilderten Tagen die Sicherheits-, Schutz- und Kriminalbehörden auf die Mithilfe des »Publikums« angewiesen sind und daß sie, wenn keiner ihnen hilft und jeder nur mit sich und dem eigenen Elend beschäftigt ist, sich aus der Verbrecherwelt selber ihre Helfer heranziehen müssen. Man bezeichnet solche Helfer als Spitzel, Zuträger, Achtgroschenjungen, Provokateure und Vigilanten. Sie spielen die Rolle der Spione im Kriege. Man benutzt sie und verachtet sie. Haarmann nun wurde von der Polizei in den Jahren 1918 bis 1924 beständig zu Spitzeldiensten herangezogen und erwies sich in vielen schwierigen Fällen – (bei der Aushebung einer Verbrecherbande, die falsches Geld herstellte; bei der Aufdeckung eines Diebstahles von Treibriemen; ja sogar beim Aufspüren von vermißten Personen) – als sehr verwendbar und nützlich. Wir werden sehen, wie dieser Mann in beiden Welten daheim war, bald einmal der Polizei einen seiner Buhljungen oder Kumpane in die Hände spielte, bald einmal wieder seine Beziehungen zu den Polizeiorganen zugunsten der Verbrecherwelt und vor allem zugunsten seiner eigenen, in tiefster Heimlichkeit wuchernden Mordwollust benutzte. Nahezu alle seine Verbrechen wurden dadurch möglich, daß er für das naive Volk (das in Deutschland den Polizeibeamten für eine Art richterliche Person hält) und zumal für die unerfahrene Jugend zwischen 14 und 18, die er zu verführen pflegte, eine amtliche Vertrauensperson war. Er durchforschte fast Nacht um Nacht die Wartesäle des Bahnhofs; die er (ganz gleich, ob nun dank eines nicht-offiziellen oder [wie eine große Reihe von Zeugen aussagen] dank eines offiziellen Polizeiausweises) jederzeit betreten konnte, obwohl sie sonst nur von Reisenden, die eine Fahrkarte vorwiesen, zur Nachtzeit besucht werden durften. Er konnte auch ungehindert jederzeit durch die Bahnsperren gehen, da die Beamten ihn kannten und ihm Ehrbezeugungen erwiesen. Er machte sich an durchreisende oder auf dem Bahnhof sich umhertreibende junge Menschen heran, durchmusterte ihre Personalausweise, befragte sie nach dem Ziele der Reise, machte gelegentlich die auf dem Bahnhof eingestellte Behörde (Bahn-, Sicherheits- und

Kriminalwachen) auf Verdächtiges oder Verdächtige aufmerksam; ja, es ist vorgekommen, daß er selber auf der Bahnhofswache Telephongespräche führte und Verhöre aufnahm. Solchen Jungen, die ihm wohlgefielen (Obdachlosen, entlaufenen Fürsorgezöglingen, Arbeitslosen) bot er gerne Essen, Arbeit und Wohnung an, behielt sie eine oder auch mehrere Nächte bei sich, verführte sie zu Geschlechtsvergehen und tötete die schönsten im nachtumgrauten Sinnenrausch. Da er alle Bereitschaften kannte, das Fahndungsblatt las, die Razzien vorauswußte und überhaupt wie ein Zugehöriger zur Kriminalpolizei obwaltete, so hatte er es leicht, solche Lieblinge, die selber irgend etwas ausgefressen hatten, in seinen Schutz zu nehmen und vor der Polizei zu decken, während umgekehrt dort, wo er gereizt, gehänselt oder nicht ernstgenommen wurde, er die Jünglinge dem Weibel in die Finger spielte und »verschütt gehen« ließ. Dieser Tatbestand, daß Haarmann die Polizei nutzte, so wie er selber zu oft recht billigen Lorbeeren von den kleineren Beamten genutzt wurde, ist bei dem ganzen Kriminalfall mit stillschweigender Übereinkunft aller Behörden verschleiert worden; ähnlich wie man das ungeheure Spionage- und Lügensystem der Kriegsjahre allgemein verschleiert. Es geschieht gar nicht selten, daß eine zum Häscherdienst benutzte Verbrecherpersönlichkeit jedem einzelnen Mitgliede der Behörde recht gut bekannt ist, daß aber, wenn der Mann seine Beziehungen mißbraucht, die Institution von ihm abrückt und in der Öffentlichkeit erklärt: »Die Stellung des Mannes war nicht amtsförmlich; er bezog keinen Sold; er führte keine amtlichen Ausweise, kurz, die Behörde kennt ihn gar nicht. Spitzel, Aufpasser, Zuträger, Vigilanten sind eben niemals »offiziell«. Und es gibt zahllose kleine Gefälligkeiten zwischen Behörden und Verbrecherwelt, die viel gewagter und gefährlicher sind, als ein ehrlicher Sold. Das Wort »Behörde« ist eben nur ein Gedankenwort; dahinter stehen Menschen und ihre Menschlichkeiten. – Die Wahrheit ist, daß das Treiben Haarmanns zwischen 1918 und 1924 gerade nur darum möglich war, weil er unter beständiger Polizeiaufsicht stand und weil von einem so allvertrauten, allgemein beliebten und täglich mit allen Polizeipersonen freundschaftlich verkehrenden Manne man zwar alle erdenklichen sittlichen Laster, ganz sicher aber nie einen tief verborgenen Mordwahnsinn vermutete. Wollte auch ich diesen Punkt hier verschleiern, so wäre es mir unmöglich, den Kriminalfall aufzuklären. Wir müssen gerade diesen Umstand: die Polizeifunktion des Haarmann, scharf herausstellen.

Die Geschlechtsverbrechen

Obwohl somit bis zum Jahre 1924 die vielen Mordtaten des Haarmann trotz mehrerer Anzeigen aus seinem Bekannten- und Nachbarkreise und trotz mehrfacher Verdachtsgründe unentdeckt und im Dunkel blieben, so wurde doch bei den immer wiederkehrenden Haussuchungen und Überwachungen etwas anderes vollkommen klargestellt: Der Gewohnheitsverbrecher, der beständig von Schwärmen blutjunger Menschen umgeben lebte, welche er nutzte, oder welche ihn nutzten, fröhnte jeder nur erdenklichen Widernatürlichkeit des Geschlechtslebens. Als man wegen des verschwundenen Rothe bei ihm forschte (Oktober 1918), fand man zwar nicht den vermißten Knaben, wohl aber einen anderen nackten Knaben bei ihm im Bette. Er hatte die Knaben angesprochen, bewirtet und dann mit in die Wohnung genommen, wo sie gegen Geld Unsagbares machen mußten. Da er auch andere Fälle dieser Art zugab, so wurde Oktober 1918 ein Strafverfahren wegen tätlicher Beleidigung eingeleitet, welches im April 1919 mit seiner Verurteilung zu neun Monaten Gefängnis endete. Inzwischen war ihm die Wohnung in der Cellerstraße zu »heiß« geworden, und er verzog Anfang Dezember 1918 nach Seydlitzstraße 15 zu einer Frau Hederich, bei welcher er eine Wohnung mietete, angeblich als »Lagerraum für Zigarren, Chemikalien und anderes«. Es gehörte zu Haarmanns Gepflogenheiten, sich immer einen jungen Menschen als »Meschores« (Faktotum) zu halten. Dieser hatte die Wohnung reinzuhalten und alle Verrichtungen zu erfüllen, die man sonst einem Mädchen zumutet. Ein junger Arbeiter namens Friedrich Oswald, welchen Haarmann mittellos am Bahnhof aufgriff, wurde in die neue Wohnung eingesetzt, bekam sein eigenes Zimmer und hatte im Auftrage Haarmanns nebenher auch tätig zu sein für eine der Schwester befreundete Zigarrenhändlerin, mit welcher Haarmann lichtscheue Beziehungen unterhielt. Auch in dieser Wohnung fanden bald wieder polizeiliche Durchsuchungen statt, als Haarmann in Verdacht geraten war, den seit September 1918 vermißten Schüler Koch getötet zu haben, und auch in diesem Falle mußte der Mordverdacht zwar fallen gelassen werden, dagegen wurde erwiesen, daß Haarmann neuerdings mit ganz jungen Burschen widernatürliche Unzucht getrieben hatte, woraufhin Haarmann vom 2. Juni bis 19. Juli in Haft behalten wurde, sodann aber das Verfahren aus § 175 eingestellt werden mußte, weil die beteiligten Burschen ihre ursprünglichen Angaben nicht aufrecht erhielten. Vor der Hauptverhandlung in dieser Sache war auf Veranlassung der Staatsanwaltschaft eine gerichtsärztliche Untersuchung des Angeschuldigten auf seinen Geisteszustand vorgenommen worden, weil dieser in dem vorerwähnten Verfahren, in welchem er zu neun Monaten Gefängnis verurteilt war, behauptet hatte, daß er »nicht zurechnungsfähig« sei und an Fallsucht leide. Der Gerichtsmedizinalrat Dr. Brandt gab am 12. Juni 1919 das Gutachten ab, daß Haarmann nicht geisteskrank und für alle Delikte, insbesondere für sexuelle, voll verantwortlich sei. Das Gutachten war im wesentlichen auf Grund der eigenen Angaben Haarmanns erstattet, wobei dieser verschwiegen hatte, daß er in früheren Jahren im Irrenhaus gewesen sei. – Da ihm nun auch diese Wohnung »heiß« geworden war, so verzog Haarmann im September 1919 zu einer Frau Kroell, Nikolaistraße 13. Auch hier setzte er den Verkehr mit jungen Leuten fort. Die Logiswirtin beobachtete, daß er mit diesen Unsägliches trieb und bestand darauf, daß er sogleich ausziehe. Er verzog darauf in eine andere Wohnung der Nikolaistraße. Um diese Zeit, Anfang Oktober 1919, trat aber in Haarmanns Leben jener Freund, mit dem er fortan auf Tod und Leben zusammengeschmiedet blieb. –

Zur Seelenkunde

Wir haben gehört, daß im Juni 1919 der hannoversche Gerichtsarzt den Haarmann für »zurechnungsfähig« und »verantwortlich« erklärte. Dieses Gutachten steht in merkwürdigem Widerspruch zu einem andern, welches der Nervenarzt Dr. Bartsch am 18. Dezember 1922 über Haarmann an das Versorgungsamt der Stadt Hannover erstattete. Haarmann war damals bezüglich Fortbezugs oder Erhöhung seiner Invalidenrente vom Versorgungsamte dem genannten Arzte zur Untersuchung zugesandt worden und dieser stellte fest, (allerdings nach einer nur kurzen Unterredung und Intelligenzprüfung), einen »hochgradigen Schwachsinn«; ja, regte an, den Bruder Haarmanns zu veranlassen, den Schwachsinnigen zu entmündigen. Die Gerichtssachverständigen im späteren Prozeß (die zwei hannoverschen Gerichtsärzte und der Ordinarius für Psychiatrie in Göttingen) haben es wahrscheinlich zu machen versucht, daß die Gutachten der Irrenärzte in Hildesheim und Langenhagen von 1899, jene der Militärärzte von 1898 und 1902 und endlich auch das Gutachten des Dr. Bartsch von 1922 auf Grund »hysterischer Simulationen« zustande gekommen seien, indem Haarmann das eine Mal das Bestreben hatte, vom Militärdienst loszukommen, das andere Mal das Bestreben, eine möglichst hohe Rente herauszupressen. -- Alles Gefrage nach »Zurechnungsfähigkeit«, »Verantwortlichkeit«, »Irrsinn« bleibe nun hier zunächst ganz dahingestellt! Der Leser sei gewarnt, verwickelte Dinge so einfach, einfache sich so verwickelt zu denken, wie das die auf Eingliederung und »klinische Bilder« versessene mit sehr schwer bestimmbaren und oft schnell wieder veraltenden griechisch-lateinischen Orakelworten (schizophren, zyklothym, hysterisch, hebephrenisch usw.) arbeitende medizinische Psychologie unvermeidlich tun muß. Die Tatsache, daß alle Regungen des logischen Oberbaues tadellos in Ordnung sind, schließt nicht aus, daß die gesamte seelische Unterwelt ohne jede Zusammenhangsmöglichkeit mit Vernunft oder Einsicht ihr eigenes vollkommen krankes Leben führt. Erkrankungen sind nicht immer von positiver Natur. Sie können oft nur als »Ausfallserscheinungen« oder als »Vereinzelungen« (Dissoziation) erspürt werden. Auch die Tatsache, daß ein Mensch Irrsinn oder Schwachsinn simuliert, oder sich in Krankheiten hineinflüchtet, schließt nicht aus, daß er nicht zugleich doch wirklich irrsinnig oder schwachsinnig ist, und zwar kann ebensowohl, (wie bei Hamlet), ein gespielter Irrsinn einen wirklichen überdecken, wie auch just das Spielen der Krankheit gerade die wirkliche Krankheit sein kann. Ja, die Verfilzung und Überschneidung wirklicher und bloß gespielter Erlebnisreihen pflegt selbst im einfältigsten Triebwesen weit verwickelter zu liegen, als wir das ahnen. Um daher das Folgende wirklich zu verstehen und so zu verstehen, daß es auch nach hundert Jahren (wo unsere gesamte heutige Psychiatrie und wissenschaftliche Psychologie veraltet sein wird), noch einige Gültigkeit behält, müssen wir uns vereinbaren, bloß Seele zu Seele, uns einzufühlen und »mitzuahmen«, aber alle vorzeitigen Formulierungen und wissenschaftlichen Erklärungen streng zu vermeiden. Dazu aber ist auch dies erforderlich, daß wir keine »Analogien« und »Parallelen« zu dem merkwürdigsten Kriminalfall unserer Tage aufsuchen. Vor allem meide man das unerträgliche »sexualpathologische« Geschwätz, über »Sadismus«, »Masochismus« und dergl. Mit dem Kriminalfall des Marquis de Sade (welcher eine widernatürliche Lust am Quälen zeigte; von dem Blute grausam gemarterter Kinder sich heiße Bäder bereiten ließ u. a. m.) hat der hochnotpeinliche Fall des Haarmann nicht die mindeste Verwandtschaft, da bei Haarmann nicht die Machtwut des Anderequälens, sondern schlechthin nur das Töten im Geschlechtsrausch und schließlich die dunkle Heimlichkeit des Zerreißens und Verschlingens überhaupt zur überwertigen Triebballung geworden ist. Anderes stärkeres Leben vernichten oder sich von anderem stärkeren Leben vernichten lassen; sich selber hinzugeben an den Tod oder tötend das Andere sich einzuverleiben; Fressen und Gefressenwerden, das sind die beiden polaren Achsen des gesamten kosmischen Lebensspieles, und es ist nicht viel damit erklärt, wenn man im Schwengelspiel erotischer Willensgewalten bald den einen, bald den andern Pol in einseitiger Übersteigerung entartet findet. Will man aber durchaus für das auf den folgenden Blättern Niedergelegte eine vorläufige Formel, so erinnere man sich an die uralten germanischen Mythen von dem in Wolfsgestalt Mensch gewordenem »Urbösen«; an die Sagen vom Werwolf (dem roman. loupgaron, den angelsächs. werewolfes), dem »kugelfesten«, nur gegen heilige Hände wehrlosen Unhold, der verflucht ist, Kindern die Kehle durchbeißen und sie zerfleischen zu müssen. An vergessene Mären der Urzeit denke man, von Elsen, Alpen, Luren, von Drachen, Sauriern, Leopardenmenschen, von Wendehäutern, Succubi und Incubi. Man denke an den geilen Blutschink, der noch heute haust im Paznaunertal, allnächtlich dem See entsteigend und nach Opfern suchend, denen er das Blut aussaugt. Man denke an den Nachtmahr unserer Wälder; die blutdürstige Ludak der Finnen und Lappen. Lykanthropen nannte die antike Welt solche Mordwesen. Mit einem solchen Fall von Lykanthropie haben wir im folgenden uns zu befassen. Es ist sehr merkwürdig, daß in denselben Tagen, wo der Kriminalfall Haarmann verhandelt wurde, noch ein zweiter Fall von Anthropophagie (Triebkannibalismus) ans Tageslicht kam. In einem von mehreren Parteien bewohnten Wohnhause nahe der Stadt Münsterberg, an der Strecke Breslau–Glatz in Schlesien, lebte durch lange Jahre der Landwirt Karl Denke, ein als frömmster Kirchengänger des Sprengels bekannter und geehrter Einsiedler, 54 Jahre alt. Am 21. Dezember 1924 sprach ein vorübergehender Handwerksbursche, namens Vincenz Oliver, den Mann um eine Gabe an und wurde eingeladen, ins Haus zu kommen. Als er am Tische Platz genommen hatte, wurde er plötzlich von Denke mit einer Spitzhacke überfallen, doch gelang es ihm, zu entkommen. Nunmehr wurde Denke in Schutzhaft genommen, erhängte sich aber im Untersuchungsgefängnis. Darauf nahm die Polizei eine Haussuchung im Gehöft des Denke vor. Man fand zahlreiche Papiere von verschwundenen Handwerksburschen, sowie in der Scheuer Töpfe mit gepökeltem Fleisch, das von den Gerichtsärzten einwandfrei als Menschenfleisch festgestellt wurde. – Man konnte feststellen, daß der Mann seit mindestens 20 Jahren sehr viele Menschen, Mädchen und Jünglinge, tötete, aß, verschlang oder ihr Fleisch auf Märkten verkaufte.

Der Freund

Man denke sich in den Tiefen der Untersee einen zähen, klugen Taschenkrebs, welcher nistet auf dem Höhlenhaus eines im Dunkel sich vollsaugenden, schleimigen Quallentieres, etwa eines pflanzenhaften Riesenpolypen, so hat man ein ungefähres Bild für die merkwürdige »Symbiose« von Triebverbrechen und Intelligenzdrohnentum, von Lebensirrsinn und Geistschmarotzerei, welche vom Oktober 1919 ab den blonden zarten mädchenhaften Hans Grans (den dennoch zäheren und wehrfähigeren) mit dem um 22 Jahre älteren weibisch rohen, schwammigen und wüsten Haarmann untrennbar verband. Grans ist ein hübscher, lebensgieriger, eigenbezüglicher Junge aus einem kinderreichen Elternhaus, wo Frau Sorge wohl oft saß an Stelle der Seele. Die Eltern haben in der dunkelsten Altstadt einen kleinen Papier- und Buchbinderladen mit einer Leihbücherei alter Schmöker, aus denen der ehrgeizige, liebenswürdige Schlingel sich Fernweh anlas nach großem Leben und vornehmer Welt. Er besucht bis Quinta die Oberrealschule, wird dann auf die Bürgerschule gesteckt, und als er sie durchlaufen hat, 1915 konfirmiert. Als Handlungslehrling in einer Metallwarenfabrik (Söhlmann) unterschlägt er Portokassenbeträge und geht mit gefälschten Quittungen zu Kunden der Firma, um Beträge einzukassieren, die er vernascht und verraucht. Dann arbeitet das hoffnungsvolle Früchtchen in der Industrie rund um Hannover, zuletzt in der Bergmann-Elektrizitäts-Gesellschaft in Berlin. 1918 wird er Aushelfer bei der Post, scheidet aber bald wieder aus, um beim Minenwerfer-Sturm-Detachement Heuschkel einzutreten. Am 1. Oktober 1919 wird er auch hier wegen Unpünktlichkeit im Dienst entlassen. Er fällt nun wieder dem Vater zur Last; dem er vorspiegelt, daß er bei der Reichswehr eintreten wolle. In Wahrheit treibt er sich mit Weibern herum und als der Vater nachprüft, ob der Junge sich denn überhaupt bei der Reichswehr gemeldet habe, läuft er eines Tages von Hause fort, nächtigt in den Spelunken der Altstadt und erwirbt seinen Unterhalt durch Handel mit alten Kleidungsstücken auf dem Bahnhof. Damit war er in das Bereich des Haarmann getreten. Einer der anderen jungen Spitzbuben auf dem Bahnhof macht ihn auf »das schwule Paket« aufmerksam. »Du, Hans, der hat neulich einem hübschen Jungen 20 Mark gegeben« und der junge Grans, durchaus nur in der Absicht, Geld zu verdienen, macht sich auf der Straße an den weit älteren Mann heran. Der nimmt ihn mit in seine Wohnung Nikolaistraße 46 bei Kisserow. »Ich hatte zuerst einen Tick auf Hans. Aber als ich ihn nackt sah, mochte ich ihn nicht. Er ist so behaart wie ein Affe. Wirklich, Sie können mir es glauben; wie ein Affe sah Hans aus. Aber später hat er sich alles abrasiert.« Der Junge bleibt nun bei Haarmann wohnen, und es entwickelt sich das merkwürdigste Verhältnis. »Er war wie mein Kind. Ich habe ihn gehalten wie meinen Sohn. Ich habe ihn aus dem Sumpfe geholt und wollte nicht, daß er wieder unter die Räder komme.« Vier Jahre lang blieben die beiden befreundet. Offenbar bestritt Haarmann den Lebensunterhalt des hübschen Jungen. Zeitweise gab er dem Grans englische Zigaretten zu verkaufen; wenn der dafür mehr erhielt als ihm von Haarmann in Rechnung gestellt wurde, so durfte er den Mehrerlös für sich behalten. Das Verhältnis war wohl geschlechtlich; aber nicht nur geschlechtlich. Denn alles, was an idealen Regungen in Haarmanns völlig roher Tierseele überhaupt aufkommen konnte, das sammelte sich um den jungen Grans, und wenn man behauptet hat, daß es lediglich das Bewußtsein der Mitwisserschaft an schlimmen Taten und die Angst vor Verrat war, was Haarmann in späteren Jahren völlig unter die Hörigkeit seines kindlich rücksichtslosen Quälers und geliebten Tyrannen brachte, so muß man doch andererseits auch bedenken, daß Haarmann jederzeit den jungen Schnösel hätte beseitigen können, wie er andere Mitwisser seiner Morde möglicherweise beseitigt hat; (wie denn in der Tat die beiden oft einander gegenseitig mit Polizei drohten, ja, mit gezückten Messern »Mörder« schreiend, sich gegenüberstanden; aber zuletzt doch immer wieder zusammenkrochen.) – Gericht und Geschworene haben sich das Verhältnis recht einfach zurechtgelegt: »Grans wußte um den ersten Mord an Friedel Rothe. Um einen Mitwisser stumm zu machen, darum nahm Haarmann den Grans bei sich auf und wurde sein Pflegevater.« Wir werden sehen, daß ein ungemein verwickeltes Gefühlsverhältnis diese zwei Entgleisten am Außenrande der menschlichen Gesellschaft so aneinander band, daß sie weder ganz mit einander, noch auch ohne einander zu leben vermochten. Zu der Zeit, wo Haarmann den jungen Freund bei sich aufnahm, sollte er gerade die am 23. April 1919 erkannte Gefängnisstrafe von neun Monaten antreten. Um ihr nun zu entgehen, wechselte er schnell die Wohnung, ohne sich polizeilich abzumelden. Er wohnte Dezember und Januar bei einer Witwe Birnstiel in der Füsilierstraße; Grans zog in die nah benachbarte Bronsartstraße. Es kam aber auch mit der Birnstiel zu Zänkereien, und als Haarmann sie mißhandelte, zeigte die alte Frau ihn an, worauf er festgenommen und gleich zur Vollstreckung der neun Monate Gefängnis zurückgehalten wurde. Bis 3. Dezember 1920 blieb er nun im Gefängnis. Während dieser Zeit (vom März bis Dezember 1920) war der junge Grans wieder sich selbst überlassen. Er trieb sich herum, wurde mehrfach wegen Diebstahls, auch einmal wegen widernatürlicher Unzucht angezeigt; aber die Verfahren mußten wegen nicht ausreichenden Beweises eingestellt werden. Am 27. November wurde er endlich festgenommen, weil er ein unterschlagenes Fahrrad auf dem Hehlermarkt am Hohen Ufer zu verkaufen suchte. Schon am 1. Dezember wurde er, da kein Fluchtverdacht bestand, wieder entlassen, und zwei Tage später kam Haarmann aus ›Numero Sicher‹ zurück und sie feierten ein frohes Wiedersehen in ihrer Stammkneipe beim »dicken Fritz«. Allerdings wurde Grans schließlich doch am 5. März 1921 wegen Hehlerei zu drei Wochen Gefängnis verurteilt, erhielt aber bedingte Strafaussetzung auf drei Jahre.

So folgte nun wieder eine Zeit unausgesetzten Zusammenlebens, von Dezember 1920 bis Ende August 1921. Sie traten auf als zwei gutgekleidete äußerlich anständige Herren. Zunächst nahmen sie Wohnung im »Christlichen Hospiz« und späterhin mieteten sie sich ein in einem kleinen bürgerlichen Gasthof »Fürst zur Lippe« in der Osterstraße, lebten dort recht gut und scheinbar solide und führten angeblich ein Wäschegeschäft. Es wirkte fast ergreifend, als der Besitzer dieses Gasthofes, ein Herr Wiedemann und seine Tochter, eine Frau Koch, vor Gericht erschienen und bekundeten, daß sie zwei so noblen und liebenswürdigen Herren unmöglich etwas Schlechtes zutrauen konnten. Abends, wenn die beiden von ihren Geschäftsgängen in den Gasthof zurückkehrten, brachten sie dem dreijährigen Töchterchen der Frau Koch ein Spielzeug oder Süßigkeiten mit, und selbst, als beim Wegzug der beiden, alle Wäsche des Gasthauses mit verschwand, kam keiner auf den Gedanken, daß just Herr Haarmann und sein »junger Angestellter« die Täter sein könnten. In Wirklichkeit aber bestand ihr Geschäft damals darin, daß Haarmann in den vornehmen Stadtteilen Wäschestücke erbettelte, indem er den Leuten vorspielte, er sei vertriebener Oberschlesier, sei ein notleidender Kriegsinvalide, sammele für die »Herberge zur Heimat«, müsse für seinen 76jährigen Vater sorgen und ähnliches mehr. Er fragte bescheiden, ob er nicht alte Wäschestücke oder Kleider billig kaufen könne; meistens erhielt er dann Allerlei zum Geschenk, was Grans ihm abnahm und bei den Trödlern in der Burgstraße verkaufte. Sie erzielten durch den Verschleiß der so erbettelten Sachen einen Tagesverdienst von 30 bis 60 Mark. Zwischendurch gaben sie mal eine Gastrolle in Hamburg oder in Berlin. Grans verbrachte das Geld mit Weibern und im Kartenspiel. Bei solcher Streiferei wurden sie schließlich am 10. Januar 1921 festgenommen, doch gelang es Grans, sich freizulügen, während Haarmann zu drei Wochen Haft wegen Bettelns verurteilt wurde. Da in den Zeitungen vor den beiden Schwindlern gewarnt wurde, so begannen sie nunmehr ihren Wäschehandel anders aufzuziehen; Haarmann mußte auf die Höfe gehen und die zum Trocknen aufgehängte Wäsche stehlen; Grans entfernte die eingestickten Namenszeichen und verkaufte sodann die Wäsche. Bei der Ausführung eines solchen Diebstahles wurden sie am 31. August 1921 abermals abgefaßt und wieder gelang es dem jungen Fuchs, sich herauszuwinden, während der alte Wolf verurteilt wurde zu sechs Monaten Gefängnis, die er vom November 1921 bis März 1922 in der Gefangenenarbeitsstelle Jägerheide im Müggenburger Moor bei Celle absaß. – Zuvor aber hatten sie die Wohnung gewechselt. Sie zogen in das Mordhaus Neue Straße 8. Mitten ins Gespensterviertel.

Man erzählt von einer Stütze der kapitalistischen Gesellschaft, daß, als an seinem siebenzigsten Geburtstag der Bürgermeister und die Vertreter der Behörde ihm Ehrenanschriften überreicht und ihre Ansprachen gehalten hatten, der Gefeierte seine Danksagung folgendermaßen begann: »Ich danke Ihnen, meine Herren, für alle Ehren, die Sie mir erwiesen haben. Sie haben Recht; ich lebe nun vierzig Jahre unter Ihnen und man kann mir nichts beweisen.« Solches Urbild einer Kulturgesellschaft, welche durchweg mit Leben wuchert, dabei aber »Vogel Strauß« spielt und nach außen hin durchaus schuldlos und ehrenfest bleibt und dasteht, ein solcher, nur dem Selbst und der Selbsterhaltung dienender Intellekt ohne Seele ist der junge Grans, der im Grunde gar nichts anderes trieb, als was eine untergangsreife Bildungsmenschheit überhaupt treibt: mir nur halbbewußter Heuchelei vom Mark der Erde zehren, ohne genau hinzusehen. Ganze Pflanzen- und Tierwelten, Millionen Menschen werden geopfert, Kinder verkümmern an Webstühlen, in Bergwerken, an Maschinen, überall zehrt die »Kultur« vom fremden Leben; wir aber spielen Vogel Strauß und tun, als ginge es uns nichts an. Grans hatte die kranken oder wüsten Triebe Haarmanns irgendwie durchschaut und auch dies durchschaut, daß diese Triebe ihm die Macht und Herrschaft über den weit älteren Gefährten sicherten. Er hatte freilich seinen »dummen August« recht gern. Er fühlte auch etwas Dankbarkeit; denn er besaß an Haarmann so etwas wie Bleibe und Heimat. Vor allem: einen ausgekochten, auf dem Weg zu Abenteuer und Hochstapelei erfahrenen Lehrmeister. Ja, er verspürte zuweilen etwas wie Mitleid mit dem alternden Manne, der sich in die Hand dieser skrupellosen jungen Lebensgier begab, weil er im Frost der Hölleneinsamkeit wenigstens Einen haben wollte, den er liebhaben könnte. »Ich mußte einen Menschen haben, dem ich alles galt. Hans lachte mich oft aus. Dann wurde ich wütend und wies ihm die Tür. Aber ich ging ihm doch immer gleich wieder nach und holte ihn mir wieder. Ich hatte nun mal an ihm den Narren gefressen.« Haarmann liebte den Grans und das wußte dieser zu nutzen. Wenn der Alte tobte, so pflegte der Junge ihn um die Hüfte zu nehmen und seine Zunge ihm in den Mund zu stecken; dies erregte den Haarmann so, daß er wachsweich und dem hübschen Jungen zu willen wurde. Hans ließ sich wohl auch von Haarmann küssen, wobei er ihm aber vorsichtig die Arme festhielt, weil der andere die Eigenheit hatte, in wachsender Erregung ihm an den Hals zu springen, sich daran festzusaugen und ihn zu würgen. Grans war der weitaus Klügere; zäh und zart zugleich, mädchenhaft aber von eherner Schweigsamkeit. Daher bedurfte er auch, um sich zu gewagten Fahrten aufzupeitschen, des Alkohols und betrank sich oft sinnlos; während Haarmann den Alkohol, der ihn müde machte und für den er überempfindlich war, ängstlich mied. – Zur Charakteristik des Grans seien zwei kleine Züge herausgegriffen. Als typische Zuhälternatur hatte er immer eine Anzahl Mädchen an der Hand, die in ihn verliebt waren und für ihn Geld schaffen mußten. So veranlaßte er eine hübsche junge Person gelegentlich eines Stelldicheins einem Ingenieur die Brieftasche fortzunehmen und sie ihm, dem Hans Grans, zuzustecken. Als der Diebstahl herauskam, konnte nur das Mädchen bestraft werden, da er schwor, die Tasche von ihr zum Geschenk erhalten zu haben. – In der Inflationszeit, als auf der Insel am hohen Ufer der Stehler- und Hehlermarkt blühte, wurden dort an der Verbrecherböse viele gestohlene Gold- und Silberwaren verkauft; diese Gelegenheit nutzte Grans, um von zwei großen Firmen unechte Gold- und Silbersachen, sogenannte Neppware, zu beziehen, mit der er sich dann unter die Diebe mischte; kam es nun zu Verhaftungen, so konnten alle bestraft werden, nur Grans nicht, da er ja nachzuweisen vermochte, daß seine Waren ehrlich erworben seien. Daß man ihm dafür mehr zahlte, als sie wert waren, das fügte die Dummheit der Welt; die anderen verkauften echtes Gold; aber es war gestohlen; er bot unechtes feil, aber es war »ehrlich erworben«.

Hugo

Gelegentlich der dunklen Handelsgeschäfte auf dem Bahnhof trat in das Leben des jungen Grans noch ein zweiter Freund: Ein gleichaltriger, auffallend begabter Bursche, welcher sich ebenfalls auf den Straßenhandel verlegt hatte: Hugo Wittkowski, ein graziöser, schwarzhaariger Junge, schlank, beweglich, mit lebendigen und doch etwas verträumten Augen, sinnlichem Mund und kluger Stirn. Besseres Naturmaterial als so mancher, der »niemals aß von des Schierlings betäubenden Körnern«. Dieser Wittkowski, viel gewandter und nachdenklicher als Haarmann, wurde Haarmanns großer Haß. Aus vielerlei Gründen! Zunächst aus Eifersucht, da Wittkowski den Grans dem Haarmann »entfremdete«. Sodann, weil Wittkowski mit Grans gemeinsam den Haarmann mehrfach ausnutzte, ihm Geld entlieh und nachher gar nicht oder nur tropfenweise zurückzahlte. Vor allem aber darum, weil mit Wittkowski, der keine Neigung zur gleichgeschlechtlichen Liebe zeigte, eine tolle Weiberwirtschaft in Haarmanns Behausung einzog. Als der Alte und die zwei Jungen zwei Jahre später vor Gericht standen und in Haarmann ein (vom Gericht viel zu spät durchschauter) teuflischer Plan gereift war, die beiden Jungen (den geliebtesten seiner Buhljungen, wie den verhaßtesten) mit sich in den Tod zu reißen, da zischte Haarmann den Wittkowski an: »Du bist ja immer hinter mir her gewesen! Du hast dich mir hundertmal zur Liebe angeboten! Aber ich wollte dich nicht. Du warst zu schlecht für mich.« Und der andere erwidert ruhig höhnend: »Ich liebe nur Frauen.« –

Mordidyll: Neue Straße 8

Von einem Bekannten dieses Wittkowski mit Namen Alwin Köhler, hörte Haarmann eines Tages, daß Köhler ein alleinliegendes Zimmer, welches ihm als Lagerraum diente, gern anderweitig abgeben wolle. Die Wirtin des Hauses, ein älteres Fräulein namens Rehbock, welches bald darauf einen Herrn Daniels heiratete, hatte keine Bedenken, das Zimmer zum 1. Juli 1921 an Haarmann zu überlassen, welcher angab, daß er ebenfalls ein Warenlager dort deponieren wolle, zu dessen Bewachung aber »sein junger Mann« (eben Grans) in dem Zimmer schlafen müsse. – Das uralte Haus am Flusse hatte eine breite Durchfahrt, welche zu dem dahinterliegenden gemeinsamen Hofe und den Hintergebäuden der Nachbargrundstücke führt. Das von

Haarmann gemietete Zimmer liegt gleich rechts vom Hauseingang an dieser Durchfahrt. Neben dem Zimmer führt eine Treppe zu den oberen Stockwerken. Der Raum hat zwei hohe, durch einen schmalen Pfeiler getrennte Fenster nach der Straße zu. An der den Fenstern gegenüberliegenden Seite in der Wand, die das Zimmer vom Treppenhause trennt, befindet sich ein in den Hohlraum unter der Treppe hineingebauter Wandschrank. Eine sogenannte Butzenklappe, 1,90 m breit, 1,25 m hoch und 1 m tief; durch zwei Klappen vom Zimmer aus verschließbar. Dies war der Ort, wo die Leichen aufbewahrt wurden. Auf einem, diesem Wandschrank entnommenen Brette sind bei der späteren chemischen Untersuchung reichliche Spuren von Menschenblut festgestellt worden. Oberhalb des Wandschranks befindet sich dicht unter der Decke des 3 m hohen Zimmers ein 30 cm hohes und 60 cm breites Fenster, durch das man vom Treppenabsatz in den Raum hineinsehen kann. An der Wand zum Hausflur neben der Tür steht ein Gasofen. Dahinter in der Ecke am Fenster die Gasuhr. Auf der anderen Seite der Durchfahrt wohnt eine Arbeiterfamilie namens Bertram. Das Haus ist dichtbevölkert; in der rechten Ecke des Hofes liegen die Klosetts, vor denen an der Rückwand des Hauses eine Pumpe steht. Der Leinestrom fließt an der Hinterseite des Hauses, war also von Haarmanns Zimmer aus nicht erreichbar. Bei seinem Einzuge am 1. Juli 1921 brachte Haarmann nur ein armseliges Bett und einen Waschständer mit; im übrigen blieben in dem Zimmer nur einige Möbelstücke, die der Wirtin Fräulein Rehbock gehörten. Haarmann und Grans benutzten das Zimmer zusammen als Wohnraum, was sogleich die Unzufriedenheit der wenig entgegenkommenden Hauswirtin erregte; aber am 31. August verschwand Haarmann und ließ den jungen Grans allein zurück; dieser erzählte der Wirtin zunächst, sein »Chef« sei auf einer Geschäftsreise und sodann: »Der Chef weilt zu seiner Erholung im Luftkurort Jägerheide.« In Wahrheit hatte Haarmann die wegen der Wäschediebstähle über ihn verhängte halbjährige Gefängnisstrafe in Jägerheide angetreten. In diesem halben Jahr begann nun Grans (dessen Elternhaus wenige Schritte von Haarmanns Wohnung entfernt liegt), in dem verrufenen

Raum ein tolles Leben. Der Raum wurde zum Absteigequartier für die das Kaschemmenviertel abstreifenden jungen Dirnen: Dörchen, Elli und Anni, welche dem Grans dafür gerne »Zimmergeld« abgaben. Heruntergekommene Burschen und dunkles »Gesocks« verkehrte in dem Raum. Es gab Trinkgelage und Messerstechereien, so daß es zu scharfen Streitigkeiten mit der Wirtin kam, welche an Haarmann ins »Sanatorium Jägerheide« schrieb, worauf dann, hochmoralisch und entrüstet, Haarmann zurückschrieb, die Wirtin möge nur auf seinen »jungen Mann« bis zu seiner Rückkehr gut aufpassen und streng auf Ordnung halten; wenn er zurückkomme, dann werde er den jungen Mann für seine »Schweinereien« fortjagen. Gleichzeitig aber unterhielt Haarmann mit Grans einen zärtlichen Briefwechsel. Der Wirtin Rehbock wurde das Treiben schließlich doch zu toll, so daß sie eines Tages Ende Februar 1922 das Zimmer sperrte und den Grans hinauswies. Am 1. März 1922 kam Haarmann zurück. Er brach das Sperrschloß auf und fand sein Zimmer – leer. Grans und Wittkowski hatten alle Sachen verkauft, ja, hatten sogar Haarmanns Militärrente abgehoben und verjubelt. Die Wirtin Rehbock aber hatte die ihr gehörenden Möbelstücke herausgeholt und in Sicherheit gebracht. Haarmann tobte und fluchte über das leere Zimmer. Die Rehbock forderte, daß Haarmann das Zimmer sogleich räume und wendete sich, da der andere sich weigerte, an das Mieteinigungsamt. Aber dieses stellte sich, als der Obdachlose mit großer Gewandtheit und Sachkunde mehrere Eingaben gemacht hatte, auf Haarmanns Seite, so daß es dem Halunken gelang, bis zum Juni 1923 gegen den Willen der Vermieterin dennoch das Zimmer zu behalten. Er mußte sich nun zunächst wieder Möbel beschaffen. Sein Bruder Adolf zahlte ihm eine kleine Summe als seinen Anteil am mütterlichen Erbe, und davon richtete Haarmann sich neuerdings ein, wonach auch Grans alsbald wieder erschien und trotz der früheren Ausräuberung der Wohnung liebend aufgenommen wurde. Bis zum 9. April blieb er bei Haarmann wohnen. Vom 9. April bis zum 30. Juli kam Grans ins Gefängnis...

Man darf sich das Leben in dem Mordhause keineswegs düster vorstellen. Es war ein heiter bewegtes Idyll. Fortwährend kamen und gingen Knaben und Jünglinge. Schüler, Obdachlose, Arbeitslose, entlaufene Fürsorgezöglinge, Gäste aus der Herberge zur Heimat. Es wurde getauscht, gehandelt, getrunken, gesungen, geschmaust. Haarmann galt ihnen allen als guter Beschützer und Herbergsvater. In der großen Butzenklappe unter der Treppe, wo er die Toten verbarg, standen neben der Leiche Töpfe mit Fleisch, lagen Näschereien, Käse, Wurst, Schokolade für die hübschen Jungen. Man schlief oft zu dreien und vieren; wechselweise Geschlechtliches treibend. Auch Elli, Dörchen und Anni kamen oft zu Gast. Dörchen, eine energische resolute Person, trotz Lues und Luderleben immer noch schön und wohlansehnlich, besorgte Haarmanns kleinen Haushalt; nahm das Zimmer auf, kochte für die ganze Gesellschaft Schokolade oder Kaffee und saß wohl auch an langen Nachmittagen bei Haarmann auf dem Bett. »Herr Haarmann konnte alles. Wir stopften zusammen Strümpfe, besserten die Kleider aus. Auch Sülze machen und Wurst bereiten konnte Herr Haarmann. Wenn wir nähten oder flickten, dann rauchten wir Zigarren; dann nahm mich Herr Haarmann fest um die Taille und sagte: ›Dörchen, du bist die Beste. Ich heirate dich doch noch.‹ Aber Herr Haarmann machte doch nur Spaß. Denn er wollte mich ja nicht; er war ja man immer bloß für Jungens.« – Freilich gab es dann auch immer wieder ganze Tage und Nächte, wo Haarmann niemanden in sein Zimmer einließ und die Besucher wegschickte. Dann waren die zwei Fenster nach der Straße und das Fenster am Treppenabsatz sorglich verhängt, und das Schlüsselloch der Türe war verstopft. Er zerlegte dann eine Leiche. Es ist freilich rätselhaft genug, daß in dem dichtbevölkerten Hause in der engen Gasse niemand davon merkte, ja, daß sogar die drei Dirnen und die ab- und zulaufenden Jungen zunächst keinen Verdacht faßten. Aber der Leser bedenke auch dies: Man dachte an vielerlei anderes. Man brauchte nicht gleich an Mord zu denken. Die unzüchtigen Gewohnheiten und Diebereien des Herrn Kriminal waren ja auf der »Insel« so allgemein bekannt, daß die Gassenbuben, die hannoverschen »Buttjers« und »Binken«, ihm unanständige Worte nachriefen, ihn »Pittenwieser« hänselten oder sich für Geld ihm anboten:

»Fritze, wollen wir mal! Fritze, nimm auch mich mal. Fritze, was gibste mir dafür?« – Vom 1. März 1922 bis Juni 1924 blieb Haarmann in Freiheit; (vielleicht nur dank seiner Tätigkeit im Dienst der Polizei). Seine Einnahmen wurden in diesen zwei Jahren sehr gut. Zunächst erhöhte das Fürsorgeamt auf das Attest des Dr. Bartsch hin (welches ihn für ganz invalide und arbeitsunfähig erklärte), die Militärrente. Mit seiner Invalidenkarte ging er nun in die Häuser und stellte sich, bescheiden und freundlich, vor, als »Aufkäufer alter Kleider«. Er bekam viel geschenkt, an einer Stelle einmal fünf Paar Stiefel. Das Erbettelte wurde durch die »Pupenjungens« (Pupen = Buhljungen), besonders aber durch Hans Grans an die »Juden« (Althändler) verkauft. Sodann blühte in den Jahren 1922 bis 1924 (wo ihm auch das mütterliche Erbteil ausgezahlt wurde) seine emsige Tätigkeit als »Kriminal«. Einer der tüchtigsten Beamten der hannoverschen Kriminalpolizei, der Kommissar Müller, wurde Haarmanns besonderer Gönner und Auftraggeber. Müller hat nachmals ausgesagt, daß er Haarmann für eine taktvolle und feinere Natur gehalten habe und daß er den Zuchtshausentlassenen wieder auf bessere Wege habe bringen wollen, ja oft väterlich auf ihn eingewirkt habe, wobei der Haarmann (die Heuchelei unserer Gesellschaft noch überheuchelnd) das reuige Lamm und gebesserte Schäfchen spielte. Die Zutreiberdienste für Müller nahm Haarmann in folgender Weise vor: Wenn ein Diebstahl im Verbrecherviertel dank seiner zahllosen Verbindungen mit allen zweifelhaften Elementen ihm bekannt geworden war, dann ließ er die Diebe auffordern, nachts in seine Höhle an der Neuen Straße zu kommen, wo er die Diebsware verstecken oder aufkaufen wolle; zugleich aber gab er heimlich dem Polizeikommissar einen Wink, welcher zur selben Stunde, wo die Diebe in der Wohnung waren, ein paar Wachen losschickte, die das ganze Nest aushoben und gefesselt aufs Polizeipräsidium brachten; Haarmann wurde zum Schein mitgefesselt und mitverhaftet, so daß seine Verrätereien an die Polizei sogar in der Verbrecherwelt streng verborgen blieben. Umgekehrt pflegte er natürlich auch seine Polizeikenntnisse zu Gunsten seiner nachts auf dem Bahnhof oder in den Herbergen aufgegriffenen »Lieblinge« zu verwerten. Denen sagte er oft: »Wenn Ihr mal was ausgefressen habt, dann haltet Euch an mich.« Er pflegte auch der Hehler- und Diebeswelt in der Altstadt manche nützliche Winke zu geben, ja war eine Art Ordnungsstifter und Auskunftsbüro in allen Kriminalsachen. Er unterschied sich von den kleineren Kriminalbeamten wohl nur dadurch, daß er – intelligenter war...

Nicht weit von Haarmanns Wohnung befand sich der Friseurladen von Fridolin Wegehenkel, wo das ganze Viertel sich rasieren und verschönern ließ, zugleich aber auch allerlei kleine Schiebergeschäfte gern im Vorübergehen verabredete. Fridolin Wegehenkel, ein blonder, langer, schmächtiger Mann, besorgt und ernst blickend, und seine Gattin Josefine geborene Gerke, 48 Jahre alt, sowie deren verheiratete Tochter, Frau Stille, bildeten den Mittelpunkt von Haarmanns »Familienverkehr«. Bei Wegehenkels feierte man Weihnachten und Neujahr. Bei Wegehenkels sangen Haarmann, Hans und Hugo »Stille Nacht, heilige Nacht« und zündeten den Lichterbaum an. Bei Wegehenkels im Laden gab man sich gerne Stelldicheins und machte mittags ein frohes Schwätzchen. Madame Wegehenkel, immer etwas süßlich, leidend, und kränklich, wurde allmählich Haarmanns Vertraute. Sie diente als Kommissionärin für einen schwunghaften Handel mit älteren und neueren Knaben- und Jünglingskleidern. So wurden die Kleider der Toten sofort aus dem Hause geschafft. Haarmann verschenkte wohl auch die Kleider des ersten sofort an einen nächsten und verwischte damit die Spur. Das ganze Viertel hielt ihn für einen Wohltäter der Obdachlosen, wußte auch allgemein von seinen homosexuellen Neigungen, fragte also gar nicht nach der Herkunft der Mäntel, Jackettes, Hosen und Wäschestücke, die er täglich brachte. Denn daß sie aus immer neuen Morden herrührten, konnte man in der Tat nicht gut annehmen. Wir wollen also immerhin glauben, daß keiner in dieser notigen kellerfarbenen Hinterwelt merkte, was Haarmann in seiner Mordhöhle trieb. Sicher aber ist jedenfalls auch, daß man das gar nicht wissen wollte, und daß jedermann ein Interesse daran hatte, nicht allzu genau hinzusehen. So half die ganze Umgebung eben doch auch an den Mordtaten mit. Aber zu ihren Gunsten möge man stets bedenken, daß sie alle in Haarmann einen »besseren Herrn« sahen, der in schwerer Notzeit ihnen Geld zu verdienen gab, mit ihnen bei zahllosen kleinen Gaunereien und Mistfinkeleien durchsteckte (und jeder hat ja schließlich irgendetwas zu verbergen) und der, wie alle wußten, auf dem »Polizeipräsidium« aus- und einging, ja, zuweilen sogar Besuch erhielt von einflußreichen und bedeutenden Herren, wie den Kriminalkommissaren Müller und Olfermann. Einmal bot ein Bursche in Wegehenkels Laden einen Schinken aus, der offenbar nicht ehrlich erworben war. Die blonde, schmachtende Madame Wegehenkel schickte sofort heimlich zu »Kriminal Haarmann« hinüber, der denn auch erschien, den jungen Dieb verhörte und den Schinken beschlagnahmte, welchen Wegehenkels vergnügt anschnitten »zu Pfingsten, als der Kuckuck schrie«. Haarmann schimpfte sehr, als er nichts davon abbekam. Ein andermal wurden Hunderte von Säckchen mit Blumensamen zum Verkauf angeboten und wieder erschien »Kriminal Haarmann« im richtigen Augenblick und beschlagnahmte die Säcke, worauf die jungen Diebe schleunigst die Flucht ergriffen. War es also zu verwundern, daß das Ehepaar Wegehenkel, welches gelegentlich übrigens auch mal den Herrn Kriminal »übers Ohr balbierte«, seinerseits gern die Augen zudrückte, falls in Haarmanns Staate wirklich etwas faul war? Aber die wahre Blütezeit für den Kriminal setzte doch erst ein, als er selber Chef eines Detektivinstituts und somit eine Art selbständige Polizeimacht geworden war.

Das kam so: In der großen Geschäftsbücherfabrik von Edler & Krische wurde in der Inflationszeit im Auftrage der deutschen Reichsbank Papiergeld gedruckt. Dabei kam Druckpapier abhanden, aus welchem falsche 50-Mark-Scheine hergestellt wurden, die im Betriebe der Firma plötzlich auftauchten. Die Firma wendete sich zur Aufklärung des Falles an die »Detektivzentrale ehemaliger Polizeikommissare«, welche von einem Grenzpolizeikommissarius Olfermann geleitet wurde. Dieser erhielt Auftrag, die Fälscher zu ermitteln und ihm wurde empfohlen, sich mit Haarmann in Verbindung zu setzen, der in früheren Fällen so gute Spitzeldienste geleistet habe. Olfermann erhielt nun in der Tat von Haarmann einige günstige Fingerzeige, so daß er die Verbindung mit Haarmann fortan auch fernerhin aufrecht erhielt. –

Kaum eine zweite Gestalt in dem großen Kriminalprozesse ätzt sich so ehern in die Erinnerung ein, wie dieser »Kriminalkommissarius a. D. Olfermann«, Beamter eines Herrn v. Willms, welcher vorsteht dem vom »Niedersächsischen Adelsbund« begründeten Detektivinstitut »Heimschutz«. Ein stocksteifer, langer, dürrer, von moralischer Entrüstung geschwellter Würdeherr, in schwarzem Gehrock mit dunklen Glacéhandschuhen; die Augen hinter einer goldenen Brille verborgen; in jeder Bewegung der untadelige, honorige, gestrenge Beamte, mit sonorem Pathos unter Eid jede nähere Bekanntschaft mit Haarmann entrüstet ableugnend und weit von dem Verbrecher abrückend, bis ihm Schritt um Schritt nachgewiesen wird, daß er mehrfach von Haarmann Geld und Geschenke angenommen hat, daß er mit Haarmann in vielen Fällen zusammen arbeitete und schließlich, als er am 1. April 1923 aus seiner Detektivzentrale ausschied, dem Haarmann gemütlich den Vorschlag machte, gemeinsam ein eigenes Detektivgeschäft zu gründen, denn Haarmann hatte es verstanden, ganz in das Vertrauen des wohlhabenden, aber immer auf neue Verdienstmöglichkeiten erpichten, nicht allzu wählerischen, aber doch hochbürgerlich korrekten Herrn sich einzuschleichen. Er erzählte bei gemeinsamen Beratungen im Café, im Restaurant, in seiner oder in Olfermanns Wohnung von seinen guten Beziehungen zu Verbrechern und Polizei, von neuen »Methoden« in der Entdekkung von Verbrechen, nach denen er »arbeitete« und hatte den Olfermann schließlich so weit, daß sie gemeinsam begründeten das »Amerikanische Detektivinstitut Lasso«. (In der Tat das Lasso, welches Haarmann fortan zum Einfangen seiner Mordopfer auszuwerfen pflegte.) – Haarmann ließ einen Stempel verfertigen, Olfermann stempelte in Haarmanns Wohnung verschiedene Ausweise, welche mit einem Lichtbild versehen wurden und folgendermaßen lauteten: »Inhaber dieser Karte ist Detektiv der »Lasso« und arbeitet für das Hannoversche Polizeipräsidium. Er bittet alle in Ausführung seines Berufes um Beistand. Lasso Detektive.« – Von diesem Ausweis machte fortan Haarmann bei seinen Streifzügen im Bahnhof den ausgiebigsten Gebrauch, auch noch, nachdem im Juni 1923 die Freundschaft mit Olfermann in die Brüche ging. Nachmals, während des Prozesses, spielte diese Ausweiskarte eine willkommene Rolle zur Entlastung der Polizeibehörde, weil mittels ihrer leicht zu erweisen war, daß Haarmann als »Privatdetektiv« und nicht mit offizieller Unterstützung auf dem Bahnhof seine Mordzüge unternommen hat.

Zu allen diesen dunklen Erwerbs- und Einnahmequellen des Haarmann in den Jahren 1922 bis 1924 kommt nun noch eine dunkelste, denn wenn es uns auch gelingen sollte, den ganzen wunderlichen Komplex nach allen Seiten hin zu durchleuchten, so bleiben doch zwei Punkte tief im Dunkel: Erstens: der unmittelbare Mordakt, von welchem Haarmann, der sonst mit breiter Geschwätzigkeit alles aufklärt, immer nur störrisch und widerwillig Beschreibungen gibt, und zweitens: der mystische Fleischhandel, den er stets abschob auf einen Unbekannten namens »Schlachterkarl«, von welchem er bald aus Ricklingen, bald aus Ronnenberg, bald aus der Markthalle das Fleisch bezogen haben will, welches er zur Hälfte des sonst für Pferdefleisch üblichen Preises in kleinen knochenlosen Stücken oder als Hackfleisch auszubieten pflegte. Er belieferte damit die Familie des Friseurs Wegehenkel und deren Bekannte und bezahlte auch die Waschfrau Johanne Alsdorf, bei der er seine Wäsche reinigen ließ, und durch die er gelegentlich auch Wäschestücke verkaufte (eine arme verkümmerte, fast leichenhaft aussehende Frau), statt mit Geld immer nur mit frischem Fleisch. – Vollends als er zu der Familie Engel in die »Rote Reihe« zog, wurde das von Haarmann gelieferte Fleisch in der Speisewirtschaft des Vater Engel verwendet.

War denn nun aber in dem ganzen Neuen-Straßen-Viertel niemand, der an diesem offensichtlich lichtscheuen Treiben Anstoß nahm, niemand der sich gelegentlich Gedanken darüber machte? Doch! Es wurden in der Tat verschiedene Male Anzeigen erstattet und Haussuchungen abgehalten; aber es war, wie wenn alle Dämonen der Finsternis mit Haarmann im Bunde stünden.

Schräg gegenüber der Haarmannschen Wohnung liegt ein Zigarrenladen, in dem er sich täglich Zigarren und Zigaretten kaufte. Der Zigarrenhändler Christian Klobes, ein zweifellos cholerischer und eitler, aber scharfsichtiger Mann, fand das Getriebe in der Nachbarschaft stets verdächtig und sagte seinem Nachbar, dem Klempner Lammers, wenn sie abends vor der Tür ihr Schwätzchen hielten: »Karl, dat geiht nich tau mit rechten Dingen! Dat vele Jungensvolk. Ik glöbe, hei let se rinn, aber sei komet nüch wedder rute«; und Lammers antwortete: »Wat ik glöve, hei verköft Jungens nach Afrika, an de Fremdenlegion.« Daraufhin beruhigte man sich zunächst. Aber Klobes beschloß, den merkwürdigen Nachbarn gelegentlich mal »hoch zu nehmen«. Als Haarmann eines Mittags wieder Zigarren kaufte, begann der dicke Klobes: »Sagen Se mal Herr Nachbar, bei Sie kommen die vielen jungen Leute; sie haben gewiß 'ne Stellenvermittlung?« Haarmann blickte mißtrauisch auf, dann rief er, plötzlich auf eine am Laden vorübergehende Frau zeigend: »Dunnerslag, die muß ich sprechen; das is 'ne Bekannte«; und fort war er. Aber der Zigarrenhändler beobachtete, daß er die Frau nicht anredete, sondern um die nächste Ecke bog. Seither ließ Haarmann sich in dem Zigarrenladen nicht mehr sehen. Denn von solchen kleinen Schlauheiten saß der Mann voll. Als ihm die Hauswirtin Rehbock nach einem Zank das Zimmer sperren wollte, stieg er von außen durchs Fenster. Aber um die Glasscheibe nicht bezahlen zu müssen, lief er zum Schein auf der Straße hinter einem Jungen her, stieß selber im Vorbeilaufen das Fenster ein und brüllte dabei über die Gasse: »Haltet den Jungen. Er hat das Fenster eingeschmissen.« Dann erst kletterte er durch die zertrümmerte Scheibe. – Der Zigarrenhändler, der Klempner und noch eine Nachbarsfrau verabredeten, sie wollten aufpassen, was mit »dem Kriminal los is«. – Kam man nachts durch die alte Gasse, so sah man hinter den Fensterläden Schatten auf- und abwogen und mehrmals bemerkten die Beobachter, daß in dem Zimmer Personen sich bewegten, die völlig nackt schienen. In anderen Nächten brannte ein gedämpftes Gaslicht. Alles war dicht verhängt, und man hörte bis zum frühen Morgen dumpfes Hämmern, Klopfen und Sägen, als wenn in dem Raume, in dem übrigens auch ein sogen. »Fleischwolf« stand, Knochen gehackt oder Fleisch bereitet würde. Da die dort einströmenden Jungen manchmal Geflügel oder Kaninchen brachten, einige Male auch eingefangene Hunde in dem Raume geschlachtet wurden (wobei Haarmann sich benahm, als ob er das Schlachten nicht mitansehen könne), so hatte man auch aus diesen Geräuschen lange keinen Arg. Immerhin verabredeten die Nachbarn, als in den Zeitungen so viele Anzeigen von vermißten Knaben zu lesen waren, sie wollten sich die Gesichter der jungen Leute merken, die in Haarmanns Gesellschaft auf der »Insel« gesehen wurden. Als nun wieder einmal ein junger Mensch, Sohn eines höheren Beamten aus Darmstadt, der auf der Durchreise sich in Hannover aufhielt, verschwunden war, da ging der brave Zigarrenhändler aufs Polizeipräsidium und ließ sich die Photographie des Vermißten zeigen, und richtig! es war einer von den jungen Leuten, die er in Haarmanns Gesellschaft gesehen hatte. Es wurde denn auch sofort eine Haussuchung bei Haarmann angeordnet, aber es war, als ob auch in diesem Falle die Dämonen der Unterwelt schützend vor dem Verbrechen ständen; man fand zwar Kleider von dem Jungen, Haarmann gab auch sogleich zu, daß er mit dem jungen Manne widernatürlichen Verkehr gehabt habe, bestritt aber, den Verbleib des jungen Mannes zu kennen, und wirklich stellte sich einige Tage später der Verschwundene bei seinen Eltern in Darmstadt wieder ein, und als nun abermals der biedere Klobes auf dem Polizeipräsidium erschien, um Verdächtiges anzuzeigen, wurde er als ein lästiger Quengler grob angelassen und verlor nun die Lust, noch weiterhin als privater Späher tätig zu sein. Und doch beobachteten er und seine Frau gerade um diese Zeit einen Vorgang, der leicht zu einer Entdeckung hätte führen können. Sie hatten bemerkt, daß Haarmann oft gegen Abend mit Paketen oder mit Säcken seine Wohnung verließ und schlichen ihm an einem Maiabend in der Dämmerung nach, als er mit einem schweren Sack die Leine entlang in die »Masch« ging; hinter einem Busch versteckt, sahen sie, daß er den Sack in den Fluß warf. Bei solchen Beobachtungen wäre wohl im Laufe der Zeit der Mordbetrieb ans Licht gekommen, wenn nicht Haarmann am 9. Juni aus der Neuen Straße fort- und nach Rote Reihe 2 verzogen wäre, wo er eine im 3. Stockwerk gelegene unmöblierte kleine Bodenkammer von einer Frau Engel gemietet hatte. – Grans machte den Umzug nicht mit. Er saß vom April bis Juli im Gefängnis, weil er eine aus einer Kaserne gestohlene wertvolle Stoppuhr unterschlagen hatte. Als er wieder herauskam, trieb er sich zunächst herum, nächtigte auch gelegentlich wieder bei »Onkel Haarmann«, zog dann aber schließlich mit seinem Freunde Hugo Wittkowski zusammen nach Burgstraße 14, wo sie von einer Arbeiterfamilie namens Krohne ein Zimmer mieteten. Sie lösten sich einen Gewerbeschein und begannen auf Jahrmärkten und in Wirtschaften mit unechten Ketten, Ringen und Uhren zu handeln; führten im übrigen ein rechtes Luderleben und bekamen auch Geld von ihren »Bräuten«. Das Verhältnis zu Haarmann aber wurde fremder und feindlicher.

In der »Roten Reihe«

Das Haus, an 250 Jahre alt, ist ein altes Fachwerkhaus mit zwei Fronten, und zwar mit der einen nach der »Roten Reihe«, dem Judentempel gegenüber, und mit der anderen nach der Bäckerstraße zu gelegen. Im Parterre befand sich ehemals eine von der Familie Engel geführte kleine Schankwirtschaft. Durch einen sehr engen Hausflur über eine schmale, winkelige, steile Treppe gelangt man in das Dachgeschoß, das nach der Bäckerstraße zu das dritte, nach der Roten Reihe zu das vierte Stockwerk bildet. Oben führt eine schräge Rampe auf den engen Gang, in dem rechts hinten die Eingangstür zu dem Mordraum liegt. Es ist eine nur etwa 7 qm große Kammer. Der Fußboden wie die Wand zeigten sich bei der späteren Untersuchung mit Menschenblut durchtränkt. In der Kammer befindet sich linker Hand von der Eingangstür ein kleiner, aus dem Dache hervorgebauter Erker mit einem Fenster nach der Roten Reihe zu. Daneben fällt das schräge Dach zurück. In dem dadurch gebildeten Winkel an der der Tür gegenüberliegenden Wand stand ein Bört; neben diesem das blutdurchtränkte, seegrasgepolsterte Feldbett. An den Wänden rechts und links von der Tür standen kleine Tische. Ein Waschständer und zwei Stühle vervollständigten die Einrichtung. In der Tapete steckten Postkartenbilder unzüchtigen oder sentimentalen Geschmacks. An der Zimmerdecke, zwischen dem Tische rechts und dem Bette hatte Haarmann an Ketten einen Kochtopf aufgehängt, so daß er von unten erhitzt werden konnte. Ein Ofen ist nicht vorhanden. Unter dem Fenster im Erker befindet sich ein kleiner Verschlag. In demselben Geschoß liegen die Wohnräume der Eheleute Lindner, deren Küche unmittelbar an Haarmanns Zimmer stößt (von ihm nur durch eine dünne Wand getrennt), sowie mehrere zu den anderen Wohnungen des Hauses gehörige Bodenkammern. Auf dem Flur ist eine Wasserleitung. Die Klosetts liegen auf dem engen Hofe, auf den zahlreiche Fenster münden...

Vergegenwärtigen wir uns die Hausbewohner: Vor uns steht ein kleiner, mit allen Hunden gehetzter, in allen Wasser gewaschener Zwergteufel, ein Weib von der Physiognomie jener Gesche Margarethe Gottfried, die man in Kriminalwerken oft abgebildet findet. Das ist Elisabeth Engel, geborene Bräutigam, eine Frauensperson von 50 Jahren, klein, dürr, überintelligent, war dreimal verheiratet, hatte acht Kinder, von denen nur eins am Leben blieb: (nämlich, der Arbeiter auf der »Continental« Theodor Hartmann, ein 18jähriges, sehr verschlagenes, etwas geckenhaftes Bürschchen). Gegenwärtig ist Mutter Elisabeth verheiratet mit dem Arbeiter Wilhelm Engel, Ordner in der sozialdemokratischen Partei (verschwiemelt und roh, aber gutmütig-phlegmatisch, wenn er nicht getrunken hat). – Wie hatten Haarmann und seine Getreueste sich kennen gelernt? Im Frühling 1923 wollte die Engel beim Roßschlächter auf der Insel Fleisch einholen, aber es war ausverkauft, da traf sie nahe dem Laden den Kriminalbeamten Haarmann, den sie von Ansehn kannte (denn sie ist Scheuerfrau auf der Kriminalpolizei), und Haarmann bot ihr ein Pfund Pferdefleisch, welches damals 60 Pfennig kostete, schon für 35 Pfennig an. Daraus entwickelte sich eine Fleisch-Freundschaft. Sie kamen bald auf Du und Du; gingen miteinander ins Kino, »küngelten«, »kütchebütchten«,

»tusterten«, »trampelten«, »hamsterten« und »drehten manche schwule Sache«! Haarmann schenkte der Frau manch abgetragenes Kleidungsstück (er war ja Kleiderhändler und hatte Gewerbeschein); dafür übernahm sie es, die anderen Kleidungsstücke für ihn zu verkaufen (sie stammten ausnahmslos von Knaben und jungen Leuten). Im Radfahr- und Turnverein »All Heil«, in welchem Vater Engel und sein Stiefsohn, der junge Theodor Hartmann große Nummern waren, fand sich mancher, der bald einen Selbstbinder, bald einen Hut, bald eine Breecheshose gern billig erwarb. »Eine Hand wäscht die andere.« Haarmann überließ der Familie für ihren Ausschank billiges Fleisch, und als er sich im April mit seiner Hauswirtin Rehbock herumschlug, fragte er die Engel: »Können Sie mir nicht ein anderes Zimmer schaffen?« Die Engel erwiderte: »In unserem Hause ist eine leere Dachkammer; die können Sie haben.« So kam er denn am 9. Juni in die alte Baracke am Judentempel, wo wenigstens 20 Morde mitten in einer menschenvollen, aller Wohlfahrt spottenden Mansardenhöhle ausgeübt wurden. (Man stelle sich einmal vor, Haarmann wäre ein Jude gewesen, welche Ritualmordmären und Pogrome hätten dann im Volke entstehen müssen.) – Nur durch eine dünne Tapetenwand von Haarmanns Dachzimmer getrennt, liegt die Küche der Frau Lindner. Frau Lindner ist eine junge, schlanke, blonde Frau, sehr fürs Feine. Als Haarmann in das Haus einzog, erzählte er sogleich allen Mitbewohnern, daß er für Sauberkeit sorge und sehr »apart« sei; daher das Klosett, das man zu fünf Parteien gemeinsam benutzte, nicht besuchen, sondern seinen Eimer dorthin tragen werde, und sein Stoffwechsel mußte außerordentlich sein, denn man sah ihn nun alle Viertelstunde mit einem verdeckten Eimer zu dem ewig verstopften Klosett und dann zu der im Flur liegenden Wasserleitung gehen, wie er denn unaufhörlich in seinem Zimmer, das die Engel (angeblich!) nie betrat, wischte und schrubbte. Der Mann von Frau Lindner ist Glasarbeiter; ein kleiner, gutartiger, schwarzer Stiesel. Außerdem wohnte bei ihnen ein besseres Fräulein, das zuweilen Herrenbesuch empfängt. Und dann war da auch ein kleiner Hund namens Fuchsie. Dem brachte Haarmann zuweilen Knochen.

Aber Frau Lindner konnte Haarmann nicht leiden und ärgerte sich über die vielen Besuche von Jungen, die auf der engen Stiege trampelten. Es gab in dem Hause vielen Zank. Das Ehepaar Lindner schlug sich. Er sagte: »Du Hure.« Sie vermöbelte ihn mit dem Besen. Auch das Ehepaar Engel zankte sich im Parterre, wenn er »knülle« war. Grans hatte vor Frau Lindner auf der Straße ausgespuckt; darauf hatte sich Haarmann und die Lindner auf der Treppe angeschrien; dann hat »Herr Haarmann« um Entschuldigung gebeten und hat gesagt: »Darf ich die Herrschaften miteinander bekannt machen? Meine Nachbarin Frau Lindner – mein langjähriger treuer Mitarbeiter Herr Grans.« Seit der Zeit haben sie sich wieder gegrüßt. – Aber wenn die vielen Jungens zu Herrn Haarmann kamen, dann haben Frau Lindner, das Fräulein, das bei Lindners wohnte und ein unbekannter, aber feiner Herr, der gerade zu Besuch war, durch die Türritze zugesehen. So sind sie bald dahinter gekommen, daß bei Haarmanns Verkehr mit den jungen Leuten dunkle Dinge im Spiele waren. Sonst aber war das Leben lustig! Große Platten Fleisch wurden in Engels Küche gebraten. Auf Haarmanns Zimmer wurde gesungen und getrunken. Die Eheleute Lindner haben wiederholt »Schupo« und »Sipo« herbeigeholt. Einmal hat sogar die junge Frau zusammen mit einem Kriminalassistenten eine ganze Nacht drüben am Judentempel gestanden und Haarmanns Licht belauert. Aber der Zufall fügte es, daß gerade immer dann, wenn die Polizei eingriff, nichts besonderes zu entdecken war. Auch war Haarmann von großer Frechheit. Einmal kam nach wiederholtem Ansuchen der Nachbarn die Polizei in der Nacht, um bei Haarmann Haussuchung zu halten. Haarmann schloß die Türe nicht auf. Er machte die Beamten ruhig darauf aufmerksam, daß, wenn kein Befehl zur Verhaftung vorliegt, nach § 106 keine Haussuchung zwischen 10 Uhr abends und 6 Uhr morgens stattfinden darf. »Kommen Sie also um 6 Uhr wieder.« Als die Polizei dann wiederkam, war nichts Verdächtiges zu finden. Die Nachbarn aber sagten: »Es hat doch keinen Zweck, das Treiben anzuzeigen. Haarmann behält immer Recht. Er ist mit allen Beamten auf Du und Du.« – Im zweiten Stock wohnt Frau Fobbe, eine große, kräftige, energische und brave Frau, Spiritistin, Gesundbeterin und Todfeindin der Engel im Parterre. Im dritten Stock wohnt Frau Mühlhan. Sie sieht aus wie eine gute, alte Eule und legt den Mädchen die Karten. Diese beiden braven Seelen waren überzeugt: »Herr Haarmann ist bei der Mitternachtsmission. Er tut Gutes an die Obdachlosen. Er führt sie zum Arbeitsnachweis und gibt die armen Jungens zu essen.« – In der Küche der Mutter Engel im Parterre wurde Sülze bereitet. Haarmann brachte in einer Schüssel, die er mit einem Tuche verdeckt hatte, in kleine Würfel geschnittenes Fleisch und schüttete es in kochendes Wasser. Von dem gekochten Fleisch, das blaß aussah und nach seinen Angaben Schweinefleisch sein sollte, füllte er das Fett ab, glühte dieses Fett dann noch einmal aus und füllte es in Flaschen. Das Fleisch wurde durch eine Fleischmaschine gedreht und dann in die Schale gefüllt. Vor Weihnachten 1923 machte Haarmann in der Engelschen Küche auch einmal Wurst in Därme, die angeblich Hammeldärme sein sollten. Haarmann, der regelmäßig bei Engels aß, verzehrte diese Wurst gemeinschaftlich mit seinen Wirtsleuten; sie war gut gewürzt und schmeckte wie Brägenwurst. Auch von der Sülze und dem ausgeglühten Fett bekam die Familie Engel jedesmal ihren Teil. Aber seit Mitte April 1924 bezogen sie kein Fleisch mehr von Haarmann, weil ihnen danach übel wurde und sie es nicht mehr mochten. Über die Herkunft dieses Fleisches ließ sich gar nichts feststellen. Die Hausgenossen geben an, es sei ihnen aufgefallen, daß Haarmann oft mit Fleischpaketen das Haus verließ, aber nur selten mit Paketen ankam. – Haarmann führte im übrigen ein gutes Leben und ließ viel Geld springen. Er verkehrte mit seinem Liebling Grans in guten Wirtschaften und machte dort manchmal Zechen von 50 bis 60 Mark an einem Tage. Gelegentlich wurden auch Dörchen und Elli mitgenommen. Dann trank man Kognak und Sekt.

Die Entdeckung

In den Monaten Mai und Juni 1924 hatten sich die Schädel und Leichenfunde so gemehrt, daß eine Volkspanik auszubrechen drohte. Es wurden Ausschreiben in der Presse mit einer Beschreibung der aufgefundenen Schädel veröffentlicht, um Anhaltspunkte aus der Bevölkerung zu gewinnen. Zugleich erinnerte man sich nun endlich der vielen Anzeigen, die im Laufe der Jahre gegen Haarmann eingelaufen waren und des Verschwindens der beiden Schüler im Jahre 1918, wobei schon einmal Haarmann in Mordverdacht geraten war. Man beschloß nun folgendermaßen vorzugehen. Da Haarmann alle Polizeipersonen der Stadt kannte, so ließ man zwei junge Kriminalbeamte aus Berlin kommen, die sich als scheinbar Obdachlose am Bahnhof herumtreiben und an Haarmann heranmachen sollten, um sein Treiben ständig zu beobachten und ihn womöglich auf frischer Tat zu ertappen. Aber wieder machte der Zufall einen Strich durch diese Rechnung. Der letzte Junge, den Haarmann aufgegriffen, in seine Wohnung verschleppt und dort mißbraucht hatte, war ein 15jähriger Fürsorgezögling namens Kurt Fromm, ein dumpfer, schwerfälliger und begriffsstutziger Mensch, den er am 18. Juni am Bahnhof angesprochen und dann mehrere Tage bei sich in der Wohnung behalten hatte. In der Nacht des 22. Juni traf Haarmann mit dem jungen Fromm abermals in der Nähe des Bahnhofs zusammen, wobei die beiden in Streit gerieten und Fromm den Haarmann frech und überlegen zu behandeln begann. Um den Jungen zu ducken, um seinem Ärger Luft zu machen, oder aus einem gleich zu erwähnenden anderen Beweggrund hatte Haarmann die ungeheure Keckheit, auf die Bahnhofswache zu gehen und zu fordern, daß man den jungen Fromm verhaften möge; Fromm, so gab er an, habe ihm anvertraut, daß er auf falsche Papiere reise. In der Tat erfolgte nun sofort die Verhaftung des Jungen. Es war zwei Uhr nachts. Auf der Wache aber bezichtigte der Junge nun auch den Haarmann, daß dieser ihn mehrere Tage und Nächte bei sich behalten, ins Zimmer eingeschlossen und zu widernatürlicher Unzucht verleitet habe. Morgens beim Erwachen habe Haarmann ihm ein scharfes Brotmesser an die Kehle gesetzt und gefragt, ob er sich wohl vor dem Tode fürchte. Als er sehr erschrocken gewesen sei, da habe Haarmann gelacht und gesagt, das sei nur Spaß; wenn ihm jemand etwas tun wolle, so möge er nur kräftig schreien. – Da zufällig ein Beamter des Unzuchtdezernats auf der Wache war, welcher wußte, daß man ohnehin den Haarmann zu verhaften wünschte, so beschloß dieser, den gefährlichen Vigilanten nun doch gleich mitzunehmen, bevor er möglicherweise Verdacht schöpfen und sich in Sicherheit bringen könne. So wurde Haarmann am 23. Juni morgens ins Gefängnis eingeliefert. Er selber hat in späterer Zeit erklärt, daß er die Verhaftung des jungen Fromm nur darum veranlaßt habe, weil er gewußt habe, daß er auch diesen Jungen töten werde und von einer dunklen Angst erfaßt worden sei, daß er diesem Mordwollusttriebe nicht lange mehr widerstehen werde. Könnte man dem Haarmann das glauben (und wer sein Wesen beobachtete, dürfte geneigt sein, dies zu glauben), so wäre die erste Gelegenheit, bei welcher eine Art »moralischer« Hemmung ihn ergriff, auch sein Untergang geworden. – Dies war am 22. Juni. Erst am 29. Juni erlangte man ein dämmerndes Geständnis.

Das Geständnis

Nachdem man die Wirtinnen und Hausbewohner des Haarmann vernommen, eine Fülle von Zeugen verhört, vor allem aber unter den in Haarmanns Wohnung aufgefundenen, oder in seinem Bekanntenkreis beschlagnahmten, oder auch von diesem freiwillig herbeigebrachten Kleidern und Wäschestücken mehrere hundert Asservate zusammengebracht hatte, die im Kriminalpräsidium ausgestellt und von den Angehörigen vermißter Personen besichtigt, als Eigentum verschwundener Knaben und Jünglinge erkannt worden waren, da waren die Belastungsmale so gehäuft, daß man sicher war, in Haarmann den gesuchten Massenmörder eingefangen zu haben, aber dennoch vermochte man in keinem einzigen Falle ihm eine Tat einwandfrei zu beweisen. Daß die Kleider und Eigentumsstücke so vieler vermißter Personen in seiner Umgebung gefunden wurden, oder durch seine Hände gegangen waren, erklärte er mit seinem Tausch- und Ramschhandel, gab auch zu, die meisten Verschwundenen gekannt und mit ihnen geschlechtlich verkehrt zu haben, behauptete aber, von ihrem Verbleib nichts zu wissen und gab für die Blutspuren in Wäsche, Betten und

Kleidern harmlose Erklärungen, ja, verstand es, mit eherner Geschicklichkeit sich durch alle Torturen des Inquisitionsverfahrens hindurch zu winden. Wieder mußte ein Zufall die volle Überführung ermöglichen. Unter den von Haarmann Getöteten befand sich ein junger Mann namens Robert Witzel, dessen Eltern seit nahezu einem Jahr siebenzehnmal das Polizeipräsidium nach dem verschwundenen Sohn bestürmt hatten. (Zwischen der ersten Anzeige, die diese Familie gegen Haarmann erstattete, bis zu dessen Verhaftung, geschahen noch fünf Morde.) Als die ersten Schädel im Lustgarten des Königsschlosses angespült wurden, ließ ein Ingenieur der »Excelsior«, in welcher der Vater des Witzel als Werkmeister arbeitet, diesen Vater kommen, um ihn nach der Lebensweise des Verschwundenen zu befragen. Und dieser Ingenieur Ferdinand Meldau, der sich aus Liebhaberei gern mit sexualpathologischen Fragen beschäftigte, veranlaßte auch den Vater, die Schädelfunde zu besichtigen, um etwa den Schädel des Sohnes, der ein sog. Sägegebiß hatte, daraus zu ermitteln. Man wußte von dem Vermißten nur, daß er am letzten Abend vor seinem Verschwinden einen Zirkus besuchte. (Daher die Polizei angenommen hatte, daß der Junge abenteuerlustig mit dem Zirkus auf- und davongegangen sei.) Es bestand aber bei den Eltern dauernd der Verdacht, daß der nächste Freund ihres verschwundenen Sohnes, ein 14jähriger überaus frühentwickelter Jüngling, namens Fritz Kahlmeyer, sehr kräftig, mit auffallend hübschem Mädchengesicht, ein verstockter und verschlagener Bursche, von dem Zirkusbesuch etwas wissen müsse, was er aus Angst oder Scham vorenthielt. Nachdem alles Einreden aus dem jungen Kahlmeyer nichts herausgebracht hatte, machte der Vater noch einen letzten Versuch, als der trotzige Junge von dem älteren Bruder des Entschwundenen ein Fahrrad entleihen wollte, um zu dringlichem Geschäft über Land zu fahren. Es wurde ihm direkt gesagt: »Du bekommst das Rad nur dann, wenn du sagst, mit wem Robert am 26. April im Zirkus gewesen ist.« Nun endlich kam die Antwort: »Es war ein Kriminalbeamter vom Bahnhof.« Der Junge hatte ehern geschwiegen, weil auch er selber von Haarmann angesprochen, geschlechtlich mißbraucht und später sogar an homosexuelle »Herren der Gesellschaft« verkuppelt worden war. So war denn nun zu dem Schädelfund das zweite Indizium hinzugekommen und das dritte war da, als auch Kleidungsstücke des Vermißten unter Haarmanns Sachen gefunden wurden. Dennoch wollte Haarmann sich zu keinem Geständnis bequemen. Da aber geschah folgendes. Die Eltern Witzel sitzen wartend, zusammen mit dem jungen Kahlmeyer, vor einer Türe im Polizeivorsteheramt, um noch einmal ihre Vermutungen dem Polizeikommissar Rätz vorzutragen, plötzlich geht an ihnen eine kleine spitzmausige Frauensperson mit einem jungen etwa 18jährigen Mann vorüber und die Mutter, erschrocken nach dem Arm des Vaters greifend, ruft: »Der junge Mann trägt den Rock unseres Robert.« Die Frauensperson und der Jüngling verschwinden, als sie merken, daß man auf sie aufmerksam ist. Aber die Eltern eilen mit einem Kriminalbeamten hinterher, holen sie ein und fragen nach der Herkunft der Kleider. Statt einer Antwort fragt der junge Mann zurück: »Heißen Sie etwa Witzel?« Eine Ausweiskarte auf diesen Namen hat in der zu seinem Rock zugehörigen Hose gesteckt, der Anzug kam von Haarmann. Die Frauensperson ist die Engel, die Wirtin Haarmanns, die sich zufällig gerade auf dem Präsidium nach Haarmanns Militärrente erkundigen wollte. Die sämtlichen Indizien wurden nun sofort dem Haarmann vor Augen gestellt: Die Eltern, der Schädel, die Kleidungsstücke, der junge Kahlmeyer, die wiedererkannten Kleider, in denen der an Haarmann zurückgegebene und von ihm vernichtete Personalausweis gesteckt hat. Und da nun ein Tatbestand von so viel Seiten belichtet ist, gibt er zum erstenmal, auf Zureden seiner Schwester, die Möglichkeit zu, in Geschlechtstollwut junge Leute gewürgt, gebissen und erdrosselt zu haben. Von nun an setzte jene Befragungsmarter ein, die der modernen Strafrechtspflege so wenig ferne steht wie der mittelalterlichen, indem man durch unaufhörliche Verhöre, Entziehen des Schlafes, Schwächung des Organismus durch Abführmittel, oder durch eine »strenge Therapie« auch den Zähesten und Verstocktesten so mürbe machen kann, daß er schließlich zusammenbricht, wonach man dann ihm Erleichterung, Stärkung, Zuspruch, Ermutigung zuteil werden läßt, im selben Maße, als er »sein Gewissen entlastet«. Nach sieben Tagen brach Haarmann, nachdem er abwechselnd in Tobsucht oder in Weinkrampf verfallen war, endlich verstumpft zusammen und bat, daß man den Pastor Hardelandt, der ihn eingesegnet hatte, herbeiholen möge, damit er diesem eine Beichte mache. Der Geistliche aber konnte in Hinsicht auf seine Amtsschweigepflicht solche Beichte nicht annehmen und so bequemte sich Haarmann schließlich dazu, dem Kriminalkommissar und dem Untersuchungsrichter Schritt für Schritt immer weitere Taten einzugestehen, doch blieb er dabei, daß die im Flusse gefundenen Schädel nicht die seiner Opfer sein könnten, weil er stets seine Schädel ganz klein geschlagen habe; dagegen führte er die Beamten und den Gerichtsarzt zu Stellen des Georgengartens bei Herrenhausen, wo er Leichenteile ins Gebüsch geworfen und Knochen in einen Teich versenkt hatte, zeigte dort auch das Skelett eines jungen Mannes von 16 Jahren, dessen Gelenkflächen noch fettig und schlüpfrig waren, so daß es als Überrest des letzten Opfers, des am 15. Juni getöteten Erich de Vries anerkannt werden konnte. Von nun an meldeten sich immer neue Personen, welche Kleidungsstücke oder Fleisch von Haarmann, Grans, der Engel oder der Wegehenkel bezogen hatten, und so konnten immer weitere Mordtaten, die noch uneingestanden waren, dem Mörder sehr wahrscheinlich gemacht werden, bis er gar nicht mehr versuchte zu leugnen, sondern seine gewöhnliche Redensart gebrauchte: »Schreiben Sie man dazu.«

Von nun an veränderte sich auch sein Wesen. Der zu Anfang bei all seiner Geschwätzigkeit voller »Verhaltungen« (Retentionen) sitzende dumpfe Mensch, schloß gleichsam Klappe nach Klappe seines Gemütes auf, begann zutunlich, kindlich, ganz aufgetan zu werden, und nur, wenn die Eltern der Gemordeten vor ihm standen, oder sonst etwas Bedrohliches vor ihm aufstieg, oder die Rede kam auf das unmittelbare Durchbeißen der Kehle, oder den dunklen Fleischverkauf, so vereisten sofort wieder die kleinen giftigen Lichter und dummtrotzig, wie maulend oder schmollend, zog er sich wieder in sich zurück. Im allgemeinen aber hatte jedermann das Gefühl, daß dieser

Mensch sich wie erlöst fühlte, weil er über die Dunkelheiten und die große Angst seines wirren Trieblebens nun endlich sprechen durfte; ja, es kam etwas wie kindliches Sichaufspielen in seine Berichte, wenn er erzählte, wie er durch so lange Jahre die »Menschheit« (über die er stets böse sprach) zu täuschen verstanden habe. Bis zum 16. August 1924 hielt man ihn im Gerichtsgefängnis. Dann kam er zur Untersuchung seines Geisteszustandes in die Provinzial-Heil- und Pflegeanstalt nach Göttingen. Die Untersuchung durch den Geheimrat Prof. Schultze wurde abgeschlossen am 25. September 1924. Er kam dann ins Gerichtsgefängnis zurück, um auch dort noch längere Zeit beobachtet zu werden. Am 4. Dezember begann die Verhandlung vor dem Schwurgericht in Hannover. Die Akten umfaßten 60 Bände. Auf die aus Haarmann herausgenötigten Angaben hin war inzwischen auch Hans Grans am 8. Juli verhaftet worden. Die beiden hatten einige Male Gelegenheit, sich vor der Verhandlung zu sehen, wobei Haarmann beunruhigt, Grans dagegen ruhig ablehnend und sehr kalt erschien. Grans wurde beschuldigt, nicht nur um die Morde des anderen gewußt zu haben, sondern in mindestens zwei Fällen ihm die Opfer zugeführt oder zu ihrer Tötung suggestiv angetrieben zu haben, weil er die Kleider der Gemordeten für sich selber begehrte.

Zweiter Teil

Der Prozeß

Das Gericht

Das Gerichtsgebäude in Hannover, um 1880 im schlechten Geschmack einer falschen Renaissance gebaut, hat einen altmodischen, etwa hundertfünfzig Personen fassenden Saal. Er ist überdeckt mit einem Glasdach, das die Gesichter in mattes Geisterlicht taucht. Am Nordende sitzt das Publikum, an jedem Tage achtzig Personen, zumeist Angehörige der Gerichtsherren oder Neugierige, die ihre Zutrittskarten mühsam nach stundenlangem Stehen erbeten oder sich teuer gekauft haben. Vor der Schranke, die das Publikum abscheidet, stehen einige Bänke für die Zeugen und bevorzugte Sitze für Vertreter der Behörden; den Oberpräsidenten Noske, den Regierungspräsidenten v. Velsen, den Polizeipräsidenten v. Beckerath, den Vertreter des Justizministeriums Dr. Weiß, einige Vertreter der Jugendfürsorge, der Ärzteschaft, der Polizei. Am Südende des Saales auf erhöhter Empore thront das Gericht. In der Mitte des langen Tisches der Präsident, Landgerichtsdirektor Dr. Bökelmann, am rechten Ende des langen Tisches der Oberstaatsanwalt Dr. Wilde. Daneben der zweite Staatsanwalt Robert Wagenschieffer. Dann zwei beisitzende Richter, Landgerichtsräte Harten und Kleineberg. Am linken Ende sitzt der Ersatzstaatsanwalt Jasching und der Protokollführer Hoßfeld. Eingerahmt von diesen Justizpersonen sitzen hinter dem grünen Tische sechs Geschworene und zwei Ergänzungsgeschworene. Die Geschworenen sind: Landwirt Wesche aus Hüpede, Zimmermann Harse aus Bodenwerder, Schneider Untorf aus Pyrmont, Schmied Heise aus Engelbostel, Postassistent Ahrens aus Holzhausen, Korbmacher Ackmann aus Kreiensen. Links an der Fensterseite des Saales ist die Anklagebank. Neben und zwischen den beiden Angeklagten sitzen zwei Sicherheitspolizisten und ein Kriminalassistent. Vor der Anklagebank haben ihren Platz die zwei Offizial-Verteidiger: Justizrat Benfey für Haarmann, Rechtsanwalt Lotze für Grans. Neben ihnen fünf Sachverständige, zwei Gerichtschemiker namens Lochte und Feise aus Göttingen, sowie als psychologische Gutachter: Geheimrat Schultze aus Göttingen, Gerichtsmedizinalrat und Polizeiarzt Schackwitz und der Gefängnisarzt: Gerichtsmedizinalrat Brandt. Gegenüber an der Türseite des Saales sitzen 21 »Herren von der Presse«, neun als Vertreter der in Hannover erscheinenden Lokalblätter, fünf als Vertreter von Telegraphenbüros, ferner drei Berichterstatter von außerhannoverschen Zeitungen, ein amerikanischer und ein französischer Berichterstatter, dazu vier Zeichner.

Es ist ein Provinzgericht, darin weder hervorragende Strafrechtler, noch tiefblickende Seelenforscher, noch auch bedeutende Schriftsteller vertreten sind. Der Gerichtshof hat die Aufgabe, einen für ganz Europa beunruhigenden Kriminalfall »ohne öffentliches Ärgernis gemäß § 263 der Reichsstrafprozeßordnung unter Vermeidung der Bloßstellung von Ämtern und Behörden innerhalb 12–14 Verhandlungstagen rasch zu erledigen.« Für diese Aufgabe erscheint der Vorsitzende als der rechte Mann: kurzangebunden, gradlinig, grobdrähtig, eng und bestimmt. Man könnte ihn mit Fritz Reuter etwa so charakterisieren: »Hei was so en lütten smuken korten aewer bostigen Staemling, wat bölken daut as en Feldweiwel un forsch die Justiz exerziert; aewer von dat lise Sinieren und dat Sick-inwenig-bekieken, dadervon deiht hei nichts verstahn so'n priken Kirl.« – Besinnlicher, durchgeistigter, auch »besser im Bilde« erschien der Oberstaatsanwalt, ein müder Aristokratentyp; vielleicht von menschlicher Feinheit, aber so frei von der schönen Fähigkeit des fanatischen Rechtsethos, daß man aufstöhnen mochte mit Zarathustra: »O, ich wollte doch, Ihr hättet einen Wahnsinn, womit Ihr geimpft wäret. Und ich wollte Euer Wahnsinn hieße: die Wahrheit oder die Gerechtigkeit!« – Minder bedeutsam: der zweite Staatsanwalt, ein kulörbrüderlicher sympathischer, ehrenfester Mann, der schlechtes Juristendeutsch redet. Die Beisitzenden würdig-ernst; aber ohne die Möglichkeit, während der ganzen Verhandlungen auch nur ein Sterbenswörtchen zu entäußern. Vollends nur Tapetenfiguren: die Geschworenen. Unglücklich in ihren Stühlen dahindämmernd und vollkommen unfähig, auch nur einen einzigen Fall klar zu durchdringen oder bewußt vor der Fantasie aufzubauen. Immerhin war dieser Gerichtshof bedeutend zu nennen im Vergleich zu der völlig unfähigen Verteidigung, mit welcher die beiden Angeklagten eigentlich vorweg bestraft wurden. Da sie nämlich kein Geld hatten, um sich ernsthafte Verteidiger kommen zu lassen, so mußte von Amts wegen jedem ein Offizialverteidiger bestellt werden. Zwar hatte ein bedeutender Berliner Kriminalist sich zur kostenlosen Verteidigung des Werwolfes erboten, aber es war dem Haarmann, der eine beständige Angst vor »Kommunisten« hat, eingeredet, sein Berliner Anwalt stünde mit den »Kommunisten« in Verbindung. (Die Reichstagsabgeordneten Katz und Gohr behaupteten, daß Haarmann auch als politischer Spitzel gegen ihre Partei in den Revolutionstagen verwendet worden sei. Sollte das wahr sein, so wäre seine ewige Angst vor »Kommunisten« psychologisch erklärlicher.) Er hatte im letzten Augenblick darum gebeten, man möge ihm statt des »Berliner Kommunisten« doch einen beliebigen Offizial-Verteidiger stellen. Nachdem zwei jüngere Anwälte die schwere, heikle Aufgabe abgelehnt hatten, war die Wahl auf einen Rechtsanwalt und Notar gefallen, der in zahllosen kleinen, provinziellen Mickerprozessen alt und grau geworden, nicht die mindeste Möglichkeit besaß, eine der schwierigsten Aufgaben des Strafrechts (das dankbare Sprungbrett für ein starkes kriminalistisches Talent) auch nur zu sehen, geschweige denn sachlich auszuwerten. Eine »Verteidigung« Haarmanns war eben nur möglich, wenn sein Anwalt entweder mit durchdringender Menschenkenntnis die Notwendigkeit und Unentrinnbarkeit eines zwangssüchtigen Triebirrsinns klar machte, oder wenn er die »Schuld« auf Umwelt, Zeit, Verrottung der Zustände abwälzend, zum flammenden Ankläger von Polizei und Sittlichkeit der Stadt Hannover, ja, zum Richter einer ganzen Kultur wurde. Beides war bei diesem Anwalt unmöglich: Ethos wie Psychologie! Da der zu Anfang vorgesehene Berliner Strafrechtler als Gegengewicht gegen die Gerichtsexpertise, auch für die Verteidigung einen Psychologen hinzuziehen wollte und mich selber zum Begutachter gewünscht hatte, so regte ich auch bei Haarmanns Offizialverteidiger die Möglichkeit an, psychoanalytische, charakterologische, phänomenologische Aufklärungen zu versuchen und um nicht selber bemüht zu scheinen, schlug ich, während ich es vorzog, als Vertreter einiger führender Zeitungen der Verhandlung beizuwohnen, die folgenden Männer vor: Ludwig Klages (als bedeutendsten Sohn der Stadt), Alfred Döblin, Sigmund Freud, Alfred Adler, Hans v. Hattingberg; worauf die allessagende schriftliche Antwort kam: »Ich wüßte nicht, was man Psychologisches fragen sollte.« – War somit für seelenkundliche Durchdringung des Falles keinerlei Hoffnung gegeben, so hätte vielleicht doch ein starkes sachliches Ethos manches klären können. Aber Haarmanns Anwalt (alter Verbindungsstudent, Vertrauensmann der Nationalliberalen und Anwärter auf einen Bürgervorstehersitz) nutzte kleinstädtisch die Gelegenheit, um gleichsam als der dritte Staatsanwalt seinen Klienten anzuklagen, vor den lokalen Behörden sich nützlich zu erweisen, ja in kirchturmpolitischen Tiraden das »wilhelminische und bismarckische Zeitalter« auszuspielen gegen »die Republik, die solche Unholde wie den Haarmann gebar«. Vor solcher geschmacklosen Kleinstadt-Optik schützte den Verteidiger des Grans, einen Enkel des Philosophen Lotze, eine gewisse juristische Nüchternheit; doch fehlte auch ihm jede forensische Begabung, jedes psychologische Interesse und jede logische Schärfe; ein lieber Mensch am Stammtisch, war er in diesem mächtigsten Kriminalfall unserer Tage hilflos und zugleich doch anmaßlich.

Trostloser noch als dieser Mangel an Größe und Weitsichtigkeit auf seiten der Juristen war das fast vollständige Fehlen selbständiger und starker Köpfe unter den Hörern und Berichterstattern. Man war mit der Zulassung von »Schriftstellern« sehr vorsichtig gewesen, denn man wünschte vieles zu verhüllen; vor allem wurde von der ersten Stunde an aufs kräftigste betont, daß das Hereinziehen von Verfehlungen der Polizei und der Behörde gemäß § 263 verboten sei; daher wurde jedem Zeugen und auch den Eltern der Getöteten sofort das Wort entzogen, sobald sie auf dieses Thema zu sprechen kamen; man fürchtete eben den »öffentlichen Skandal«, und wünschte keine

Störung durch die Menschenmassen, die durch ein Polizeiaufgebot vom Gerichtsgebäude abgehalten, ohnehin durch die mit dem Prozeß zusammenfallenden Reichstagswahlkämpfe aufgeregt, draußen in den Straßen lungerten. So hatte man denn eigentlich nur die unverfänglichen Zeilenschreiber der kleinen Lokalpresse oder die Telephonreporter der großen Agenturen im Saal. Von unabhängigen Schriftstellern war nur zweien der Zutritt gelungen, weil man einem Wunsche des Justizministeriums sich fügen mußte: dem Sexualforscher Magnus Hirschfeld und dem Kriminalforscher Hans Hyan. – Unter den Gutachtern ragte der Göttinger Professor der Psychiatrie, Schultze, hervor, ein väterlich wohlwollendes, unendlich gütiges Gesicht; ein Mann, der mit Bienenfleiß jedes Wort des Haarmann in einem riesigen Aktenberge aufbewahrt hatte, welcher Aktenberg dann schließlich folgendes Mäuslein gebar: 1. der Angeklagte ist abnorm und minderwertig, 2. der § 51 (welcher Unzurechnungsfähigkeit bei Begehung der Tat voraussetzt) trifft nicht zu. – Hier zeigte sich einmal klar die ganze Hilflosigkeit unserer auf »Bewußtseinstatsachen« ausgehende Medizinerpsychologie angesichts des vorbewußt flutenden Elements atavistischer Triebuntergründe, denn »abnorm« nennt diese Art Psychologie, den Goethe so gut wie den Haarmann, den Strindberg so gut wie den Frauenmörder Großmann; »minderwertig« aber ist der Mensch vom Standpunkt des Affen ebensowohl, wie der Affe vom Standpunkt des Menschen. Bezüglich des § 51 aber (welcher vorsintflutliche Begriffe über Willensfreiheit, Verantwortlichkeit, Zurechnungsfähigkeit voraussetzt), hätte im Falle Haarmann jeder ehrliche Psychologe eben erklären müssen: Uns zu fragen, ob § 51 anwendbar sei oder nicht, hat genau so viel Sinn, als wenn man uns fragt: »Soll Wasser nach Metern oder nach Quadratruten gemessen werden?« Hier ist uns eine Norm vorgeschrieben, die auf diesen Fall nicht anwendbar ist. – Eine Ahnung davon mochte den zweiten Sachverständigen Alex Schackwitz anwandeln, einen jungenhaft frischen, anstelligen, aufnahmefähigen, offenen und prächtigen Menschen; »smart matter of fact man«; »Forscher Wirklichkeitsmann«, aber eben darum ohne jede Ehrfurcht, nein, ohne jede Ahnung für jenes

Stückchen Träumer- oder Dichtertum, ohne welches man die Wahrheit hinter aller Wirklichkeit doch niemals zu erfühlen vermag. (Denn Wirklichkeitstatsachen als solche sind gar nichts! Der Psychologe muß den Menschen besser kennen als dieser sich selber zu kennen vermöchte.) – Vollends der dritte Sachverständige war nichts, als Seelenergründer nach dem Herzen von: »Hofmann: Wie ermittelt der Kriminalpsychologe Blutflecken?« – War nun aber weder die Psychologie noch auch das Ethos der eigentliche Sinn dieses Kriminalverfahrens, so konnte man fragen: »Wozu überhaupt der ganze weitläufige Aufwand?« – Er kostete dem Staate mehrere hunderttausend Mark. Der Ausgang: Todesstrafe war ohnehin sicher. Ob ein Mörder zwanzigmal oder zehnmal zum Tode verurteilt wird, kann gleichgültig sein. Man mußte sich von vornherein eingestehen, daß eine gleichsam das Weltgewissen befriedigende Auflösung des ungeheuren Falles nicht möglich war. Nur Zweierlei konnte versöhnen: das Sittlichste oder das Natürlichste: Selbstmord (als Selbstrichtertum eines Sühnewilligen, der an menschlicher Gemeinschaft Ungeheuerliches frevelte), oder – schnelle Lynchjustiz von seiten des beleidigten Lebens.

...»Hoffnungslos! Auch der Weiseste muß ein Fehlurteil fällen im Gerichtssaal, das heißt eingesperrt in einen Ring aus Gefriersitzfleisch. Draußen im Leben kann man sich richtig oder falsch entscheiden, einmal so, einmal so, aber das ganze Jus besteht doch eben darin, die ganze Frage so zu formulieren, daß es gar keine richtige Entscheidung geben kann.

Wie ich handeln würde?

Den dreißig Müttern der zerfleischten Knaben die Möglichkeit geben, durch die Schranken zu brechen und den Haarmann zu zerfleischen. Das wäre lebendige Gerechtigkeit. Von Flammen verzehrt, in den Flammen vergehen, die man nicht zu beherrschen vermocht. Denn das Leben schlägt zurück, wenn man hineinschlägt, ganz gleich ob man dabei zurechnungsfähig war, oder etwa sich selber gebessert hat. Und das ist schön. Und das ist wahr. Und darum nichts für Wehleidige. Aber der ekelhafte Mumpitz des Todesurteils in der feigen Anonymität der beleidigten Gesellschaft ist ein trostloser Unfug«...

Mit diesen Worten ermutigte mich in den schweren Tagen des Prozesses einer der besten Seelenerforscher unserer Tage.

Die Anklage

Der Eröffnungsbeschluß ward verlesen. Dem Händler Fritz Haarmann wird zur Last gelegt, die folgenden Personen vorsätzlich und mit Überlegung getötet zu haben:

1. Etwa September 1918 den Schüler Fritz Rothe.
2. Etwa Februar 1923 den Lehrling Fritz Franke.
3. Etwa März 1923 den Lehrling Wilhelm Schulze.
4. Etwa Mai 1923 den Schüler Roland Huch.
5. Etwa Mai 1923 den Arbeiter Hans Sonnenfeld.
6. Etwa Juni 1923 den Schüler Ernst Ehrenberg.
7. Etwa August 1923 den Bürogehilfen Heinrich Struß.
8. Etwa September 1923 den Lehrling Paul Bronischewski.
9. Etwa Oktober 1923 den Arbeiter Richard Gräf.
10. Etwa Oktober 1923 den Lehrling Wilhelm Erdner.
11. Etwa Oktober 1923 den Arbeiter Hermann Wolf.
12. Etwa Oktober 1923 den Schüler Heinz Brinkmann.
13. Etwa November 1923 den Zimmermann Adolf Hannappel.
14. Etwa Dezember 1923 den Arbeiter Adolf Hennies.
15. Etwa Januar 1924 den Schlosser Ernst Spicker.
16. Etwa Januar 1924 den Arbeiter Heinrich Koch.
17. Etwa Februar 1924 den Arbeiter Willi Senger.
18. Etwa Februar 1924 den Lehrling Hermann Speichert.
19. Etwa April 1924 den Lehrling Alfred Hogrefe.
20. Etwa April 1924 den Arbeiter Hermann Bock.
21. April 1924 den Lehrling Wilhelm Apel.
22. Ende April 1924 den Lehrling Robert Witzel.
23. Mai 1924 den Lehrling Heinz Martin.
24. Etwa Mai 1924 den Reisenden Fritz Wittig.
25. Etwa Mai 1924 den Schüler Friedrich Abeling.
26. Etwa Juni 1924 den Lehrling Friedrich Koch.
27. Juni 1924 den Bäckergesellen Erich de Vries.

Es sind 147 Anzeigen eingelaufen. In 38 Fällen ist nachgewiesen, daß die Vermißten noch leben. In 114, daß Haarmann nicht als Täter in Betracht kommt. Es bleiben also: 30 Fälle. Davon können 27 Morde bewiesen und drei weitere (nicht mit zur Anklage gestellte) Fälle überführt werden.

Gegen Hans Grans, geboren am 7. Juli 1901 in Hannover, wird die Anklage erhoben, wegen Anstiftung zum Morde in zwei Fällen und eine zweite (später fallengelassene) Anklage wegen gewerbsmäßiger Hehlerei.

Die beiden Angeklagten

»Ein schwanzloser Raubaffe, welcher auf Hinterfüßen geht, in Rudeln lebt, alles frißt, ein ruheloses Herz hat, aber durch seinen Geist verlogen ist. Diebisch, geil und händelsüchtig, dabei fähig zu vielen Fertigkeiten. Der Feind aller übrigen Erdgeschöpfe und doch der schlimmste Feind seiner selbst.« (»Simia homo sine cauda, pedibus posticis ambulans, gregarius, omnivorus, inquietus cordis, mendax mentis. Furax, salex, pugnax at artium variarum capax. Animalium reliquorum terrae hostis, sui ipsius inimicus teterrimus.«) – Dies ist die älteste Beschreibung des Urmenschen. – Eigenbezüglich und hörig, feige und wildverwegen, brutal und sentimentalisch, vor allem eitel und geil – so stellte sich Haarmann uns dar: Ein fließendes Element, darin gespielte und wirkliche Kindischkeit, gespielter und wirklicher Schwachsinn wunderlich einander überdeckten. Ganz auf Hunger und Wollust gestellt, »ausgeschämt« in jedem Sinn, ist er doch ein Stück unmittelbare, auch noch in seiner Schauspielerei völlig naive Urnatur, an keinerlei Rechenschaft über sich selber gewöhnt. Wenn das Paragraphen-Deutsch der Juristen, die verwickelte Heuchelei der Ämter und die hinter Wissenschaft, Moral oder Amtspflicht versteckte Eitelkeit der »bürgerlichen Gesellschaft«, wenn alle diese vielen Lebenslügen all der »Bildungs- und Kulturmenschen« sich selbstgerecht-ahnungslos ausgesprochen hatten, dann wirkte es fast erquickend und befreiend, diesen Haarmann naiv flunkern und Dichtung und Wirklichkeit untermischen zu hören. Und man empfand: die Wahrheitsmenschen lügen. Dieser Erzschauspieler ist wahr! Er hat keinerlei Grauen vor dem, wovor jedem dieser Kulturmenschen graut, vor Tod, Leiche, Moder. Aber bei einem Gewitter verkriecht er sich doch wie das Tier, zittert und beginnt ohne Glauben Gott anzubetteln. Zuweilen brachen kindliche Züge von Sympathie hervor. Als mitten im Tage die Lichter im Saale angezündet werden, sagt er ganz wie ein Kind leise zu sich selber: »Grad wie der Tannenbaum«; als der alte Geheimrat Schultze, der ihn unausgesetzt beobachtet, müde gähnt, sagt er, (grade wie wenn er auf den Professor, und nicht dieser auf ihn acht zu geben hätte): »Na, können Sie auch noch Herr Professor?« und zum Gerichtshof gewandt, fügt er entschuldigend hinzu: »Er is nämlich grad krank gewesen.« Zu den Journalisten sagt er mahnend: »Ihr müßt aber nicht lügen, Ihr lügt ja doch alles«, und zu den Geschworenen: »Machts kurz, Weihnachten will ich im Himmel sein bei Muttern.« – Als meine Berichte, die die Schuld der Polizei und die Mängel der Expertise aufklären, dem Gerichtshof unbequem zu werden beginnen und der immer nervöser werdende Vorsitzende (wie man denn überhaupt den Haarmann stets zur Entlastung der Polizeibehörde aussagen ließ) ihm meine Behauptungen vorhält und fragt, ob sie richtig seien, da ruft er laut: »Das lügt der Kerl alles«, fügt aber leise zu mir gewandt hinzu: »Nächstens wirst du noch sagen, die Leute auf der Polizei seien meine besten Freunde«; dabei zwinkert er schlau mit den Äuglein, als ob er sich über alles lustig mache. – Ganz entgegengesetzt zeigt sich der junge Hans Grans, so zäh wie zart, so unzerbrechlich wie mädchenhaft; immer gleichmäßig überlegen und überlegend, zuvorkommend, liebenswürdig, in der Lage eines Fuchses, der in äußerster Todesnot alle Aufmerksamkeit überwach sammelt und jede Lücke erspäht, durch die er der teuflischen Falle entschlüpfen kann. Mit einem langen Bleistift oder mit dem dozierenden Zeigefinger der Rechten zeichnet er Konturen von Beweisen in die Luft, beantragt scharf advokatorisch sehr zarte Fragestellungen, deren Zweck im Sinne seines fest aufgebauten Verteidigungssystems er nur selber kennt. Er friert weit mehr als Haarmann in einer ungeheuren Einsamkeit. Er ist schuldlos und dennoch gefährlicher. Denn er ist, obwohl viel sensitiver, nicht wie Haarmann eine Angst- und Defensivnatur. Auf Haarmanns Natur spielen in jedem Augenblick unbezwingliche dämonische Mächte: Das Minderwertigkeitsgefühl eines lang Unterdrückten, Besudelten, Entgleisten, oft Gehänselten hält sich schadlos an dunklen Triebräuschen. Und er treibt gern auch sein diabolisches Spiel mit den Zeugen (seinen Hehlern und Hehlerinnen), von denen er etwas weiß und die von ihm etwas wissen. Er zeigt allen die Pranken: »Ich lasse euch vor dem Tode hopps gehen. Der Zeuge ist frech. Er muß noch eins auf den Detz kriegen.« – Dagegen Grans ist zu egoistisch selbst für Liebe und Rache. Er kennt keinen Affekt. Nur: kluge Selbsterhaltung. »Was ich getan habe, ist gleich, was Ihr beweisen könnt, steht hier in Frage.« Ich hätte nicht geglaubt, daß grauses Fehlurteil ihn zum Tode verurteilen könne. Als ich den Eltern sagte: »Lassen Sie Ihr Kind im Zuchthaus nicht im Stich«, da erwiderte der Vater: »Wüßt ich, daß er Das getan hat, was man ihm schuld gibt, so ginge ich selber hin und zeigte ihn an« und die Mutter: »Kommt er ins Gefängnis, so nehmen wir ihn wieder auf, kommt er ins Zuchthaus, so müssen wir uns lossagen, denn dann fällt Schmach auf die Familie.« – Wie ist das Gefühlsverhältnis der beiden? Sie sind zwei, Rücken an Rücken geschmiedete Galeerensträflinge, wobei der Junge nicht einmal Haß und Ekel aufbringt, sondern nur dieses Zusammengeschmiedetsein überwinden möchte, indem er gegen jede Berührung des anderen Leibes empfindungsstarr vereist. Darum war es ihm auch gar nicht möglich, sein Verteidigungssystem auf »Gefühl« aufzubauen, was ihm sicher das Leben gerettet hätte. Denn der andere lauert auf jedes freundliche Wort und wirbt auch noch mit seiner Rachsucht. Ja, er würde alles, womit er den ehemals Geliebten schlau belastet, im Nu widerrufen, falls dieser es nur vermöchte, Worte des Mitleids oder auch nur der Dankbarkeit für ihn zu finden. Grade aber weil in dem Jungen nur der eine Trieb lebt, loszukommen vom Festgeschmiedetsein an dieser schon halb erkalteten Leiche, ist in Haarmann nur noch der eine Wunsch: den gehaßtesten, weil liebsten mit hinabzureißen ins dunkle Land. Das legt er aber so verschlagen an, daß außer Grans keiner das fühlt. Er spricht immer mit Zuneigung. Er redet Tage lang nur von »Hans« (während dieser immer sagt »Herr Haarmann« oder »der Angeklagte Haarmann«), droht dabei aber unterirdisch, bettelt wieder um Gemeinschaft und bricht schließlich aus in folgende, scheinbar erst durch die kalte Verachtung des anderen heraufbeschworene, in Wahrheit lang vorbereitete Beschuldigung: »Grans hat mir nicht nur die Knaben zugetrieben, damit ich sie töte. Grans hat nicht nur durch alle möglichen Künste mich geil gemacht und die Knaben angelernt, wie sie mich wild machen konnten. Grans hat nicht nur berechnend meine Raserei ausgebeutet und mich tagelang bearbeitet, Knaben zu töten, deren Hose er gern haben wollte. Grans hat selber gemordet! Schlimmer als ich. Grans und sein Freund Wittkowski haben den 17jährigen Adolf Hennies, mit dem sie Zank wegen Weibergeschichten hatten, in mein Zimmer gelockt und ihn dort ermeuchelt. Dann haben sie die Kleider genommen und hohnlachend, als ich nach Hause kam, mir die Leiche gewiesen: Das ist einer von den deinen. – Ich habe geweint und gebettelt: Nehmt die Leiche fort. Sie hat am Halse keine Saugflecken, das kann nicht einer von den meinen sein. Aber sie haben mir den Toten unterschoben, sind auf und davon und ich mußte den Körper zerlegen und fortschaffen.« – Auf diese ungeheuerliche Anschuldigung (das Gericht glaubte sie) hatte Haarmanns Teufelsrachsucht Tage lang hingearbeitet. Mit treuherzigster Überzeugtheit, mit naiver Eindringlichkeit. Als sie heraus war und das Ziel, nicht einsam in den Tod zu müssen, erreicht war, da wurden die Aussagen gegen Grans schon bedenklich flauer, und er zuckte wieder zurück, sobald es dem anderen gelang, auch nur ein freundlicher klingendes Wort sich abzunötigen. (Der mitbeschuldigte Wittkowski stellte, sowie er von dieser Beschuldigung hörte, sich sofort freiwillig dem Gericht.) So flutete tagelang die kaum noch empfindbare, ganz dumpf vorbewußte Gefühlsunterströmung, von Haarmanns verdrängter Sexualrache ausgehend, an den starren Eispanzer des qualvoll wachbewußten Grans. Und doch wurde auch dies klar: Die arme Undine war nicht nur Lebensschmarotzer, nicht nur Gefühlsparasit auf fremdem Irrsinn... Gesetzt, ich weiß von dem einzigen Menschen, der mir so etwas wie Väterlichkeit, Zuflucht, Liebe bot, oder wie man dies Dumpfe nennen will, etwas Schreckliches, ahne das Allerschrecklichste und ich schweige ehern und liefere ihn nicht dem Staate ans Messer, muß das nur eine Niedertracht sein? Hier steckte etwas von Ethik und Charakter, ja, hier lag »Größe«. Wenn die Gemeinschaft und ihre Behörden blind sind, wenn sie Armut, Laster, Selbstfeilbietung, Verbrechen nicht bewältigen können, oft vielleicht selber fördern helfen, soll dann ich, der Zwanzigjährige, Ausgestoßene und Abgedrängte, der einzige sein, welcher alles sieht und alles sagt, was er sieht? Grans ging im Bahnhof unter den Augen von drei Polizeibehörden dem Handel nach mit den Kleidern Ermordeter. Er trug dabei auf seinem eigenen Leibe: den Mantel des gemordeten Hennies, den Rock des gemordeten Wittig, die Breecheshose des gemordeten Hannappel, das Hemd des gemordeten Spieker. – Hat die Polizei nichts davon gesehen, so muß man auch diesem Indentaglebenden glauben, daß er sich »nichts dabei gedacht« hat. Sein Gefühl zu Haarmann war keineswegs so einfach, daß er nur Fuchs war, der auf Beutespuren des Wolfes lebt. Ja, es ist möglich, daß selbst der Schlechteste seine Scham zeigt gerade darin, daß er sich noch schlechter stellt, als er ist. Wenn die Dirnen kamen, die der junge Grans für sich »arbeiten« ließ und denen er zu imponieren wünschte, so kehrte er stets hervor, wie Haarmann unter seiner »Geschlechtshörigkeit« stünde, schlang etwa die Arme um den Rabiaten, der dann sofort gefügig wurde und tuschelte dabei heimlich dem schönen Dörchen ins Ohr: »Den Haarmann treck ik blot ute.« Und doch war ganz gewiß nicht nur der 45jährige der Geschobene, sondern auch der 23jährige nahm die Verderbtheit des anderen auf in seinen Willen, und wenn den Haarmann an Grans band die Liebe des alten Wolfes zum jungen Fuchs, so band den Grans an Haarmann nicht nur die Dankbarkeit des Schmarotzertieres zu seinem Wirt, sondern auch mitleidiges Gewährenlassen: »Er liebt mich ja. Was wäre er ohne mich?«

Die Zeugen

Ungefähr 200 Zeugen traten in diesem Prozesse auf. Versuchen wir, sie grob zu klassifizieren. Da erscheint zunächst das wimmelnde Jungvolk von Buhljungen, Hehlern, Zuhältern und Dirnen; aus der Fürsorge entlaufen, aus liebeleeren oder allzu elenden Elternhäusern gestoßen, bald duldend verkommen, bald aktiv verkommen. Unter ihnen ist am stärksten vertreten: die Gruppe der Phantasiezeugen. Junge Leute, die Zeitungen gelesen haben und deren Nik-Carter-Phantasie erfüllt ist von Mordbeilen, Leichenteilen und verzehrtem Menschenfleisch. Zweie kommen und sagen aus von komplizierten Fesselungen, sadistischen Geißelungen und Martern, die Haarmann an ihnen vorgenommen hat. Ein Arbeiter ist von Grans zum Wein eingeladen und behauptet, er sei fast davon gestorben, weil Grans ihm heimlich ein Pulver in den Wein geschüttet habe. Ein vierter hat fabelhafte Gespräche über afrikanisches Pfeilgift (Curare) belauscht, ein fünfter irrsinnige Akte der Wollust mit angesehen ... Dieser schlimmen Gruppe verwandt sind die Eitelkeitszeugen. Eigentlich ist das, was sie wissen, ein Nichts. Aber sie wollen »auch dabei gewesen sein,« sich herausstellen, ihren Scharfblick, ihre Erfahrenheit, ihre Menschenkunde und Gerissenheit leuchten lassen und so bauschen sie auf und verwirren statt zu klären. Kommen zu dritt: die schwierigen Zeugen: Dummlich-begriffstutzige Jungen, verstockte, stockige Seelen, meistens Lumpen im kleinsten Stil, neben denen Haarmann wie ein Riese dasteht. Sie lassen alle Aussagen tropfenweis aus sich herausziehen, gänzlich einer Richtung ermangelnd und nicht erfassend, was sie sind, wissen und sollen. Daneben dann wieder: die Ängstlichen: kleinbürgerliches, notiges Volk, benommen, verprügelt, benaut, weil jeder aus dem wimmelnden Lumpengesindel irgendeine Schmutzerei kleinsten Formates zu verbergen trachtet und sich zu belasten fürchtet (denn dies Pack begaunert sich gegenseitig und steckt dann doch der Macht gegenüber miteinander durch). Sie sind noch jetzt voller Demut vor »Herrn Haarmann«, der für sie ein »besserer Herr« und ein »Beamter« ist. Auch viele Gestalten aus vornehmer guter Gesellschaft haften in der Erinnerung. Herren im Gehrock, korrekt und sachlich, gewandt, geschmeidig, einer mit dem anderen vertauschbar. Sie rücken (Mitglieder der »guten Gesellschaft«) weit ab von dem wimmelnden Sumpf, denn wenn sie selber etwa mitbelastet scheinen, so rückt Justiz und Gesellschaft sofort von ihnen ab. Oberpräsident, Regierungspräsident, Polizeipräsident, die Kommissare – – das sitzt alles da in ledernen Stühlen und sieht dem Schauspiel zuckender Todesnot zu; weit davon entfernt, im Herzen zu sprechen: mea culpa!...

Kommt ein feines allerliebstes Herrchen in Stiefelettchen und Chemisettchen, macht eine anmutige Verbeugung vor der Bank der Presse und beginnt: »Ich bitte die Herren, meinen Namen nicht ausgeschrieben in die Zeitungen zu bringen, da ich in meiner gegenwärtigen Stellung sonst Schaden haben würde.« (Er handelt mit Neppwaren.) Kommt ein anderes Jüngelchen, zerschmettert, zerdrückt, in Sträflingskleidung, denn er sitzt wegen irgendeines Einbruchdiebstahls und beginnt: »Herr Präsident, ich muß mich weigern, einen Eid zu leisten. Ich bin Anhänger von Darwin und glaube nicht an Gott. Darum kann ich bei diesem Herrn nicht schwören.« Eine rührende Episode schafft die Vernehmung der »Verlobten« des Grans, Elfriede Zwingmann, eines armen Küchenmädchens in der »Erlanger Bierstube«. Sie entlastet unter ihrem Eide, so gut sie es kann, ihren blonden Tunichtgut; jedes Wort weint um Gnade und sie ist so einfältig, daß man wirklich fühlt: diese Apachenbraut hat nie etwas Böses gedacht. Haarmann war für sie ein »Kriminalbeamter«. Wenn ein solcher Geld nötig hat, dann geht er auf den Bahnhof, wo die Reisenden ankommen und fragt: »Was haben Sie in Ihrem Koffer?« Kann der Reisende darauf keine gescheite Antwort geben, dann konfisziert der Herr Beamte den Koffer. Die Wäsche und Kleider verkauft er. Davon lebt er. Daher hatte Haarmann immer Geld. Und wenn er dem Hans nichts abgeben wollte, dann hat sie ihre armen sieben Mark Wochenlohn dem Hans gegeben; er war ja wohl untreu, aber immer lieb und gut, und als klar nachgewiesen wird, daß er sie prügelte, da sagt sie bescheiden: »Nur ein Mal; aber das tat nicht weh.« Das Gegenstück dazu ist eine andere Geliebte des Grans: Dora Mrutzek. Es ist eigentlich nicht zu begreifen, warum sie ihren alten

Geliebten geflissentlich belastet – vielleicht dem eifersüchtigen Ehemann zuliebe? –; freilich ist sie die einzige aus der von Haarmann eifersüchtig gehaßten Weiberwirtschaft, die mit dem Mörder sich gut verstand. »Herr Haarmann küßte sich mit die Jungens und lebte als Kriminal von seinen Zinsen. Wenn es schwere Arbeit gab, dann ging ich damit zu Herrn Haarmann, und mein Mann (Dörchen hatte außer vielen Liebhabern auch einen Mann) wurde eifersüchtig und wollte mich schlagen. Dann lachte Herr Haarmann und sagte: ›Dörchen ich heirate dich‹; aber er küßte sich ja doch nur mit die Jungens.« Haarmann erwidert das Lob, das sie ihm spendet, indem er erzählt: »Und Sie glauben nicht, was Dörchen vertragen kann. Eine Flasche Kognak soff sie in der Teediele ganz allein. Und ward nich dune.«

Die Art der Tötung

Der Mörder sagt aus: »Ich habe nicht die Absicht gehabt, die jungen Leute umzubringen. Es ist vorgekommen, daß Knaben immer wiederkamen. Ich habe sie dann vor mir schützen wollen. Ich wußte: Wenn ich wieder meine Tour habe, dann passiert was. Ich habe geweint: »Macht mich nur nicht immer wild.« Wenn ich wild wurde, dann biß ich und sog mich fest. Es gibt auch unter den Jungens am Café Kröpcke einige, die gern ›dämpfen‹ und ›Luft abstellen‹. Wir balgten uns manche Stunde lang. Ich bin nur schwer erregbar. In der letzten Zeit wurden es immer mehr. Und ich dachte oft: ›Gott o Gott, wo soll das hin?‹ Ich habe mich mit ganzem Leibe auf die jungen Leute geworfen. Sie waren durch das Herumtreiben und die Ausschweifungen ermattet. Ich habe ihren Adamsapfel durchbissen, zugleich wohl auch mit den Händen gewürgt und gedrosselt. An der Leiche brach ich zusammen. Ich machte mir dann schwarzen Kaffee. Den Toten legte ich auf den Boden und tat ein Tuch übers Gesicht. Dann sieht er einen nicht so an. Ich öffnete die Bauchhöhle mit zwei Schnitten und tat die Eingeweide in einen Eimer. Ich tunkte ein Tuch in das Blut, das sich in der Bauchhöhle gesammelt hatte und tat dies solange, bis alles Blut aufgetunkt war. Dann erst schnitt ich mit drei Schnitten die

Rippen auf nach der Schulter zu, faßte unter die losgetrennten Rippen und drückte solange hoch, bis sie in der Schultergegend knackten. An der Stelle schnitt ich dann durch und tat sie weg. Nun konnte ich Herz, Lunge, Nieren fassen, zerschneiden und in den Eimer tun. Zum Schluß wurden die Beine abgetrennt; dann die Arme. Ich löste das Fleisch von den Knochen und tat es in meine Wachstuchtasche. Das übrige Fleisch kam unters Bett oder in den Verschlag. Um nun alles hinauszubringen, und es ins Klosett oder in die Leine zu werfen, gebrauchte ich fünf oder sechs Gänge. Das Glied schnitt ich ab, nachdem ich Brust und Bauchhöhle gereinigt hatte. Ich zerschnitt es in viele kleine Teile. Ich bin immer mit Grauen an diese Arbeit gegangen und doch war meine Leidenschaft stärker als das Grauen vor der Zerstückelung. Die Köpfe nahm ich zuletzt vor. Mit dem kleinen Küchenmesser schnitt ich die behaarte Kopfhaut ringsherum vom Schädel und zerlegte sie in ganz kleine Streifen und Würfel. Den Schädel legte ich mit der Wangenfläche auf eine Bastmatte und deckte Lumpen darüber, um die Klopftöne abzuschwächen. Ich schlug mit der scharfen Seite eines Beiles, den Schädel immer herumdrehend, die Nähte auseinander. Das Gehirn kam in den Eimer; die kleingeschlagenen Knochen warf ich in die Leine; gegenüber dem Schloß. Oder ich ging in die Eilenriede, dort wo es sumpfig ist, warf die Stücke heimlich vor mich hin und trat sie in den Sumpf. Nur wenn ich eine Leiche sehr eilig beseitigen mußte, kann möglicherweise einmal ein Schädel unzerklopft in das Wasser geraten sein. Die Kleider hab ich verschenkt; das meiste an Grans. Aus Liebe. Anderes verkaufte ich an Frau Engel oder an Frau Wegehenkel. Oder ließ es verkaufen.« – –

Die Anatomen sagen: Es ist möglich, daß Haarmann an jugendlichen Personen durch Druck gegen den Kehlkopf oder durch Biß die über den Kehlkopf und über das obere Ende der Luftröhre verlaufenden Zweige des Vagus und Glossopharyngeus gepreßt und dadurch eine Atem- und Herzlähmung und somit auch Wehrlosigkeit herbeigeführt hat. Daß durch Zusammenpressen der Nervenstämme oberhalb des Kehlkopfs der Mensch leicht wehrlos zu machen ist, gilt als eine Hauptregel des japanischen Jiu-Jitsu. Man hat ihn leider nicht das Experiment an einem Tiere vormachen lassen. Es besteht auch die entfernte Möglichkeit, daß er gelegentlich die Halsschlagader (Carotis) ansog und das warme Blut eintrank, wodurch das Fehlen von Blutflecken erklärt wäre. Es gehörte übrigens auch zu seinen perversen Leidenschaften, das Geschlechtsglied in den Mund zu nehmen und daran zu beißen. Im allgemeinen dürfte er die ermattet Schlafenden erdrosselt haben. Es ist möglich, daß er das Fleisch des einen einem anderen vorgesetzt hat. Obwohl feststeht, daß er, einmal ans Töten gewöhnt, nicht immer nur im Liebesrausch, sondern auch aus anderen Motiven als aus geschlechtlichen getötet hat, so ist doch im allgemeinen richtig, daß er nicht nach Zweck und Nutzen fragte, sondern von Schönheit und Sinnlichkeit getrieben wurde. Als ihm (seinen zweifellos unwahren Angaben nach) Grans um der Kleider willen den jungen Wittig zuführte, den er seinerseits nicht sinnlich begehrte, soll Grans geäußert haben: »Das kann man doch leichter bei Einem, den man nicht liebt«; – Haarmann sagt belehrend: »Das ist nicht richtig. Man macht das leichter, wenn man liebt.« Haarmann lügt, wo er Grans belastet. Aber er war vielleicht nicht nur Schauspieler, als er vor Gericht seine Angstqual herausschrie: »Ich habe Tage, wo jeder Vagabund mich zu jeder Schlechtigkeit leicht bringen kann. Ich sagte nach dem Töten oft: Steckten sie mich doch nur in ein Militärasyl. Aber nur nicht unter Irre. Nur das nicht. Hätte Grans mich geliebt, so hätte er mich auch retten können. Ach, glauben Sie, ich bin gesund. Ich habe nur zuweilen meine Tour. Es ist kein Vergnügen, einen Menschen zu töten. Ich will geköpft werden. Das ist ein Augenblick, dann hab ich Ruh.«

27 Mordfälle

1. Friedel Rothe, geboren 17. Juli 1901, verschwand 25. September 1918

Es war 1918 in der Elendszeit, wo wir Deutschen nichts zu essen hatten. Der Gastwirt und Hausbesitzer Oswald Rothe stand im Felde. Seine allzu gute Frau konnte mit dem wilden Friedel allein schlecht fertig werden. Friedel sollte das Einjährigen-

Examen machen, aber bummelte, rauchte, naschte. Er verkaufte, um Geld zu haben, heimlich Vaters Zivilkleider. Als der Junge »am Sonnabend vor Markt Wichse besah«, lief er fort, wurde zwar am gleichen Tage noch gesehen, wie er Bucheckern suchte in der Eilenriede. Aber erst nach zwei Tagen erhielt die geängstigte Mutter eine Postkarte folgenden Inhalts: »Liebe Mutter, bin nun schon zwei Tage fort, komme aber erst dann nach Haus, wenn Du wieder gut bist. Herzlichen Gruß. Dein Sohn Fritz.« Am selben Tage kam der Vater aus dem Felde. Beide Eltern stellten sofort die eingehendsten Ermittelungen an. Aber der Sohn, ihr einziges Kind, blieb verschwunden. Nun war aber aus den Freunden des Siebzehnjährigen allmählich allerlei herauszuholen. Da war der vierzehnjährige Paul Montag, ein auffallend hübscher, jüdischer Junge mit stahlblauen Augen; da waren ferner die älteren Freunde Hellmut Göde und Hans Bohne. Diese Freunde des Verschwundenen gestanden, daß sie im Café einen »feinen Herrn« kennen gelernt hatten, einen Kriminalbeamten, der sie beschenkt, in den Wald geführt und – verführt hatte. Friedel war diesem »feinen Herrn« besonders nahe gekommen. Er hatte seinen Freunden anvertraut: »Ich bin schon in seiner Wohnung gewesen; da amüsieren wir uns und rauchen.« Ein andermal: »Gestern wollt ich in seine Wohnung, da lag er mit einer Frau im Bett. Er rief heraus: Kann Dir nicht aufmachen; habe Damenbesuch.« – Als die Polizei nun nichts herausbekam, beschließen Göde und Bohne, auf eigene Faust nachzuspüren, und es gelang ihnen denn auch, die Wohnung des Unbekannten (Cellerstraße 27) aufzustöbern. Die Eltern machten Anzeige und der Kriminal Brauns bekam den Auftrag, bei dem »feinen Herrn« nach dem Verschwundenen zu forschen. Der Kriminal Brauns überraschte Haarmann nachts und fand ihn in der Tat mit einem schlanken großen Jungen (auch einem Schulfreund des Friedel) nackend im Bette. Der Junge mußte sich anziehen und wurde gefesselt abgeführt. Auch Haarmann wurde abgeführt. Er bekam 9 Monate Gefängnis wegen Verführung der Knaben. Ein Mord war nicht nachzuweisen. Eine genaue Haussuchung wurde freilich nicht vorgenommen. Kriminal Brauns (typischer »Beamter«, energiedampfend, in strengem Obrigkeitston) gibt dafür folgende Begründung: »Ich hatte dazu keinen Auftrag.« Fünf Jahre später, als die große Mordepidemie einsetzte, kam die Polizei auf den Fall zurück. Und nun gestand Haarmann: »Damals, als der Kriminalbeamte uns verhaftete, steckte der Kopf des ermordeten Knaben unter Zeitungspapier hinterm Ofen. Ich habe ihn später im Stöckener Friedhof verscharrt.«

2. Fritz Franke, der Berliner, geboren 31. Oktober 1906, verschwand 12. Februar 1923

Fünf Jahre vergingen. Während ihrer soll (angeblich) keiner getötet worden sein. (Den Mord an dem jungen Schüler Koch I [er hat drei Kochs getötet] hat man nicht mit auf die Anklageliste gesetzt.) Bei der Kriminalpolizei am Waterlooplatz erscheinen zwei Dirnen aus der Altstadt. Es sind Haarmanns Freundinnen: Elli Schulz, ein dickes, rosiges Schweinchen und Dörchen Mrutzek, eine dünne, lange Stange (die Geliebten des Grans). Sie erzählen eine konfuse Geschichte und bringen zwei Stücke Fleisch mit der Anfrage, ob das wohl Menschenfleisch sein könne. Dörchen berichtet etwa dies: »Vor zwei Tagen haben Elli und ich einen hübschen jungen Mann bei Herrn Haarmann in der Neuen Straße kennen gelernt. Er kam aus Berlin und konnte schön Klavier spielen. Wir waren alle bei Haarmann. Auch ein Herr Hans Grans war dabei. Da sagt Haarmann: ›Geht man wieder weg. Ich kriege Besuch. Herr Kriminalkommissar Olfermann kommt. Wir haben wichtige Konferenz.‹ Da gingen Grans, Elli und ich hinüber ins ›Schützenheim‹. Da machte der junge Mann aus Berlin Musik. Elli und ich tanzten danach mit Herrn Grans. Als wir dann wieder nach Hause wollen und den jungen Mann bis zu Haarmanns Wohnung begleiten, sagt Herr Grans Elli ins Ohr (in Beziehung auf den fremden jungen Mann): ›Du, der wird heute getrampelt!‹ Daran haben wir uns später wieder erinnert. Dann am anderen Morgen geh ich wie gewöhnlich zu Haarmanns Wohnung, Neue Straße 8, das Zimmer reinigen. Haarmann öffnet. Der hübsche, dunkelblonde junge Mann liegt im Bett mit halbentblößtem Oberkörper. Ganz weiß. Ich, zu Tode erschrocken, trete herzu und frage: ›Was isser mit?‹ Haarmann, den jungen Mann zudekkend, flüstert: ›Pst, er will schlafen. Geh raus. Komm nachmittags, das Zimmer aufnehmen.‹ Ich gehe also wieder und sage noch zu Elli: ›Da is was nich richtig.‹ Nachmittags geh ich denn wieder zu Haarmann. Da hat er sich eingeschlossen und ruft durch die Ritze: ›Jetzt bin ich beschäftigt, komm abends, gegen sieben.‹ Als ich am Abend komme, stehn alle Fenster weit offen. Das Zimmer hat er schon aufgescheuert und reingemacht. Haarmann, in Hemdsärmeln, ist sehr aufgeregt. Er schwitzt und fragt mich: ›Dörchen, riecht es hier woll schlecht?‹ Ich sehe: Auf dem Bette liegen die Kleider von dem Berliner. Ich schreie laut los: ›Was is mit dem Berliner?‹ Haarmann sagt ruhig: ›Der hat nach Hamburg weitergemacht. Er wollte andere Montur haben. Hat woll was ausgefressen. Ich hab sie ihm umgetauscht und noch was zuzahlen müssen.‹ Dann kamen auch Herr Grans und Elli. Elli und ich waren sehr mißtrauisch und fragten immer wieder: ›Was is mit dem Berliner?‹ Haarmann lachte uns aus, und Grans beruhigte uns. Zwei Tage später machten Elli und ich Haarmanns Zimmer rein. Haarmann ward gerade von Wegehenkel abberufen. Da benutzten wir die Gelegenheit und durchwühlten alle Schubladen. In der Schublade des Tisches lag die Zigarrenspitze und die Brieftasche des Berliners. Wir erbrachen auch die Butzenklappe unter der Treppe. Da fanden wir eine blutige Schürze und einen ganz großen Topf voller Fleischstücke. (Er gehört Frau Wegehenkel. Er faßt 25 Liter.) Wir versteckten zwei Stücke, ganz voller Haare. Hier sind sie.« Dörchen und Ellie gerieten nun aber zufällig an denselben Kriminalkommissar Müller, welcher den Haarmann als Spitzel beschäftigte. Der hörte sie ungläubig an und führte sie dann zum Gerichtsarzt Alex Schackwitz. Dieser unterließ es (leider), das Fleisch zu mikroskopieren. Fröhlich lachend hielt er es an die Nase und sagte: »Riechen kann ich es heute nicht, denn ich habe den Schnupfen. Aber das sieht ja ein Blinder: Es sind Schweineschwarten.« Man ließ nun bei Haarmann eine Haussuchung halten; fand aber nichts Verdächtiges. – – Wie aber war die Wirklichkeit gewesen? Der 18jährige Sohn des Gastwirts Franke in der Markgrafenstraße in Berlin, eines braven, stillen Mannes, war ein blitzsauberes Flitchenjuchhe und hatte mit seinem Freunde Paul Schmidt, einem störrischen Burschen von 16 Jahren, »Sachen von zu Hause« im Bahnhof Friedrichstraße verkauft. Mit dem Erlös waren die beiden Tunichtgute nach Hannover gefahren. Dort hatte Haarmann beim Revidieren der Wartesäle morgens gegen sechs sie »sistiert«, hatte den minder hübschen mit etwas Geld in die »Herberge zur Heimat« geschickt und den anderen mit sich nach Hause genommen. Als der junge Schmidt den vermeintlichen Kriminalbeamten endlich nach drei Tagen wieder nachts auf dem Bahnhof traf, versicherte dieser, der andere sei weitergefahren nach Hamburg. Das hinterlassene Zeug hat Grans geschenkt erhalten. Die beiden Dirnen aber hatten recht gesehen. – Haarmann gibt an, daß Grans unversehens dazugekommen sei, als die Leiche im Zimmer lag. Er habe Haarmann ganz erschrocken und bleich angestarrt, habe aber kein Wort gesagt, sondern sich umgekehrt und gefragt: »Um welche Zeit soll ich wiederkommen?« –

3. Wilhelm Schulze aus Colshorn, geb. 31. August 1906, verschwand 20. März 1923

Wilhelm Schulze, Schreiberlehrling, ein frühfertiger abenteuerlustiger Junge, 16½ Jahre alt, Sohn des inzwischen verstorbenen Eisenbahntischlers Otto Schulze und seiner nun in Lehrte wohnenden kreuzbraven, schlichten Ehefrau, fuhr in die Stadt zur Arbeit und kam eines Tages nicht wieder. Leichenreste sind nicht ermittelt. Die Kleider fanden sich bei der Engel. Haarmann hatte den Jungen auf dem Bahnhof abgefangen und mit sich genommen.

4. Roland Huch, geb. 7. August 1907, verschwand 23. Mai 1923

Der Schüler des Bismarckgymnasiums Roland Huch, einziger Sohn der Eheleute Apotheker Huch, Arnswaldtstraße 32, 15½ Jahre alt, dunkelblond, groß, kräftig, trotz eben durchgemachter schwerer Rippenfellentzündung froh und frisch, hatte einen großen Schwarm für Marine und wollte durchaus zur See. Eines

Abends, als die Eltern im Konzert in der Stadthalle waren, packte der Junge seine besten Sachen in einen Fibrekoffer, nahm sich Geld, verabschiedete sich von Alwin Richter, seinem liebsten Freunde: »Du Alwin, grüße die Eltern. Ich verreise.« Die entsetzten Eltern eilen, als sie hören, daß der Sohn fort ist, sofort zur Bahnhofswache. Der Vorstand der Kriminalwache, Kommissar von Lonski, schnauzt sie an: »Ich kann doch nicht wegen eines fortgelaufenen Jungen den ganzen Apparat in Bewegung setzen.« Dieses Mal handelt es sich um eine gute Familie. Das Gericht gestattet, was sonst (gemäß § 263) streng gemieden wird, die Polizei zur Vernehmung herein zu ziehen. Es kam heraus, daß nicht nur der Polizeiapparat versagt hatte, nein, der unglückliche Vater hatte auch nicht an die Bahnpolizei in Bremen und Hamburg telephonieren können. Er hatte um einen Beamten gebeten, um mit dessen Hilfe in den Slums der Altstadt nachzuforschen. Da war er aber beschieden worden: »Das ist nicht unser Ressort.« Ja, die Vermißtenmeldung ist nicht einmal weitergegeben worden. – Dieses Mal verkaufte Haarmann das Zeug des Knaben durch die Wegehenkel an eine dunkle Mutter Bormann, die es weiter verkaufte an Alex, den Bademeister in Schraders Schwimmanstalt. Der brachte die Sachen ein Jahr später wieder zum Vorschein (sogar die Knöpfe trugen noch die Firma von Schneider Brüggemann) – die einzige Hinterlassenschaft des jungen Roland, der sich in den großen Wald der Welt hinaussehnte und einem Wolf in den Rachen lief.

5. Hans Sonnenfeld, geb. 1. Juni 1904,
verschwand Ende Mai 1923

Hans, der 19 Jahre alte Sohn des Kaufmanns Johann Sonnenfeld in Hannover, wurde seit Ende Mai 1923 vermißt. Er hatte zuletzt in der Fabrik Sichel in Limmer gearbeitet, war dann auf dem Bahnhof in schlechte Gesellschaft geraten, hatte sich eine Geschlechtskrankheit zugezogen und bummelte nun. Nach einem Krach zu Hause wurde ihm der Hausschlüssel genommen. In Wut darüber ging er davon. Er kam nicht wieder. Nur der vierzehnjährigen Schwester Grete hatte er anvertraut: »Ich habe einen Freund, dessen Braut ich bin.« Alle Nachforschungen waren erfolglos. Erst ein Jahr später, als die anderen Haarmannschen Morde aufgedeckt wurden, kam ein Bekannter des Verschwundenen namens Grote (auch einer aus der jungen Bahnhofsräuberbande, die im Bahnhofsvestibül, beim Schützenfest, auf der Insel usw. herumstrolchten), zu den Eltern und erzählte ihnen: »Zuletzt hab ich Hans mit Heinz Mohr gesehen. Sie hatten einen Teppich nach Berlin verschoben.« Wer aber ist Heinz Mohr? Unter einem ganzen Humpel von jugendlichen Strolchen, Pennbrüdern, Fürsorgezöglingen, Pupenjungen, welche alle den Verschwundenen gut kannten, erscheint nun: Heinz Mohr, eine der psychologisch merkwürdigsten Figuren dieses Kriminaldramas. Ein baumlanger, spirriger, hektischer, ganz schlaffer, kompliziert brüchiger, aber zweifellos sehr verfeinerter Mensch steht mit schambrennendem Antlitz vor Gericht und gesteht, daß er die hinterlassene »Geliebte« des Verschwundenen gewesen ist, daß sie zusammen manche Gaunerfahrt gemacht haben, daß aber zuletzt nach der Rückkehr von einer Gaunerreise Hans plötzlich verschwunden sei; jedoch einige Wochen später, da habe er den Mantel des Verschwundenen, einen Schlüpfer (Ulster), wiedergesehen: an Haarmanns Leibe. Eine ganze Reihe anderer junger Leute, dazu auch Grans, ebenso die beiden Dirnchen, das schöne Dörchen und die nette Elli, ebenso Haarmanns Hehlerinnen Engel und Wegehenkel und sogar der Freund und Kompagnon Sr. Ehrwürden Herr Olfermann, alles beschwört übereinstimmend: »Ja, Haarmann, der vor Sonnenfelds Verschwinden einen schwarzen Mantel trug, trug einige Wochen nach Sonnenfelds Verschwinden einen gelben Schlüpfer mit Fischgräten-Muster und stark paspeliertem Futter.« – Aber es ist merkwürdig: Haarmann, der sonst jeden Mord zugibt, wehrt sich gerade in diesem Falle verzweifelt und verwickelt sich dabei in schwere Widersprüche. Zuerst gab er an, den Schlüpfer von Sonnenfeld (der im ganzen Insel-Viertel allen bekannt war) gekauft zu haben. Später leugnet er überhaupt ab, einen solchen Schlüpfer besessen zu haben. Merkwürdig ist auch dieses: Auch der vom Sportverein gespendete Schlips des Sonnenfeld, auch das von der Mutter selber gestickte Taschentuch und auch der Wollschal des Verschwundenen fanden sich an bei Grans, bei der Wegehenkel, und bei der Engel und so tauchte (da Haarmann gerade diesen Fall abstreitet) sogar der Verdacht auf, daß der ganze Menschenknäuel um Haarmann herum von dem Verschwinden des ihnen allen bekannten Sonnenfeld wissen könne. Besonders dreht sich nun alles um den ominösen »Schlüpfer«, aus welchem diese Leute alle ihren Entschlüpfer zu machen bemüht sind. Die größte Verwickelung aber schafft dieses: Hans Grans tritt mit der Behauptung hervor: »Den Schlüpfer, welchen Haarmann trug, hab ich selbst für ihn verkauft. Für 20 Mark an ›Gravörwilli‹.« – Gravörwilli, ein dunkler Ehrenmann, wird geholt und bestätigt Grans' Aussagen, aber gibt an, daß der Schlüpfer vernichtet sei, indem er ihn seiner Frau, der Sophie geschenkt habe, die ihn zu Scheuertüchern verschnitt. Statt sofortige Haussuchung bei Sophie anzuordnen, läßt das Gericht Gravörwillis Sophie holen, die unter Eid versichert, daß Haarmanns, durch Grans verkaufter Schlüpfer nicht mehr da sei. Aber nun hat man ja in der Tat einen ebensolchen Schlüpfer unter den von der Kleiderhexe Engel verschleppten Sachen gefunden. Er liegt auf dem Gerichtstisch! Ist er es oder ist er es nicht? Die Fäden werden immer verwirrter, bis das in Rechts- und Unrechtsgeschäften bestbewanderte Mitglied des Gerichtshofes der Angeklagte Grans bescheiden vorschlägt: »Man kann ja doch den Schneider holen, der nach Angabe der Eltern den Sonnenfeldschen Schlüpfer gemacht hat.« Nach fünf Minuten ist denn auch der ganz in der Nähe wohnende Schneider geholt und stellt fest, daß der auf dem Gerichtstisch liegende Schlüpfer in der Tat der Sonnenfeldsche ist. – Aber was war nun das für ein Schlüpfer, den Grans für Haarmann an Gravörwilli verkaufte und Sophie zu Wischtüchern zerschnitt? Wenn die Nachwelt das nicht erfährt, so liegt es wohl hauptsächlich daran, daß das Schwurgericht Hannover die Anfangsgründe der Kriminalpsychologie vernachlässigte. – Ein Zeuge hat einen Kleiderstoff wiedererkannt und benennt einen zweiten Zeugen, welcher ihn ebenfalls wiedererkennen werde. Man schickt sofort im Auto den ersten Zeugen fort, um den zweiten zu holen, womit natürlich das Zeugnis des zweiten a priori wertlos geworden ist. Man legt, wenn es gilt einen Stoff wiederzuerkennen, nicht etwa drei oder fünf Kleiderstoffe dem Zeugen vor und fragt: »Welcher ist es? sondern man hält ihm das Objekt unter die Augen und fragt: »Ist es dieser?« Dank solcher Fehler wurde gerade dieser Fall so verwirrt, daß der Mord an Sonnenfeld (vielleicht der letzte im Hause Neue Straße 8; vielleicht gar ein nicht von Haarmann allein verübter Mord) völlig unaufgeklärt blieb.

6. Ernst Ehrenberg, geboren 30. September 1909, verschwand 25. Juni 1923

Der kleine Ernst Ehrenberg, 13 Jahre alt, war ein ganz armes Kind, Sohn eines braven Schusters, der Haarmanns Nachbar war. An einem Junimorgen wurde der Knabe zu einem Kunden geschickt mit ausgebesserten Schuhen, lieferte sie ab, aber kam nicht zurück. Vier Tage später begannen die Schulferien. Es sollte an diesem Tage die Jugendabteilung des »Christlichen Vereins junger Männer« eine Ferienfahrt machen. Auch Ernst und seine zwei Brüder Hans und Walter durften mitwandern. Als Hans und Walter und der vierte Bruder Kurt (der statt des fortgebliebenen Ernst nun mitdurfte) in das Christliche Vereinshaus kommen, sitzt dort der Bruder Ernst im Vorflur auf der Fensterbank, trägt einen leeren Rucksack und erzählt: »Ich bin in Meinersen bei Tante Wiesinger gewesen. Habe für Mutter eine Kiepe Holz gesammelt.« Als die drei Brüder sagen: »Mutter sucht dich. Sie wird gleich hierher kommen«, da erwidert Ernst ängstlich: »Ne, ich mache lieber fort.« Der jüngste Bruder begleitet ihn noch ein Stückchen zum Bahnhof und kehrt dann zur Mutter zurück. Die Mutter, in Unruhe versetzt, eilt zum Bahnhof. Das Kind ist verschwunden. Erst ein ganzes Jahr später kommt Licht in die Sache. Und zwar dank der grünen Schulmütze des Kindes! Kleine Knaben spielen in der Nähe von Haarmanns Haus. Einem der Kleinen schenkt der »feine Herr« im Vorübergehen eine grüne Schülermütze. »Will einer die Kappe? Ich habe sie einem frechen Buben beim Fußballspiel fortgenommen.« Der arme kleine Willi Liebetreu, ein Kuhjunge, bekommt die Mütze. Alle im Viertel kennen den »Herrn Kriminal«. Als seine vielen Mordtaten aufgedeckt sind, bringt der elfjährige Knirps die grüne Mütze zur Polizei, und nun findet man bei Haarmann auch die von Vater Ehrenberg selbst genähten Hosenträger. Wie war es gewesen? Der junge Ehrenberg hatte das Geld für die fortgebrachten Stiefel damals verloren oder vernascht. Er wagte aus Angst vor Strafe sich nicht nach Hause, sondern ging zur Tante nach Meinersen. Schlich dann aber sehnsüchtig, als der Ferienausflug kam, zu seinen drei Brüdern ins »Christliche Vereinshaus«. Aber lief wieder angstvoll zum Bahnhof, als er hörte, daß die erzürnte Mutter ihn suche. Er lief dort dem Nachbar Haarmann in die Arme. Der nahm ihn mit nach Hause und tötete ihn.

7. Heinrich Struß aus Egestorf, geb. 23. Juli 1905, verschwand 24. August 1923

Heinrich Struß, 18 Jahre alt, Sohn eines Zimmermanns in Egestorf, war in der Stadt in Stellung und wohnte bei seiner Tante Schaper in Leinhausen, von wo er jeden Morgen mit der Eisenbahn zur Arbeitsstelle fuhr. Er kam regelmäßig um 6 Uhr aus Hannover zurück und war noch nie eine Nacht fortgeblieben. Eines Donnerstags aber im August kam er nicht von der Arbeit heim. Der Vater in Egestorf, von der Tante sofort benachrichtigt, fährt folgenden Morgens in die Stadt, um bei der Versicherungsfirma, bei der der Sohn als Bürogehilfe arbeitet, sich zu erkundigen. Die Antwort lautet: »Der ist schon mehrere Tage nicht zur Arbeit gekommen.« Man vermutet: »Er muß in schlechte Gesellschaft geraten sein.« Oder: »Er hat sich anwerben lassen ins Ausland.« Die Polizei findet keine Spur. Zuletzt war der Knabe gesehen worden mit einer jungen Freundin im Kino. Erst ein Jahr später, als die bei Haarmann und in Haarmanns Kreis beschlagnahmten Sachen auf dem Polizeipräsidium ausgestellt werden, finden die Eltern darunter die grünen Stutzen mit brauner Kante, von der Mutter gestrickt, den Selbstbinder und sogar den Schlüsselbund des Vermißten, womit zu Hause aufgeschlossen werden: sein Koffer, sein Schrank und sein verwaister Geigenkasten.

8. Paul Bronischewski aus Bochum, geb. 14. August 1906, verschwand 24. September 1923

Frau Ottilie Richter aus Bochum, eine abgehärmte, bleiche, gebrochene Frau kommt, um anzuklagen. Ihr Sohn aus erster Ehe, ein vollkommen solider Junge, noch völlig unschuldig, ein armer Dreherlehrling, fuhr an seinem 17. Geburtstage nach Garz an der Havel, Bezirk Magdeburg, zu seinem Onkel, dem Steuermann Schwarz. Er war dort willig, gefällig, arbeitsam. Erschien aber gedrückt und ließ erkennen, daß er nicht gern nach Bochum (das damals von den Franzosen besetzt war), zurückfahre, weil er keinen ordnungsgemäßen Paß habe. Am 24. September ging er von Garz nach der 11 km entfernten Kleinbahnstation Wulkau, um von dort nach der Reichsbahnstation Schönhausen a. E. und dann nach Bochum zurückzufahren. Er hatte aber wohl nicht genug Geld bei sich. Er ist nicht angekommen. Alle Nachforschungen waren vergebens. Als ein Jahr später die Morde Haarmanns aufkamen, und die bei ihm gefundenen Sachen ausgestellt wurden, fuhren Pauls Mutter und Onkel nach Hannover und da fanden sie einwandfrei seinen Tornister, seine Wanderhose, seine Sportjacke aus grauem Cord, seine Stutzen, von der Mutter gestrickt; sogar noch in Haarmanns Zimmer ein Handtuch, das die Mutter genäht hatte. – Paul war in Hannover ausgestiegen, auf dem Bahnhof unter dem üblichen Versprechen von Nachtlogis und Beschaffung von Arbeit, mitgenommen und getötet worden.

9. Richard Gräf, geb. 13. Februar 1906, verschwand Ende September 1923

In die gräßliche Folge von Schreckensbildern kommt nun etwas Holdes und Liebliches. Fünf arme Kinder, drei Brüder, zwei Schwestern bleiben elternlos zurück. Die Mutter geht mit einem Geliebten auf und davon nach Amerika. Der Vater, Gelegenheitsarbeiter, kränklich und arbeitslos, kann die Kinder nicht ernähren. Er findet Arbeit in Eisenach, bleibt aber so arm, daß er nicht einmal imstande ist, nach Hannover zu fahren, um unter den Leichenteilen die seines verschwundenen Sohnes vielleicht zu agnoszieren. Die ganze Last der Ernährung der vier jüngeren Geschwister liegt auf dem ältesten Bruder Otto, und der ist doch erst 20 Jahre alt. Aber Gott sei Dank: er hat ein junges Mädchen gefunden, das ihm hilft. Und dieses junge Mädchen und ihre wackeren Eltern, sowie eine Nachbarin Frau Hoffmann, geb. Brause, vertreten Elternstelle an den verwahrlosten Kindern. Vor das Gericht tritt, schlicht und würdig, eine liebe, blonde, gute hannoversche junge Frau. Sie trägt ein Kind unterm Herzen. Sie ist zwanzig Jahre alt und hat täglich elf Arbeitsstunden. Sie heißt Anna Wiedehaus. Und dies junge, zarte Ding ward die Mutter für fünf arme Kinder, deren leibliche Eltern auf und davon gingen. Der zweite Bruder, Richard, 17 Jahre alt, hatte eine große Sehnsucht: »Ich will nach Amerika. Zu Mama.« Eines Septembertages ging er auf und davon, in die Welt hinaus. Nach zwei Wochen kommt er zurück. Er konnte ohne Paß und Geldmittel nicht aus Deutschland herauskommen. Seine Sachen sind ihm gestohlen. Er ist ausgehungert und übermüdet. Anna gibt ihm Essen. Er erzählt flackernd: »Ich habe auf dem Bahnhof einen feinen Herrn kennengelernt. Er weiß für mich eine gute Stelle auf dem Lande. Ich muß gleich wieder hin; er will mit mir sprechen; verdiene ich genug Geld, dann komme ich doch noch zu Mama.« Er begrüßt noch schnell die Tante Hoffmann und seinen Gönner, Kaufmann Dickhaut, stürzt dann zum Bahnhof und kommt nie wieder. Die Nachforschung wird lässig betrieben, denn man sagte sich: »Er ist vielleicht doch nach Amerika.« Fast ein Jahr später tauchen die Kleider des Gemordeten auf. Richards Anzug trug der Sohn des Friseurpaars Wegehenkel. Der Bruder Otto sagt: »Ja, das ist Richards brauner Anzug. Ich habe ihn oft aufgebügelt.« – Den Ulster des Knaben hatte die Engel vorsichtig in die Pfandleihe verschleppt.

10. Wilhelm Erdner aus Gehrden, geb. 4. Februar 1907, verschwand 12. Oktober 1923

Der Sohn des Schlossers Wilhelm Erdner in Gehrden, 16 Jahre alt, fuhr jeden Morgen um sechs auf Vaters Rade zur Arbeit in die Maschinenfabrik. Eines Samstags kam er nicht wieder. Der Vater geht schon am nächsten Morgen zu Wilhelms Arbeitskollegen. »Habt Ihr Will gesehen?« »Nein.« Aber am Montag erzählt der 20 Jahre alte Lunghis, ein höchst merkwürdiger Mensch, der sich in Gehrden herumtreibt (Psychopath: kalt, frech, blond – es fehlen ihm beide Arme): »Herr Erdner, ich weiß wo Ihr Wilhelm is. Kriminalbeamter Fritz Honnerbrock hat ihn mitgenommen. Honnerbrock verkehrt in der ›Eisbeinecke‹ an der Goethebrücke. Da sind wir mit ihm gut bekannt geworden. Honnerbrock läuft immer mit Wilhelm rum. Gestern hab' ich Herrn Honnerbrock getroffen und nach Wilhelm gefragt. Da sagte er: Ach so, der! Den hab' ich in der Schillerstraße verhaftet und an das Polizeipräsidium abgeliefert. Wilhelm hat wohl was ausgefressen?« Die Eltern forschten nun auf dem Polizeipräsidium nach dem Sohn und nach einem Kriminalbeamten namens »Honnerbrock«. Vergeblich! Doch nach einiger Zeit trifft der Lunghis wieder den vermeintlichen Kriminal Honnerbrock auf der Straße, geht auf ihn zu und erkundigt sich. Der antwortet: »Auf den Fall kann ich mich gar nicht entsinnen. Ich bin jetzt im Dienst. Kommen Sie man heute Abend um 7 Uhr in die ›Eisbeinecke‹. Dann können wir mal darüber sprechen.« Aber abends kam er nicht in die »Eisbeinecke«. Der junge Erdner blieb verschollen. Erst im Sommer des nächsten Jahres stieß man auf dunkle Spur. Ein Fahrradhändler namens Raupers, für dessen Geschäft Olfermann und Haarmann mal als Detektive gearbeitet hatten, hatte durch Haarmanns Vermittlung Mitte Oktober ein Rad gekauft. Das ging so zu: Haarmann erschien am 20. Oktober 1923 im Laden des Raupers. »Raupers, tun Sie mir einen Gefallen. Draußen steht ein junger Mann, arbeitslos, in Not geraten. Kaufen Sie ihm sein Rad ab. Seien Sie nett.« Der Händler ließ sich überreden. Es war ein altes Modell, dunkelblauer Anstrich, ohne Freilauf mit Keiltretlager. Der vermeintlich in Not geratene junge Mann war – Grans. – Der Fahrradhändler arbeitete das Rad um, behielt dabei aber zufällig den Bremshebel aus Aluminiumbronze zurück. Daran erinnerte er sich, als die Mordgeschichten Haarmanns ans Licht kamen, und lieferte diesen alten Bremshebel auf der Polizei ab. Er stammte vom Rade, mit dem damals der junge Erdner zur Arbeit fuhr. Und nun fand sich auch noch dessen feldgraue Hose. Haarmann hatte sie an Frau Stille, die Tochter der Wegehenkel, fortgeschenkt.

11. Hermann Wolf, geboren 9. Juni 1908,
verschwand 24. oder 25. Oktober 1923

Der Sohn des Schlossers Christoph Wolf, Kleine Wallstraße, etwas vernachlässigt, arbeitslos, schlecht gehalten, geht mit dem älteren Bruder zum »Arbeitsnachweis«; hinterher treiben sie sich auf dem Bahnhof herum. Der Jüngere sagt: »Karl, warte; ich will mal austreten, ich komme wieder.« Der Ältere wartet, aber Hermann kommt nicht zurück. Erst sechs Tage nach dem Verschwinden, wird die Vermißtenanzeige erstattet. Der Vater gibt an, daß der Junge geäußert habe: »Ich habe mit einem Kriminal am Bahnhof gesprochen. Ich hab en verdächtiges Gespräch gehört. Er hat gesagt: Ich soll auf die Polizei kommen; dort kriegt' ich Belohnung.« Acht Monate später, als die Morde herausgekommen sind, erkennt die Mutter auf der Polizei unter 400 Asservaten die Stoffreste von ihrem Sohn und kann an einer vom Vater genähten Westenschnalle beweisen, daß das Zeug von ihrem Sohne stammt; die Stoffreste aber waren von der Wegehenkel eingeliefert, die sie mit einer inzwischen verkauften Hose von Haarmann als »Flickreste« geschenkt erhalten hatte. Die Eltern rasen gegen Polizei und Mörder. Der Vater ist manisch, rabiat, bedrohlich. Wahrscheinlich ist das der Grund, weswegen Haarmann feige und verängstigt, grade diesen Fall zäh abstreitet, indem er besonders anführt, daß er an seinem Geburtstage (24. Oktober) keinen umgebracht haben könne, weil er an diesem Tage sich in den Gastwirtschaften der Altstadt betrunken habe. Seine Taten aber seien immer in nüchternem Zustand begangen. Alkohol lähme den Geschlechtstrieb. Zu den Eltern redet er so: »Ich hatte meinen Geschmack. Einen so häßlichen Jungen wie nach dem Bilde Eurer einer ist, hätte ich nie genommen. Ihr sagt, daß Euer Junge nicht mal ein Hemd anhatte. Und die Hosen waren mit Bindfäden an sein Bein gebunden. Pfui Deibel! Schämt Euch, daß Ihr den Jungen so lodderig laufen laßt. Stoffreste wie Eure da gibt es viele. Bildet Euch man nichts ein. Euer Junge war mir lange nicht gut genug.« – Dieser Fall mußte mit Freisprechung enden.

12. Heinz Brinkmann aus Clausthal, geb. 20. Oktober 1910, verschwand am 27. Oktober 1923

Der 13jährige Heinz, Sohn der Witwe Frieda Brinkmann in Clausthal am Harz, soll an einem Ferientage Richard besuchen, seinen Bruder, der als Füsilier in der Reichswehr dient; in der Bultkaserne in Hannover. Von da will er noch ein paar Tage zu Tante Emma in Uelzen. Die sorgliche Mutter begleitet den Jungen ein Stück bis zum Bahnhof. 1 Uhr 59 geht der Zug ab vom Bahnhof Frankenscharrerhütte. Nachmittags 6½ ist er in Hannover. Der Junge kommt aber nicht an. Die arme Mutter begnügt sich nicht mit der Vermißtenanzeige (»Wenn Sie was hören, dann geben Sie uns Bescheid«), sondern wendet sich sofort an ein Detektivbüro. Man kann feststellen, daß der Knabe den Zug 1.59 nicht mehr erreichte, sondern vom Bahnhof Lautenthal abgefahren ist mit dem Zuge um 5, der gegen 11 in Hannover eintrifft. Wo er dann aber übernachtet hat, läßt sich nicht feststellen. Monate nachher kommt folgende Spur: Ein Herr aus Bremerhaven, Hermann Otto, der in der »Jugendfürsorge« tätig ist, hat eines Abends im Oktober 1923 zwischen 11 und 12 Uhr nachts auf dem Hauptbahnhof in Hannover eine Beobachtung gemacht, die ihm im Gedächtnis blieb. In der Vorhalle stand ein 14jähriger schlanker Knabe mit starkknochigem mageren Gesicht, bekleidet mit einem braunen Manchesteranzug, leerem Rucksack unterm Arm, den Hut in der Hand; noch ein älterer Mensch stand dabei und ein kräftiger, gut gekleideter Herr sprach lebhaft auf die beiden ein. Diesen Herrn aber hatte Otto, der auf der Durchreise nachts häufig in Hannover auf dem Bahnhof Aufenthalt hatte, schon früher im Wartesaal bemerkt. Er hatte sich nämlich verwundert, daß keiner ohne Fahrkarte nachts die Wartesäle betreten durfte, daß aber dieser Herr beständig ein- und ausging und alle jungen Leute zwischen 16 und 20 ansprach. Auf die Anfrage bei einem Bahnbeamten, ob der Herr wohl auch von der Jugendfürsorge sei, bekam er die Antwort: »Nein, das ist ein Kriminalbeamter.« –

Es war Haarmann. Als acht Monate nach Verschwinden des kleinen Heinz die Morde ruchbar wurden, und alle gefundenen Kleider ausgestellt wurden, fuhren Mutter und Tante nach Hannover und finden auf der Kriminalpolizei den Manchesteranzug, Rucksack und die Unterkleidung des Kindes. – »Ich erkannte gleich die Hose. Richard hat sie zuerst getragen und einen kleinen Tintenklecks hineingemacht. Die alte Frau Dieckmann, die auch bei uns auf der Zipfel wohnt, hat das grüne Futter eingesetzt und ich gab mein altes Inlett dazu.« – Wieder stammt die Hose aus dem reichen Kleiderbefund der Madam Wegehenkel. Ihr eigener kleiner Rudi trug die Hose, aber als die Sache anfing brenzlich zu werden, hat sie den Anzug an einen Lithographen verschenkt, der ihn zur Polizei brachte. Der Knabe war zu spät in Hannover angekommen, um seinen Bruder noch den selben Abend aufsuchen zu können. Er blieb auf dem Bahnhof. Haarmann revidierte; versprach Unterkunft für die Nacht und hat ihn getötet.

13. Adolf Hannappel aus Düsseldorf, geb. 28. April 1908, verschwand am Martinstag 1923

Dem Zimmermann Jakob Hannappel und seiner Frau Marie, guter anständiger Menschenschlag, schickte ihr 17jähriger Junge zum Martinstag ein Paket mit Kuchen, Blumen und Würsten. Er war ein treuer, anhänglicher Mensch, dem die Lehrer und sein Lehrherr das beste Zeugnis ausstellten. Anfang 1923 erkrankte der junge Düsseldorfer Zimmergesell an einer Bauchfelltuberkulose. Aus dem Krankenhause schickte man ihn zur Erholung nach der Heilstätte Watersloh im Lippischen. Als er im September endlich als geheilt entlassen wurde, riet man ihm: »Zimmergesell ist zu schwer. Bleib auf dem Lande. Ergreif einen leichteren Beruf.« Und so trat Adolf im Oktober 1923 in die Lehre bei dem Oberschweizer Rudolf Dehne, einem derben, etwas stumpfen Mann, in Linsborn bei Lippstadt. Das Gut und die Milchwirtschaft gehörten der Witwe Sürmann. Witwe Sürmann sagte: »Hannappel is e lieve Jong. Aver er het e Pischtole. So wat hevve de Kommeniste.« Und der Oberschweizer sagte: »Fru, hei fret to vele. Der Jung is noch in

Wassen. Hei fret mek bale arm.« – So kam man denn überein, sich friedlich-schiedlich zu trennen. Hannappel sollte nach Hannover und sollte dort im »Schweizerbüro« von Wenger in der Ballhofstraße eine gute Stellung erfragen. Bekam er keine, so konnte er weiter zu seinem Onkel, der in Hamburg wohnt. Am 10. November, am Martinstage, verkaufte Hannappel seine Pistole und mit dem erlösten Gelde fuhr er ab vom Bahnhof Bennighausen nach Hannover. Aber von nun ab hörte keiner mehr was von ihm. Das Wurstpaket an die Eltern »zum Martinstage« blieb sein letzter Gruß. Und doch meldeten sich, als man nach dem Verschwundenen zu forschen begann, eine ganze Reihe Personen, die ihn in der Nacht des 10. November in Hannover auf dem Bahnhof im Wartesaal dritter Klasse gesehen hatten. Denn solch ein kernfester, kreuzbraver junger deutscher Handwerksbursche vergißt sich nicht so leicht. Er saß da bescheiden in einer Ecke auf seiner selbstgezimmerten großen Reisetruhe und trug eine schöne neue Breecheshose; auffiel es auch, daß er eine kleine Wasserwage neben sich stehen hatte. Einige haben gesehen, daß Haarmann an Hannappel herantrat und auf ihn einsprach; einige, daß Grans und der junge Hannappel die schwere selbstgezimmerte Reisekiste zusammen zur Gepäckabgabe trugen. Auch dies wurde gesehen, daß Hannappel mit Grans und Haarmann gemeinsam in die Stadt ging; in der Richtung aufs Café Kröpcke. Aber von da ab war nichts weiter festzustellen. Erst im Juli des nächsten Jahres tauchten die Kleider des Vermißten, seine Schnürstiefel aus Boxkalf, seine Hosenträger, sein Sweater und auch seine alte Wasserwage wieder auf in der Freundschaft und Verwandtschaft von Familie Engel. Ein Kriminalbeamter auf dem Bahnhof (o Ironie!) trug den olivgrünen Hut mit dem dunkelgrünen Band (ein Geschenk von seinem Kollegen Haarmann), und Hans Grans trug die neue schöne Breecheshose. Alle hatten in der Küche der Engel etwas von Haarmann billig gekauft oder zum Geschenke erhalten. Der Fall lag einfach, um so mehr, als Haarmann die Tötung eingestand. Aber er wurde zum verwickeltesten unter allen Fällen dadurch, daß Zeugen auftraten, die gesehen haben wollten, wie Grans den Haarmann auf Hannappel aufmerksam machte und zwischen Hannappel und Haarmann eine Bekanntschaft vermittelte. Diesen Umstand griff Haarmann auf, um seinen ehemaligen Geliebten anzuklagen: Grans habe ihm befohlen, den Hannappel zu töten, weil Grans selber die Breecheshose und den Inhalt der Reisekiste besitzen wollte. Ihm habe der junge Mann keine Leidenschaften eingeflößt. Denn er hätte nie auf Kleider gesehen. Aber Grans habe mit Vorwürfen, Drängen und Bitten nicht nachgelassen bis die Tat dann schließlich geschehen sei. Nun erwies sich freilich der Hauptbelastungszeuge für Grans, der Friseur im Zuchthaus zu Hannover, als eine Heuchlertype, die selbst unter der Halunkengalerie dieses Prozesses wohl jedem unvergeßlich bleiben muß. Ein glatter, aaliger, hehliger, eleganter Mensch, Kriegsverletzter mit einer Prothese, kommt auf seinen Stock gestützt und erzählt (moralgeschwollen, trotz endloser Strafliste) von seinen heiklen Beobachtungen im Bahnhof. Er hat Zeitungen gelesen, und so weiß er genau, daß Haarmann unter Grans' »erotischer Hörigkeit« stand. Alles andere hat er sich zusammengeklittert und will gern eine Rolle spielen. Er weiß wie Wittkowski oben auf dem Perron, wie Grans im Vestibül, wie Haarmann in den Wartesälen ein ganzes Mordsystem mit Signalen und Zinken organisiert haben. Er weiß, wie die Knaben von Hans und Hugo ausgesucht und dann dem Haarmann zum Erdrosseln übergeben wurden.

Dazwischen macht er »Schmonzes«: von Reichtum, den er selber besessen, von großen Geschäften, die er einst unternommen hat und versichert: »Ein deutscher Mann, der die Heldenzeit miterlebt und im großen Kriege sein Blut fürs Vaterland geopfert hat, lügt nicht.« Er wird allmählich klar: Mitgetötet oder Opfer »zugeführt« hat Grans wohl nicht. Aber es bleiben doch unaufgeklärt die großen Widersprüche in der Darstellung, welche Haarmann gibt und in der, die Grans gibt. Es konnte immerhin festgestellt werden, daß nicht Haarmann, sondern Grans die Holztruhe des Getöteten (gleich nach der Tötung) vom Bahnhof abgeholt hat und daß Grans viele Sachen sich aneignete. – Die braven Eltern erbitten sich, ehe sie aus dem Gerichtssaal scheiden, einige Kleiderreste zum Andenken, und tief bitter sagt die Mutter im Hinausgehen: »Die Hose kann sich

Grans nehmen; sie ist ja so elegant.« Grans wurde (wehe den Richtern!) zum Tode verurteilt.

14. Adolf Hennies, geboren 10. November 1904, verschwand am 6. Dezember 1923

Es ist nichts von ihm übrig geblieben als sein alter Mantel. Der hatte ursprünglich flache, gelbe Hornköpfe. Sie sind abgetrennt und von ungeübter Hand sind Lederknöpfe an ihre Stelle gesetzt. Diesen Mantel beschlagnahmte man in der Burgstraße, in der Wohnung, die Hans Grans und Hugo Wittkowski teilten und stellte ihn aus auf dem Polizeipräsidium. Eine Reihe von Zeugen haben dort unabhängig von einander den Mantel als den des vor sechs Monaten verschwundenen 19jährigen Handlungsgehilfen Adolf Hennies wiedererkannt. Zunächst seine Mutter, die Witwe Auguste Hennies, geb. Habekost, Perlstraße 3: schwer und dumpf. Sie erkannte Schnitt, Farbe und Ärmelfutter. Sodann der Untermieter bei Frau Hennies, Willi Eisenschmiedt, ein glaubwürdiger, stiller, alter Mann, mit dem Adolf dasselbe Zimmer teilte und in dessen Kleiderschrank lange Adolfs Mantel hing. Auch sein Bruder, ein junger Arbeiter und sein naher Freund Willi Rackebrand erkennen den Mantel. Und endlich auch die Kleiderfirma, bei welcher dieser Mantel auf Abzahlung von Hennies gekauft wurde. Die Einerleiheit ist also gesichert. Wie aber kommt der Mantel in den Besitz von Grans? Grans behauptet, er habe ihn von Haarmann auf Abzahlung gekauft und schulde dem Haarmann noch heute einen Teil des Kaufpreises. Haarmann gibt an: »Eines Nachmittags, es war Schneetreiben und Frost, kamen Wittkowski und Grans zu mir und baten: ›Laß uns zu heut Abend dein Zimmer. Wir haben eine Besprechung.‹ Ich sagte: ›Meinetwegen‹, und ging abends, wie ich immer tat, zum ›Schwulen Kessel‹ (der Zusammenkunftsort der Gleichgeschlechtsliebenden unter den Linden am Hoftheater), blieb dort einige Stunden und ging dann auf den Bahnhof. Erst gegen Morgen komme ich nach Haus. Liegt da im Zimmer ein Toter. Ganz entkleidet. Hugo und Hans schnüren grade Kleider zusammen. Ich frage: ›Was ist das?‹ Sie sagen: ›Einer von den Deinen.‹ Ich denke: ›Er hat am Halse keine Wunde. Die meinen haben Lutschflecke.‹ Sie blieben bei ihrer Behauptung und liefen fort. Nur der Mantel blieb zurück; den hat Grans folgenden Tages auch geholt und mir acht Markt dafür hingelegt. Ich hatte die Mühe, die Leiche zu zerlegen und fortzuschaffen. Ich weiß nicht, wer es war. Aber es war der, dem dieser Mantel dort gehört hat.« – Die Beschuldigung gegen Grans machte Haarmann in größter Steigerung mit tränenerstickter Stimme; am zweiten Verhandlungstage. Vor dem Untersuchungsrichter hatte er angegeben, er habe den Mantel gekauft und später an Grans überlassen; mit der Mahnung: »Ich glaube, der Mantel ist heiß,« weswegen Grans sich gleich andere Knöpfe annähte. – Die Mutter berichtet: »Mein Sohn war streng ehrbar; er ist nie nachts fortgeblieben. Es war das erste Mal, daß er abends nicht nach Hause kam. Er besuchte nur hie und da mit seinem Freund Wedemeyer Tanzlokale, aber das wußten wir stets. Wedemeyern hat er anvertraut, daß er für eine junge Frau schwärme, die er als Laufbursche beim Großschlächter Ahrberg einst bedient hatte; er möchte sie so gern mal ins Kino einladen, wage das aber nicht.« – Hennies war gerade stellenlos und suchte neue Arbeit. An dem Tage seines Verschwindens bewarb er sich um eine Stelle als Seifenreisender bei einem Kaufmann G. in der Alten Celler Heerstraße (da dieser der homosexuellen Sphäre nahe stand, so knüpften sich an seine Seifenfabrik ganze Romane). Es ist kein rechter Anhalt dafür da, daß Hennies den Haarmann näher kannte, doch hat er sowohl seinem Bruder wie seinem Freunde erzählt: »Ich habe einen Kriminalbeamten kennen gelernt, der mir Arbeit nachweisen will und Kleider versprochen hat.« – Es ist anzunehmen, daß Haarmann durch solche Versprechungen den Hennies in seine Wohnung gelockt hat. Aber klar ward das nicht. Daß Haarmann gerade diesen Mordfall auf Hugo und Hans abzuschieben versuchte, erkläre ich mir aus einfachsten Gründen: Der hinterbliebene Mantel war in der Tat ein Streitobjekt der drei. Sie haben sich darum geprügelt und bedroht. Grans und Wittkowski wollten Haarmann das Geld dafür nicht geben; darum knüpfte sich gerade an diesen (dazu gelegenen) Fall die »kompensatorische« Fantasie des Eifersuchtshasses gegen Wittkowski und des Hasses aus verschmähter oder verdrängter Sexualität gegenüber Grans. Der gewaltigste aller Kriminalfälle, der des französischen Marschalls Gilles de Rais zeigt viele ähnliche »Kompensationen«. – Immerhin kann man Haarmann nur der Tat überführen; nicht sie ihm beweisen. Er wurde freigesprochen.

Zwischenspiel

Der Fall Keimes

Ich reihe hier denjenigen Mordfall ein, der unter den *nicht* mit zur Verhandlung gelangten Mordfällen mit der merkwürdigste und von allen Mordtaten des Haarmann der für den Seelenforscher rätselhafteste zu sein scheint. –

Ich leite ihn ein mit einigen Sätzen aus einem längeren Schreiben des Herrn Georg Koch, Kaufmann in Hannover (dessen 14jähriger Sohn Hermann möglicherweise gleichfalls ein Opfer des Haarmann geworden ist): »Als Vater des 1918 verschwundenen 14jährigen Hermann Koch möchte ich zu der Bemerkung der Polizei, als habe man sie ungenügend über den Verbrecher orientiert, den Gegenbeweis liefern. Daß Haarmann mit meinem Sohn Verkehr unterhalten hat, wurde von ihm zugegeben; geht auch hervor aus einem Entschuldigungszettel, den Haarmann der Schule zugehen ließ, als mein Sohn auf seine Veranlassung aus der Schule wegblieb. Als die Polizei nichts über Verbleib meines Sohnes zu ermitteln vermochte und den Haarmann aus der Untersuchungshaft entließ, übertrug ich den Fall dem Detektivbüro Sebastian, welches nach umfangreichen Recherchen den Haarmann den Mord glatt auf den Kopf zusagte. Dennoch wurde das Wiederaufnahmeverfahren abgelehnt. Dies war im November 1921. – Inzwischen aber hat dasselbe Detektivbüro in einer zweiten Mordsache (Keimes) ebenfalls Haarmann als Täter eruiert und unter dem 11. Mai 1922 ein Verfahren gegen ihn beantragt. Auch dieser Antrag blieb unbeantwortet, obwohl in den Jahren 1922 bis 1924 viele Personen (Rehbock, Klobes, Lammers, Lindner) immer wieder Anzeigen machten.«

Um was nun handelt es sich beim Fall Keimes? Am 17. Mai

1923 verschwand in der Südstadt der 17 Jahre alte Sohn der Eheleute Keimes, ein außergewöhnlich schöner Jüngling. Die Eltern wandten sich an die Polizeibehörde, die aber trotz inständiger Bitten keine Vermißtenanzeige in den Zeitungen erließ, so daß drei Tage später die Familie selber Inserate in die Lokalzeitungen einrücken ließ, worin eine hohe Belohnung demjenigen versprochen wurde, der über den Verbleib des Jünglings Auskunft zu geben vermöchte. Daraufhin erschien einige Tage später bei der Familie ein Mann (der später als Haarmann erkannt wurde), gab an, daß er Kriminalist sei und sich für den Fall interessiere und bat, ein Bild des Sohnes sehen zu dürfen; indem er äußerte: »Wenn Ihr Sohn noch in Hannover ist, so kläre ich binnen drei Tagen den Fall auf.« Während die Mutter fortging, um ein Bild des Sohnes zu holen, blieb der Mann mit der Schwester des Verschwundenen allein im Zimmer; das Kind gab nach dem Fortgehen des Mannes an, er habe sie »teuflisch angelacht«. Die Leiche des Jünglings wurde am 6. Mai 1922 (also erst nach sieben Wochen) aufgefunden im Kanal, eine Stunde vor Hannover. Sie war nackt, der Hals stranguliert und ein Strick darum geschlungen, und im Munde steckte ein Taschentuch mit dem Monogramm G. – Man nahm an (so unbegreiflich das ist), daß ein echter Raubmord vorläge und der Jüngling an Ort und Stelle erschlagen sei. Merkwürdig ist nun, daß Haarmann nach dem Besuch bei der Familie Keimes ins Polizeipräsidium ging und Hans Grans jenes Raubmordes verdächtigte (eine Bezichtigung, die aber zusammenbrach, da man annahm, daß zur Zeit, wo die Tat geschah, Hans Grans sich in Haft befand). Das Taschentuch im Munde der Leiche war aber scheinbar wirklich ein Taschentuch des Grans. – Es gibt hier jedenfalls der Umstand zu denken, daß Haarmann (wie später im Fall Hennies) schon einmal seinen Geliebten mit einer (vielleicht von ihm selber begangenen oder mitbegangenen) Tat zu belasten versucht hat; möglicherweise sogar bewußt die Verschleppung, Strangulierung und Knebelung mit einem Tuche so veranstaltete, daß Grans hereinfallen sollte. Es geschah das unmittelbar nach dem großen Krach zwischen Haarmann und Grans, als Haarmann aus Jägerheide zurückkehrend, sein Zimmer durch Wittkowski und Grans ausgeräubert fand und voller Rachsucht gegen beide sein mußte. Die Klärung des Fall Keimes ist nicht gelungen. Überhaupt sind von den 400 Asservaten, die sich bei Haarmann fanden, nur 100 anerkannt worden.

15. Ernst Spiecker, geb. 15. Juni 1906,
verschwand 5. Januar 1924

Sie brachte aus ihrer Jugendliebe ein Kind mit in die Ehe und muß es sehr geliebt haben, denn sie vermag vor Weinen nichts auszusagen. Eines Morgens, Januar 1924, mußte der 17jährige in einem Prozeß als Zeuge auftreten. Er zog sein Festgewand an. Es stammte aus dem Herrenschneidergeschäft des Stiefvaters, eines feinen sympathischen Mannes. Vom Gericht aus ging er noch mit seinem Freunde Siegfried Kurth spazieren, nahm dann Abschied in der Nähe des Theaters und kam nicht wieder. Dieser Fall zeigt in fast schauerlicher Weise, von welchen Zufällen Mordentdeckungen abhängen und wie leicht Rechtsirrtümer zustandekommen. Der junge Kurth, Sohn eines Fabrikanten, stand nämlich an dem Tage, wo sein Freund verschwand, vor der Auswanderung nach Argentinien. War es also ein Wunder, daß manche Leute, daß vielleicht die Nahestehenden mit Entsetzen den Gedanken aufgriffen, der Ausgewanderte könne um das Verschwinden wissen? Lebenslänglich wäre ein falscher Verdacht haften geblieben, wenn nicht im Juni nahezu das gesamte Zeug des Verschwundenen aus den bekannten Hehlerwinkeln zum Kriminalpräsidium gebracht worden wäre. Die Stutzen, die Sportmütze, die Stahluhr mit den Hirschgrandeln hatte Grans weiter verkauft, das Oberhemd trug er bei seiner Verhaftung am Leibe; er trug gleichzeitig am Leibe Kleidungsstücke von vier Getöteten und handelte mit Kleidern anderer Getöteter; so daß nur ungeheuerliche Frechheit oder volle Arglosigkeit bezüglich der Herkunft dieser von Haarmann empfangenen Sachen solches Zurschautragen von Mordtaten begreiflich macht. Auch die Bekanntschaft des verschwundenen jungen Spiecker mit Haarmann konnte bewiesen werden; der Sohn des Spieckerschen Hauswirts bekannte, daß er und sein verschwundener Freund den Haarmann im »schwulen Kessel«

kennengelernt und von ihm Zigaretten erhalten hatten. Haarmann behauptet (wie in sämtlichen Mordfällen), daß er nach dem Lichtbild den jungen Spiecker nicht erkennen könne, sich auch an ihn nicht entsinne (obwohl der Junge ein Glasauge hatte); aber er müsse wohl annehmen, daß er eines seiner Opfer geworden sei, da ja alle Sachen bei ihm gefunden wurden. Vielleicht sei es jener schöne Jüngling gewesen, der, als er um Mitternacht erwacht sei, tot in seinen Armen gelegen habe. Er sei bei dem Anblick ohnmächtig geworden oder vor Mattigkeit wieder eingeschlafen. – »Als ich erwachte frühmorgens, lag der Tote neben mir. Steif und kalt und blau. Ich habe ihn mit den Händen aus dem Bett gezogen, auf den Fußboden gelegt und zerstückelt. Ich habe diesen Fall im Gedächtnis behalten, der Tote lag da so furchtbar krank.«

16. Heinrich Koch, geboren 22. September 1905,
verschwand 15. Januar 1924

Der Junge war etwas leicht. Der Vater, ein stiller, sanfter, schwermütiger Mann, hatte nicht rechte Gewalt über ihn. Am 13. Januar blieb er die Nacht fort und log den Eltern vor: »Ich war auf dem Maskenball.« Am 15. ging er früh gegen 8 vom Hause fort, und wird seitdem vermißt. – Er trieb sich viel herum in gleichgeschlechtlichen Kreisen; den Winter über half er, da er keine andere Arbeit fand, zusammen mit seinem Freunde, dem Klempner Tolle, beim Pantoffelmacher Otto Moshage, einem auffallend klug und edel aussehenden Menschen. Dem erzählte er bei der Arbeit: »Ich möchte gern von Haus fort. Die Eltern liegen mir immer in den Ohren. Sie machen immer Vorwürfe. Aber ich habe einen Bekannten. Er ist Kellner im Reichshof; wohnt in der Altstadt; hat mir fünfzig Zigaretten geschenkt; da hab ich schon mal geschlafen.« – Moshage, der das Treiben beim Bahnhof und Theater genau kannte, und den Koch schon in Gesellschaft des Haarmann gesehen hatte, fragte nach dem Namen des Kellners. Der Junge wurde verlegen. Der Pantoffelmacher sagte: »Sag doch die Wahrheit. Es ist Fritz Haarmann.« Der Junge sagte: »Es stimmt.« – Haarmann behauptet zwar, nach dem Bilde den Jungen nicht zu erkennen; aber alle seine Sachen haben sich wiedergefunden; Theodor Hartmann, der Sprößling der Engel aus einer ihrer früheren Ehen, hatte sie für Haarmann an allerlei dunkles Volk verkauft, und so sagt denn Haarmann, wie bei allen Morden, wenn sie bewiesen sind: »Es wird wohl stimmen.«

17. Willi Senger, geb. 6. Juli 1904,
verschwand 2. Februar 1924

Ein liebloses Zuhause. Der Vater, ein Arbeiter in Linden, kümmert sich nicht um die Kinder. Ebensowenig die Mutter, eine stumpfe, wasserblonde, lymphatische Frau. Der ältere Bruder ist schwerfällig und ausdrucksschwer; wenig mitteilsam. Eine freudearme Familie. In diesem Daheim wurde wenig gesprochen. Der 17jährige Willi trieb sich schon seit Jahren auf dem Bahnhof und bei den Homosexuellen herum. Ein schöngebauter Junge; aber roh und Gewaltmensch. Eines Februarabends sagt er zu Mutter und Schwester: »Ich will verreisen«, zieht sein gutes Zeug an und geht. Als er nicht wiederkommt, wird in dieser stumpfen Welt von seinem Fortbleiben wenig Aufhebens gemacht. »Ein Esser weniger.« Erst als im Juni die vielen Morde aufkommen, denken die Angehörigen: »Können uns ja mal die Sachen ansehen«, und finden nun darunter den Selbstbinder, den der Bruder Heinrich dem Vermißten geschenkt und genäht hat, und seinen braunen Mantel. Haarmann behauptet, die Sachen am Bahnhof von irgendwem gekauft oder getauscht zu haben; den Senger hat er freilich seit Jahren gekannt und ebenso dessen unzertrennlichen Freund, den 19jährigen Fritz Barkhof. »Das waren die beiden größten Rowdys von allen auf dem Bahnhof. Ich hatte vor den beiden immer Angst. Senger war groß, roh und stark. Ich hätte ihn nicht bezwungen. Schon darum kann ich ihn nicht getötet haben.« – Es fällt auf, daß Haarmann nie die Tötung eines Menschen zugibt, den er lange Zeit hindurch kannte. Er räumt nur dann die Tötung ein, wenn er mit einiger Glaubwürdigkeit angesichts der Photographie sagen kann: »Ich erkenne ihn doch nicht wieder. Möglich; möglich auch nicht« (wie ihm denn überhaupt das Betrachten der Lichtbilder sichtbar quälend ist). – Für die Beziehung des

Senger zu Haarmann ist nur ein Zeuge da, jener Fritz Barkhof; aber der wirkt wenig vertrauenswürdig: zugleich roh und feminin, zugleich eitel und verschlagen. Verfehlterweise vernahm man diesen verdächtigen Burschen über das Vorleben Sengers in Gegenwart von dessen Angehörigen, wobei ganz zweifellos aus Angst oder Schonung oder Geniertheit manches ungesagt blieb. Denn es ist sicher: Diese beiden Burschen gehörten zur engeren Gruppe der berufsmäßig sich selbst Feilbietenden. Senger hat dem Barkhof erzählt, daß er mehrfach bei Haarmann genächtigt habe und als nach Verschwinden Sengers der Barkhof den Haarmann fragte, ob er nichts von Senger wisse, da erklärte dieser derb: »Den kenn ich gar nicht.« Brach auch später solche Fragen immer kurz ab. Über den Zeitpunkt, zu dem Haarmann den Mantel des Senger erworben haben will, verwickelt er sich in Widersprüche. Es konnte ihm aber klar bewiesen werden, daß er erst unmittelbar nach dem Verschwinden des Senger den Mantel im Besitz hatte.

18. Hermann Speichert, geb. 21. April 1908,
verschwand 8. Februar 1924

Ein kluger, geweckter Junge, fast 16, Elektrotechnikerlehrling bei Mühe & Co., Hildesheimer Straße. Januar 1924 fällt den Eltern auf, daß er immer in sauberem Zustand von der Arbeit kommt. Der Vater geht zu Mühe & Co. und bekommt zu hören: »Seit vier Wochen kommt schon Ihr Junge nicht mehr.« Der junge Bummler wird nun streng vorgenommen. Er erwidert: »Ich habe keine Lust mehr zur Technik. Ich habe einen Freund, der will mich ins Ausland mitnehmen.« Der Vater besteht darauf, er muß folgenden Tags wieder zu Mühe & Co. Da die Eltern in Linden wohnen, so muß der Junge in der Mittagspause 12–2 bei seiner Schwester essen; Frau Albrecht in der Lavesstraße. Das geschieht wie immer, so auch am 8. Februar. Die Schwester, eine brave, anständige Natur, führt mit dem Jungen harmlose Gespräche. Um 2 geht er fort wie gewöhnlich und ist seitdem verschwunden. Am 10. machte der Vater der Polizei Meldung. Man fand keine Spuren. Erst im Juni wurden Kleidungsstücke des Kindes, von Mutter und Schwester genäht, und mit Monogrammen gezeichnet in Haarmanns Wohnung, Rote Reihe 2, gefunden, andere hatte der Stiefsohn der Engel in Haarmanns Auftrag verkauft; den Schulzirkelkasten des Knaben hatte Grans bekommen. Ein älterer Bekannter des Knaben hat diesen einmal in Gesellschaft von Haarmann auf der Georgstraße gesehen. Die Mutter bricht angesichts der Kleider ganz zusammen. Haarmann schlägt (zum ersten Male) die Augen nieder.

19. Alfred Hogrefe aus Lehrte, geb. 6. Oktober 1907, verschwand 6. April 1924

Alfred, der 17jährige Sohn des Lokomotivführers Gustav Hogrefe in Lehrte, war in Hannover Mechanikerlehrling in der Schlägerstraße. Er fuhr regelmäßig morgens 6 von Lehrte mit der Bahn nach Hannover zu seiner Lehrstelle und kam abends gegen 7½ zurück. Montags besuchte er die Gewerbeschule. An diesem Tage kam er immer erst gegen 10, angeblich weil er im Anschluß an den Gewerbeschulunterricht von 7½–8½ noch Turnen hatte. Am 1. April 1924 erhielten seine Eltern von dem Leiter der Gewerbeschule die Nachricht, daß der Junge den Unterricht versäume. Der Junge wurde von den sehr unpädagogischen Eltern vorgenommen. Er war tief verlegen. Der Vater schrie ihn an: »Gut! Mutter und ich fahren morgen zur Gewerbeschule nach Hannover. Dann werden wir weiter sehen.« – Am anderen Mittag um 2 fuhren beide Eltern zum Lehrer des Jungen. Es kam eine ganze Lügenblase zum Platzen. Der Junge hatte drei Montage die Schule geschwänzt und sich selber Entschuldigungszettel geschrieben. Die Eltern erfuhren auch, daß das Turnen nicht am Abend von 7½ bis 9½ stattfinde, sondern am Tage während des übrigen Unterrichts. Inzwischen war der Junge (natürlich in Todesangst, daß nun »alles herauskommen« müsse) wie immer in seine Mechanikerwerkstatt gefahren und ging mittags 2 Uhr von der Lehrstätte fort mit der Begründung, er wolle seine Eltern von der Bahn abholen. Tatsächlich aber fuhr er, während die Eltern von Lehrte nach Hannover fuhren, seinerseits von Hannover nach Lehrte zurück, packte dort in seiner Herzensangst seine Sachen zusammen und entfernte sich mit diesen aus dem Elternhause. Erst nach und nach sickerte in den folgenden Monaten einige Kunde durch über den Verbleib des Jungen. Nachdem er aus dem Elternhause entlaufen war, traf er auf dem Bahnhof in Lehrte einen Bekannten, den Lehrling Wiese. Hogrefe erzählte dem Wiese, er werde zu Hause von den Eltern »schlecht behandelt« und wolle deshalb fort. Er bot dem Wiese sein Fahrrad zum Kauf an. Wiese, ein heller Junge, nutzte die Gelegenheit und kaufte sich billig das Rad. Natürlich schwieg er dann über die ganze Begegnung. Am Abend des folgenden Tages traf der junge Wiese den Hogrefe wieder; diesmal auf dem Hauptbahnhof in Hannover. Hogrefe hatte jetzt einen lederimitierten Handkoffer bei sich, kam lebhaft auf Wiese zu und erzählte: »Mensch, den Koffer da hab ich mir von deinem Gelde fürs Fahrrad gekauft.« Der andere fragte: »Wo hast du denn geschlafen?« Hogrefe gestand, daß er auf dem Bahnhof geschlafen habe und fragte Wiese kleinlaut, ob er wohl die nächste Nacht bei ihm in Lehrte auf dem Heuboden schlafen könne. Er hatte offenbar schon wieder Sehnsucht nach Hause, wagte sich aber doch nicht, nachdem sein ganzes Lügengewebe herausgekommen war, zurück zu den strengen Eltern. Dies war am 3. April. Am 4. April gegen 8 Uhr abends traf abermals ein Bekannter aus Lehrte, der Schneidergeselle Farin, den Hogrefe in Hannover vor dem Bahnhof. Aufgeregt erzählte der Junge, er sei vor einigen Tagen seinen Eltern entlaufen, er habe sein Fahrrad verkauft und sich dafür einen Koffer angeschafft, der liege in der Handgepäckaufbewahrungsstelle. Die Nacht schlafe er bei einem Herrn, den er kennengelernt habe, der in der Neuen Straße wohne und Kriminalbeamter sei. – Farin hat danach den Hogrefe nicht wieder gesehen. Aber noch einmal sah ihn ein dritter Bekannter aus Lehrte, der Lehrling Wilhelm Köhler, welcher täglich zur Arbeitsstelle nach Hannover fährt. Auch diesem erzählte Hogrefe ganz die gleiche Geschichte. »Mein Vater hat mich rausgeschmissen. Ich habe einen Koffer in der Gepäckausgabestelle.« (Und jungenhaft-stolz zeigte er dem Köhler den Gepäckschein.) Am nächsten Abend (also etwa 6. April) sah Köhler den Hogrefe mit Haarmann (von dem er wußte, daß er »Fritz« hieß und »Kriminal« sei) an einem Tische im Wartesaal I. und II. Klasse sitzen und sich unterhalten. Und nach abermals zwei Tagen (etwa 8. April) traf Köhler den Hogrefe abermals im Bahnhofe und ging mit ihm ein Stück bis zur Herschelstraße, wo Hogrefe sich verabschiedete. Hogrefe erzählte, er treffe sich jetzt oft mit »Kriminal Fritz«. Von da an sah ihn niemand mehr. Den Haarmann kannten die aus Lehrte zur Arbeitsstelle fahrenden Jungen alle vom Bahnhof her. Sie hielten ihn für einen Beamten. Auch der Lehrling Walter Schnabel, der mit Hogrefe jeden Morgen zur gemeinsamen Lehrstelle fuhr, hat später bezeugt, daß Haarmann (den sie aber nicht mit Namen kannten) oft schon um 6 Uhr in der Bahnhofshalle war und sie dann immer scharf ansah. Ein älterer Werkmeister hat auch Hogrefe mit Grans und Haarmann im Gespräch gesehen. Das war aber schon im März. Alle Kleider des Verschwundenen, Marengojacke, Krimmermantel, Barchenthemd, Schal usw. sind später bei Haarmann oder bei der Engel und den Unterverkäufern zum Vorschein gekommen. Hierbei wurde die Engel zum ersten Male auf Widersprüchen ertappt. Sie will den Mantel des Getöteten unter Lumpen gefunden und ihrer Tante, die Pantoffeln macht, weitergegeben haben. Aber sie hat der Tante über die Herkunft des Mantels andere Angaben gemacht. Haarmann erklärt: »Ich nehme bestimmt an, daß ich Hogrefe getötet habe, an sein Gesicht erinnern kann ich mich nicht.« (Ließe man Haarmann vor seinem Tode seine Erinnerungen an die Getöteten niederschreiben, so würde sich herausstellen, daß er lediglich peinliche Erinnerungen verdrängt.) – Es liegt hier der Tatbestand vor: Ein verängstigter Knabe, der geprügelt werden soll, drückt sich acht Tage lang sehnsüchtig und hungrig auf dem Bahnhof herum. Der Vater selbst ist Eisenbahner. Alle Jungens aus Lehrte, die zur Stadt fahren und viele Eisenbahnbeamten kennen den Knaben. Sie sehen ihn fortdauernd auf dem Bahnhof in Gesellschaft des Haarmann. Sie kennen aber auch alle den Haarmann. Nichts geschieht, um den Entlaufenen aufzugreifen. Und als er verschwunden ist, geschieht nichts, um – – den Haarmann zu befragen.

20. Hermann Bock, geb. 2. Dezember 1901,
verschwand Mitte April 1924

Der Fall Bock dürfte von allen Fällen der dunkelste sein; wenn Haarmann wirklich diese Tat beging, so dürfte es wahrscheinlicher sein, daß hier ein lang geplanter Mord verübt wurde, als nur eine Tötung im Geschlechtsrausch.

Der »Arbeiter« Bock aus Uelzen, 22 Jahre alt, war einer von denen, die sich beschäftigungslos in Hannover umhertrieben, bald auf dem Bahnhof, bald in der Altstadt. Er war blond, groß, kräftig und kühn. Haarmann kannte ihn seit 1921 »vom Bahnhof her«. Er machte mit ihm gelegentlich kleine Schiebergeschäfte oder nutzte ihn als Kommissionär beim Verkauf von dunkel erworbenen Kleidern. Als Bock Mitte April verschwand, weinte ihm keiner eine Träne nach. Nur der Dreher Fritz Kahmann aus der Neuen Straße, mit dem Bock das Zimmer geteilt hatte (er ist dummlich, ängstlich, dumpf und unsicher und hat kleine ängstliche Augen) fragte einige Wochen nach dem Verschwinden des Bock seinen Nachbar Haarmann: »Du, Fritz, wo is eigentlich Bock geblieben?« Haarmann antwortete: »Soll ich das wissen? Wird woll ein Ding gedreht haben, hat vielleicht von Kollegen eins auf die Platte kriegt.« Darauf der dummliche Kahmann: »Fritz, du mußt es doch wissen. Er is zuletzt gesehen, wie er mit einem Koffer nach deiner Wohnung ging.« Haarmann wurde nachdenklich. Dann sagte er: »Das is mir doch alles ein Rätsel. Hermann is ein hübscher Bengel und nich auf 'en Kopf gefallen.« Kahmann darauf ängstlich: »Ich meine man, wir sollten zur Polizei gehen und ihn ›vermißt‹ melden.« »Dunnerslag,« erwiderte Haarmann, »da haste recht, Kahmann. Weißte was? ich bin doch auf 'er Polizei gut bekannt. Ich besorge die Meldung. Und außerdem: Bei die Krankenhäuser und im Gerichtsgefängnis muß angeklingelt werden. Das mach ich alles noch heute.« Am nächsten Tage trafen sich die beiden wieder auf der »Insel«. Haarmann begann sofort: »Alle Mühe ist umsonst. Ich habe überall nachgefragt. Keiner weiß von Hermann.« (Später kam heraus, daß Haarmann nirgendwo wegen des Bock nachgefragt noch telephoniert hatte.) ... Bock hatte noch mehrere nahe Freunde:

Paul Sieger, genannt Alex, roh, blond, brutal, Franz Kirchhoff, Schlosser, 20 Jahre alt, ein defekter Junge mit kleinem Kopf, kleinen Augen, kleiner Nase, dicker Unterlippe und belegter Stimme, sowie endlich Hans Ulawski, ein langer dünner Kellner im »Simplizissimus«, welchen Haarmann so charakterisiert: »Das is der größte Gauner vom Bahnhof. Is Zauberkünstler. Zieht rum auf die Jahrmärkte.« Alle diese jungen Leute kannten Haarmann seit vielen Jahren. Sie hielten ihn stets für einen Kriminalbeamten. (Er hat ihnen oft weisgemacht: »Ich muß heute zur Konferenz aufs Präsidium.«) Sie wußten auch, daß Bock mit Haarmann zusammensteckte. Er aß mit Haarmann in der Wirtschaft bei der Engel. Er schlief auch oft bei Haarmann. Aber seine Komplizen bezeugen: »Mit Männern machte er nichts. Er war nur für die Mädchen. Er war normal.« In der Tschechoslowakei hatte Ulawski eine Braut! Zu dieser sind Bock und Ulawski zweimal zusammen hingefahren. Die Mutter des Bock, 51 Jahre alt, aus Uelzen, simpel, stumpf, glupschäugig, schwerhörig und kränklich, hat sich gar nicht um den Verschwundenen bekümmert. »Der Junge kam woll zu Weihnachten. Als am 8. April Herr Kamann mich 'ne Karte schrieb, da dachte ich: Na, hei schall schon wedder komen.« Höchst merkwürdig ist es nun, wie die Sachen des Bock bei Haarmann »festgestellt« wurden. Als nach Festnahme des Haarmann auch Ulawski in Haarmanns Gegenwart unter den ausgestellten Sachen nachsah, fand sich gar nichts. Aber im Fortgehen fällt der Blick des Ulawski auf das Zeug, das Haarmann selber am Leibe trägt. Er stutzt, besieht sichs genau und ruft dann bestimmt: »Haarmann trägt ja Hermanns Anzug auf dem Leibe.« Haarmann lachte ihn aus und erklärt: »Die Sache ist viel zu ernst, als daß man mich da herein bringt.« Ulawski blieb bei seiner Behauptung, und da er wußte, bei welchem Schneider sein Freund arbeiten ließ, so geht er zu diesem, und der Schneider kann denn auch unter Eid bestätigen, nicht nur, daß er den Anzug, welchen Haarmann trägt, einst für Bock angefertigt hat, sondern auch, daß Haarmann selber ihn später mit der Bemerkung, er habe den Anzug für 30 Mark von Bock erworben, für seine Statur hat umändern lassen. Jetzt einnert sich denn auch Haarmann, er habe den Anzug »vielleicht« von Bock gekauft. Aber inzwischen fand sich auch die Aktentasche des Bock. Der eingeschriebene Name: Hermann Bock, Hannover, ist ausgescheuert, aber noch klar leserlich. Die Tasche wurde von der Kleiderhexe Engel als Markttasche benutzt. Haarmann hatte sie ihr geschenkt. Alle anderen Sachen des Bock sind ebenso wie die Leichenteile aus der Welt verschwunden. Daß Lustmord vorliegt, ist nicht wahrscheinlich; der Verschwundene war ja langjähriger Bekannter, der oft bei Haarmann schlief, war nicht homosexuell und nicht mehr in dem Alter, welches Haarmann bevorzugte. Wurde hier etwa einer beseitigt, der manches gemerkt hatte und plaudern konnte? Oder lockten Koffer und Kleider? Oder war ein Zank vorausgegangen? Oder spielte alles ineinander? Es erfolgte Freisprechung.

21. Wilhelm Apel aus Leinhausen, geb. 4. Juni 1908, verschwand 17. April 1924

Der Junge war immer träumerisch und verschlossen, konnte aber, wie Lehrer und Pastor ihn schildern, leicht eingeschüchtert und beeinflußt werden. Nachdem er 1923 die 1. Klasse der Bürgerschule durchlaufen hatte und eingesegnet war, brachte ihn der Vater, der Dreher Wilhelm Apel in Leinhausen, als Lehrling unter in der großen Speditionsfirma von M. Neldel in der Nikolaistraße. Er fuhr fortan jeden Morgen um 6 Uhr mit der Eisenbahn in die Stadt zur Arbeit und kam abends gegen 8 Uhr nach Leinhausen zurück. Er scheint aber in der Stadt auf Abwege geraten zu sein. Seit Beginn des Jahres 1924 beobachtet die Mutter an dem Jungen ein gedrücktes Wesen. Er saß oft grübelnd über seinen Büchern und konnte die Mutter nicht frei ansehen. Der Vater, sehr streng, lauerte in der Stadt dem Jungen auf, ertappte ihn beim Zigarettenrauchen und bestrafte ihn schwer: »Zur Strafe gehst du Ostern nicht aus der Tür, und wenn die Sonne scheint.« Der Tag darauf, am 17. April, begab sich der Junge wie gewöhnlich nach Hannover, ist aber auf seiner Lehrstelle nicht angekommen und wird seitdem vermißt. Unter den bei Haarmann beschlagnahmten oder von der Engel für Haarmann verkauften Sachen fanden sich die zumeist von der Mutter selber genähten Kleider des Jungen. Da dieser, wenn er abends nach Leinhausen fuhr, in dem von Haarmann »revidierten« Wartesaal sich aufhalten mußte, so dürfte er dort wohl die verhängnisvolle Bekanntschaft gemacht haben.

22. Robert Witzel, geb. 18. März 1906,
verschwand 26. April 1924

Der zweite Sohn des Werkmeisters Georg Witzel in Hannover-Linden trat nach Beendigung seiner Schulzeit im Juli 1921 als Arbeiter ein bei den Mittelland-Gummiwerken und ging im Mai 1924 über zu den »Excelsior-Gummiwerken«. Sein nächster Freund wurde der Arbeiter Friedrich Kahlmeyer, ein erst 14 Jahre alter, aber sehr frühentwickelter schweigsamer, hintersonnener, hübscher Bursche mit Mädchengesicht. Diese beiden jungen Arbeiter und gelegentlich auch der ältere Bruder Willi Witzel trieben sich viel an den Treffpunkten der Gleichliebenden um, verkehrten in dem homosexuellen »Gesellschaftshaus« an der Calenberger Straße und suchten fast jeden Abend am Bahnhof oder hinter dem Café Kröpcke (»Schwuler Kessel«, »Café Wellblech«) nach »Bekanntschaften«; gingen auch mit in die Wohnungen, wo sie Geld erhielten und gelegentlich auch bewirtet wurden. Daher war ihnen auch Haarmann, der sich oft halbe Nächte lang an diesen Treffpunkten aufhielt, genau bekannt. – Sie hatten auch mit ihm gelegentlich Verkehr. Bezüglich des hübschen jungen Kahlmeyer äußerte Haarmann nach seiner Festnahme: »Ich bereue, daß ich Kahlmeyer nicht genommen habe. Der hätte noch weg müssen.« Am 26. April 1924 erbat Robert Witzel von seiner Mutter 50 Pfennig, da er in den Zirkus gehen wolle, zog seinen guten Rock an, entfernte sich gegen 4 Uhr nachmittags und wird seitdem vermißt. Als Kahlmeyer einige Zeit nach dem Verschwinden des jungen Witzel den Haarmann traf und diesen fragte, ob er nicht wisse, wo Witzel geblieben sei, tat Haarmann ungemein erschrocken und schien noch gar nicht gehört zu haben, daß Witzel vermißt werde. Dies bestärkte den Kahlmeyer in dem Glauben, Haarmann wisse nichts von der Sache und entschuldigt ein wenig, daß dieser in gleichgeschlechtlichen Kreisen sehr beliebte Bursche aus Scham, aus Furcht vor Strafe, vielleicht auch aus Angst vor Haarmann (welcher beständig drohte: »Wenn Ihr zu Hause etwas sagt, laß ich Euch verschütt gehen« [d. h. bring ich Euch ins Gefängnis oder in die Fürsorgeerziehung]), auch den Eltern des Verschwundenen gegenüber die homosexuellen Beziehungen völlig verschwieg. Die Eltern und der Bruder wollen in dem am 20. Mai 1924 im Lustgarten angetriebenen Schädel bestimmt den des Verschwundenen erkennen, und zwar an der eigenartigen Zahnbildung (die vorderen Zähne waren abgedacht und geriffelt und ein Backenzahn war einige Zeit vorher ausgebohrt, aber noch nicht mit einer Plombe gefüllt worden). Der Dentist, der den Witzel behandelte, erkennt aber den Schädel nicht wieder, und Haarmann glaubt gerade in diesem Fall genau zu wissen, daß er den Schädel des Witzel zertrümmert habe. Vollkommen gesichert dagegen ist die Dieselbigkeit der bei Haarmann und seinen Hehlerinnen gefundenen Kleider, Stiefel, Wäsche, Schlüssel usw. Auch fand sich in einer von Theodor Hartmann, dem Sohn der Engel, getragenen Hose eine Ausweiskarte auf den Namen Robert Witzel, welche der Hartmann dem Haarmann zurückgab. Haarmann glaubt, daß er den Witzel gleich in der ersten Nacht, wo er ihn bei sich hatte, getötet und die Leichenteile in die Leine geworfen habe.

23. Heinz Martin aus Chemnitz, geb. 30. Dezember 1909, verschwand 9. Mai 1924

Der Vater, Bauklempnermeister Georg Martin in Chemnitz, war 1918 in Frankreich gefallen. Der zehnjährige Heinz war zurückgeblieben mit Mutter und Schwester. Er war ein guter, ordentlicher Junge, bis Ostern 1924 Schüler des Realreformgymnasiums, dessen junges Leben zwei große Ereignisse hatte, der Besuch mit einer Schar anderer Sekundaner in Bremerhaven 1921 und nochmals 1922. Seither träumte er davon, Schiffsingenieur zu werden, baute Schiffe und las Reisegeschichten. Ostern 1924 wurde er konfirmiert und sollte nun zunächst in der Strickmaschinenfabrik als Schlosserlehrling lernen; aber seine Jungensträume steuerten in die weite Welt. Die Mutter war ernst und streng. Seinem Freunde und Mitlehrling Horst Clemens gegenüber erschloß er sein Herz: »Ich möchte wieder nach Bremerhaven auf das große Schiff. Was hab ich hier? Muß die Küche aufräumen. Das Bett machen. Ist das etwas für Jungen? Wundert euch nicht, wenn ich mal davongehe.« Zur Einsegnung hatten die Verwandten dem Jungen ein Geldgeschenk gemacht; insgesamt 32 Mark; er kam sich damit reich vor. Er trug den Besitz immer bei sich. »Du mußt sparen,« sagte die Mutter, »gib mir das Geld; ich brings auf die Sparkasse.« Der Junge, errötend, sagt: »Och, das liegt in der Fabrik in meinem Werkzeugkasten.« Die Mutter, fühlend, daß da etwas nicht stimmt, meint: »Nun, ich will morgen Nachmittag doch in die Fabrik; ich sehe dann mal nach.« Das war am 8. Mai. Am 9., wie immer geht der 14jährige in die Fabrik, kommt dort nachmittags 2 Uhr zu seinem Werkmeister und bittet: »Morgen muß ich nach Leipzig zur Beerdigung meiner Großmutter. Kann ich wohl einen Tag Urlaub haben und einen Passierschein?« »Gewiß, mein Junge,« sagt, keine Lüge ahnend, der Werkmeister. Der Junge packt seine Sachen zusammen, geht und bleibt seitdem verschwunden.

Vor dem Schwurgericht in Hannover stehen zwei Frauen, wie aus dem Grabe entstiegen, im Feuer äußersten Leidens geläutert. Acht Wochen lang suchte man nach dem Kinde, aber fand keine Spur. Man dachte wohl an Bremerhaven und an seinen Wunsch, Schiffsbauingenieur zu werden. Aber merkwürdigerweise hatte er von seinem Konfirmationsgelde 20 Mark im Werkzeugkasten zurückgelassen. Er konnte also höchstens 12 Mark bei sich haben. Sollte er nun aber gar darum entlaufen sein, weil er fürchtete, daß die Mutter am Nachmittag kommen und das Geld nachzählen werde, so hatte er jedenfalls den Rest oder einen Teil des Restes schon früher verbraucht und war also in diesem Falle ganz ohne Geld oder mit sehr wenig Geld fortgelaufen. Nur bekleidet mit seiner blauen Marinesportmütze, mit seiner blauleinenen Schlosserjacke, einem weiß-rotgekästelten Hemd und einer braunen Unterjacke. Es war wohl kaum zu vermuten, daß er in diesem Zustand aus Chemnitz herauskam. Aber als im Juni die großen Leichenfunde in Hannover aufkamen, fuhren doch die beiden Frauen nach Hannover, um die aus Haarmanns Umgebung zusammengebrachten Sachen immerhin mal anzusehen. Und da finden sie unter den 400 Fundstücken die Kleider ihres Heinz. Auf eine sehr merkwürdige Weise wird das in das Schweißleder der Marinemütze eingepreßte Monogramm H. M. völlig sichergestellt als das des Kindes. Man schickte die Mütze an die kleine Hutfabrik, von der die Mütze des Knaben bezogen war, und diese wies nach, daß in dem gestanzten M sich ein Merkmal (eine defekte Stelle) befindet, das nur in einer von ihr bezogenen Mütze sich befinden kann. Aber wie ist der Knabe nun nach Hannover gelangt? Es läßt sich nur vermuten, daß er entweder vielleicht von einem Helfer des Haarmann verschleppt wurde oder auf dem Wege nach Bremerhaven in Hannover aussteigen und sich Arbeit suchen wollte, daß er dann auf dem Bahnhof gleich allen anderen Knaben dem Haarmann in die Arme lief. Haarmann hat nach anfänglichem Leugnen die Tat zugegeben.

24. Fritz Wittig aus Cassel, geboren 23. November 1906, verschwand 26. Mai 1924

Der Fall Wittig und der Fall Hannappel waren die beiden Fälle, in denen Haarmann behauptete, auf Befehl und unter dem Einflusse des Hans Grans getötet zu haben. Er bezeichnet beide Fälle immer mit dem Kennwort »Düsseldorfer«. Den Hannappels, weil er über diesen nur wußte, daß er »aus Düsseldorf« sei; den Wittigs, weil (wie er behauptet) Wittig einen rheinländischen Dialekt sprach. Aber während im Fall Hannappel das Gericht den Hans Grans wegen Anstiftung zum Morde (nach § 49 St.G.B.) zum Tode verurteilte, wurde Grans im Falle Wittig nur der Beihilfe zum Morde schuldig befunden und zu 12 Jahren Zuchthaus verurteilt. Als Beweggrund zur Anstiftung wie zur Beihilfe nahm das Gericht an, daß Grans die Kleider der Getöteten für sich begehrte. Für den Psychologen, der die gedrungene Vielheit aller Antriebe auch im scheinbar einfachsten Falle kennt und der weiß, daß man Taten immer nur vom nachhinein vereinfachend auf ein Motiv zurückführt (worin sich jene beruhigende Ökonomie des menschlichen Denkens kundtut, die ich »logificatio post festum« nannte), kann der Fall nicht so klipp und klar liegen, wie für die Rechtsprechung, welche die Urteile zu ihrer Beruhigung findet; »non quia peccatum sed ne peccetur«). Wir müssen also uns bemühen, die Untiefen dieses wunderlichen Falles zu erschürfen. – Fritz Wittig war ein gutgebauter, reichveranlagter Junge von 17 Jahren, 1,73 m groß mit langem, nach hinten gekämmten blonden Haar, das an den Schläfen in Wellen abstand. Sein Vater, ein Kesselschmied in Kassel und sein junger Schwager, der Kaufmann Hermann Schaad waren über den hübschen begabten Jungen, der in einer Spirituosenfabrik als Lehrling arbeitet, sehr ungehalten, weil er schon frühe mit jungen Mädchen sich abgab; sie ahnten aber noch nicht, daß er auch homosexuelle Bekanntschaften gemacht hatte. Nach einem Zerwürfnis mit dem Vater, der dem Sohn seinen Leichtsinn vorhielt, entfernte der Junge sich am 27. April aus Kassel, nahm dabei einen seinem Chef gehörigen schwarzen Lederkoffer mit, in den er seine Kleider und Wäsche einpackte und versuchte, auswärts Arbeit zu erhalten. Am 30. April stellte er sich bei der Inhaberin der Süßwarengroßhandlung Carl Zwanzig in Hannover auf der Goethestraße vor und bat um Beschäftigung als Reisender. Da er einen guten Eindruck machte, und sein Lehrzeugnis deponierte, so wurde er zum Besuch der Stadtkundschaft eingestellt. Er trat am 1. Mai die Stelle an, erhielt Muster, die er in einem schwarzen Koffer (offenbar der in Kassel unterschlagene) verpackte, kam aber am Abend zurück und sagte, daß es ihm nicht gelungen sei, etwas zu verkaufen. Auch am 2. Mai abends kam er wieder und berichtete, daß er nichts habe verkaufen können; gab die Muster wieder ab mit der Begründung, daß seine Mutter in Kassel schwer erkrankt sei und daß er deshalb nach Hause fahren wolle und ließ sich auch sein Lehrzeugnis zurückgeben. Am Abend des 3. Mai erschien er aber schon wieder bei Zwanzig und erklärte, daß er am Montag noch einmal den Versuch machen möchte, Ware zu verkaufen. Den schwarzen Koffer und sein Lehrzeugnis hatte er aber nicht mehr bei sich, sondern angeblich in Kassel zurückgelassen. Am Montag, den 5. Mai, stellte Herr Zwanzig eine umfangreiche Musterauswahl zusammen und übergab ihm hierzu seinen eigenen Koffer, sowie ferner einen zweiten flachen schwarzen Koffer mit einer Anzahl Mustergläsern. Fritz Wittig entfernte sich mit den beiden Koffern und kehrte nicht zu Zwanzig zurück. Wie sich nachher herausstellte, war seine Erklärung über die Erkrankung seiner Mutter und den Verbleib seines Koffers nicht wahr gewesen. Eine Verwechselung der Person ist darum unmöglich, weil Wittig durch einen verkümmerten rechten Arm und zur Arbeit unbrauchbare rechte Hand leicht erkennbar war. Die Angehörigen Wittigs erhielten von diesem am 4. Mai einen in Hannover abgestempelten Brief, in welchem er als seine Anschrift »Gasthaus Dißmer, Heiligerstraße« angab, woselbst er in der Tat eine Nacht geschlafen und dann mehrmals gegessen hat. Später erhielten die Angehörigen noch eine Karte mit Bahnpoststempel Hannover-Bebra, 14. Mai. Von da ab bekamen sie keine Nachricht weiter; konnten auch durch die Polizei nichts mehr erfahren und fanden erst wieder Spuren des Verschwundenen, als nach Ausstellung der bei Haarmann gefundenen Gegenstände sie nach Hannover fuhren und unter den Gegenständen den bei Grans beschlagnahmten Anzug sowie das bei Haarmann beschlagnahmte Notizbuch mit der Handschrift des Vermißten fanden. In dem Notizbuch befand sich ein Kalender auf der letzten Seite. Auf ihm waren die Tage bis zum 23. Mai einschließlich, durchstrichen. Außerdem lag darin ein Zettel folgenden Inhalts: »Gebe hiermit Herrn Hans Grans einen grauen Anzug in Kommission; selbiger muß bis Montag Abend, den 26. Mai, wieder in meinen Händen sein, widrigenfalls 40 Goldmark bis zum 26. Mai 1924 zu zahlen sind. Hannover, den 26. Mai.« Die Zahl 40 war durchstrichen und statt ihrer Zwanzig in Buchstaben darüber geschrieben. Dieser konfuse Zettel, der die Unruhe eines unklaren Augenblicks zu atmen scheint, ist geschrieben in Haarmanns großer, korrekter, nach rechts überwiegender, stark gebundener, an Zeichen für Vorsicht, Zurückhaltung und Hinterhalt überreichen Schrift und ist unterschrieben von Haarmann und von Grans. Es handelt sich offenbar um eine zwischen Haarmann und Grans getroffene Abmachung bezüglich des von dem Getöteten getragenen Anzugs. – Es trat nun nach der Zeugenvernehmung als wahrscheinlich hervor, daß Wittig in der Naht des 26. Mai von Haarmann getötet wurde und daß Grans am 27. Mai den Anzug von Rote Reihe 2 abgeholt hat. – Hat Grans von dem Morde gewußt? Hat er ihn selber angestiftet? Zwei Zeugen wurden aufgefunden, welche auszusagen vermögen, was der Verschwundene getrieben hat zwischen dem 5. Mai, wo er mit den Koffern der Schokoladefirma Zwanzig davonging und dem 26. Mai, an welchem er (wahrscheinlich) getötet wurde. Es ist zunächst wahrscheinlich, daß Wittig am 4. Mai, einem Sonntag, aus unbekanntem Grunde nach Bielefeld fuhr. Ein Reisender namens Fritz Brinkmann hat ihn auf der Fahrt von Bielefeld nach Hannover kennengelernt. Wittig erzählte diesem Mitreisenden, daß er bisher bei der Schokoladenfirma Zwanzig tätig gewesen sei und sich nun auf der Suche nach Arbeit befinde. Auf dem Bahnsteig in Hannover wurde wittig von einem Bekannten angesprochen, den er dem Brinkmann als Kriminalbeamten Haarmann vorstellte, dieser Bekannte hat dann Wittig zu einem Glase Bier eingeladen. In den folgenden Tagen will Brinkmann den Wittig noch wiederholt in Gesellschaft des Haarmann getroffen haben. Er behauptet, auch Grans mit Wittig gesehen zu haben, wie sie eingehakt am Ernst-August-Platz zusammen spazierengingen. Bei einer dieser Begegnungen soll Wittig dem Brinkmann erzählt haben, er habe Aussicht, auf der deutschen Werft in Hamburg Arbeit zu erhalten und habe keine Lust mehr, in Hannover zu bleiben. Bei einer späteren Begegnung aber erzählte er, sein Freund Haarmann habe ihm nun doch geraten, lieber in Hannover zu bleiben. Durch den zweiten Zeugen, den Schneider Richard Huth, wurde festgestellt, daß der junge Wittig in seinen arbeitslosen Stunden an mann-männliche Kreise herangetreten war und an dem Sammelpunkt hinter Kröpcke offenbar Bekanntschaften gesucht hat. Huth, ein alter Bekannter von Haarmann und Grans, bekundet, daß er Anfang Mai hinter Kröpcke mit Haarmann (den auch er stets für einen Kriminalbeamten hielt) im Gespräche stand, als ein hübscher junger Mann auf ihn zugetreten sei und um Feuer gebeten habe. Haarmann sei diskret fortgegangen. – Als der junge Mann ihm sagte, er sei arbeitslos und hier fremd und wäre froh, wenn er erst einmal für diese Nacht Unterkunft hätte, bot Huth ihm an, die Nacht bei ihm zu verbringen. Inzwischen trat aber Haarmann in Gesellschaft von Grans wieder an ihn und den Fremden heran und forderte sie beide auf, zu einem Glase Bier mitzukommen. Sie gingen alle vier in die Gastwirtschaft »Alte Reichshand« in der Großen Packhofstraße, wo Grans immer von neuem zum Trinken animierte (obwohl er die Zeche zahlte), während Haarmann zur Mäßigung mahnte. Nach Eintritt der Polizeistunde entfernten sie sich aus der Wirtschaft und Huth kam von den anderen ab, da ihm vorm Corso-Café ein Mädchen im Übermut den Hut vom Kopfe nahm. Er holte sie dann am Bahnhof wieder ein, traf aber nur noch Haarmann, der auf die Frage nach dem Verbleib der anderen erwiderte, der Unbekannte sei mit Grans gegangen. Als Huth hierauf bemerkte, er denke, Grans sei doch gar nicht »so veranlagt«, sagte Haarmann: »Er hat jedenfalls einen Bock auf ihn.« Darauf haben sich dann auch Haarmann und Huth voneinander verabschiedet. – Dies wären also die Zeugnisse für die Vorgänge, durch welche Wittig von Grans und Haarmann eingefangen und gleichsam dem Huth abgejagt wurde. Nun machen aber Haarmann und Grans über den Zusammenhang verschiedene Angaben. Haarmann (der diesen Mord von Anfang an zugeben mußte, weil des verstümmelten Armes wegen sein ewiges: »Ich erinnere mich an meine Opfer nicht«, unglaubwürdig gewesen wäre) behauptete sogleich, Grans habe am Café Kröpcke ihn auf den mit Schneider Huth sprechenden jungen Mann aufmerksam gemacht mit den Worten: »Du, den Anzug muß ich unbedingt haben. Meiner geht schon an den Ärmeln entzwei.« Er, Haarmann sei dann auf Grans' Drängen an den Fremden herangetreten und Grans habe alles Folgende eingefädelt und den Wittig dazu überredet, statt mit Huth lieber doch mit Haarmann zu gehen, welcher »sehr gut« sei und ihm auch zu essen geben werde. Haarmann hat dann den Unbekannten nach der Roten Reihe verschleppt; aber beim Geschlechtsverkehr Anstoß genommen daran, daß die rechte Hand unbrauchbar war. Er hat daher am folgenden Tage Wittig wieder weggeschickt. Von da an aber sei Wittig, auf Grans' Veranlassung dennoch immer wieder gekommen. Als

Haarmann, der den Fremden nicht leiden mochte, ihn wieder wegschickte, habe dieser abends vor der Wohnung aufgepaßt und als er Licht im Zimmer bemerkte, so lange gerufen und gepfiffen, bis Haarmann den Hausschlüssel herunterwarf. (Welche Vorgänge denn auch von Hausbewohnern bestätigt werden.) Am dritten Tage ließ sich Haarmann (wie die Engel bestätigt) vor Wittig verleugnen, der aber kurz darauf zusammen mit Grans wiederkam. Grans sei in diesen Tagen wiederholt zu ihm gekommen und habe gefragt, wann er denn nun den Anzug bekäme. Haarmann habe gesagt: »Ich kann den Menschen nicht lieben.« Worauf Grans äußerte: »Man macht das doch leichter bei einem, den man nicht liebt.« Am vierten Tage gegen Mittag sei Wittig freudestrahlend wiedergekommen und habe erzählt, daß es ihm gelungen sei, in Hamburg Arbeit zu erhalten. Er wolle am Nachmittag zwischen 5 und 6 Uhr mit einem Transport abreisen. Aber am Abend um 11 Uhr traf dann Haarmann den Wittig auf dem Bahnhof in Gesellschaft von Grans, der ihn von der Reise abgehalten habe. (Was denn freilich den Angaben des Brinkmann widerspricht, wonach Wittig erzählte, daß Haarmann selber ihn abhielt.) Grans habe ihn beiseite genommen und leise gesagt: »Fritz, du Idiot, der Anzug paßt mir doch. Nimm den Jungen doch mit. Ich möchte den Anzug doch so gern haben.« – Um endlich vor Grans Ruhe zu haben, habe er an diesem Abend Wittig wieder mitgenommen und getötet, und, als er am Morgen mit Zerstückeln der Leiche beschäftigt gewesen sei, sei Grans des Anzugs wegen schon erschienen. Er, Haarmann, habe (da Grans dergleichen nicht sehen konnte) die Leiche schnell unters Bett geschoben und sich die blutigen Hände gewaschen. Grans aber habe hastig gefragt: »Was riecht hier so schlecht?« und »Wo ist das Zeug?« Als Haarmann sagte: »Der (womit er Wittig meinte) ist nicht mehr da«, habe Grans sofort zu suchen angefangen; er aber, Haarmann, habe sich vor das Bett hingestellt und dem Grans den Schlüssel zu der von Hannappel hinterlassenen Truhe gegeben; daraus habe sich Grans den Anzug des Wittig hervorgezogen; dann sei er ihm um den Hals gefallen, habe ihn geküßt und gesagt: »Fritz, du bist doch der Beste. Auf dich kann ich mich immer verlassen.« Haarmann habe sodann gejammert, er habe an Wittig über 40 Mark Kosten gehabt, die müsse Grans mittragen. Grans habe dann auch gleich 8 Mark angezahlt und über den Rest hätten sie das in Wittigs Notizbuch vorgefundene Schriftstück sogleich aufgesetzt, weil er, Haarmann, gefürchtet hat, daß Grans ihn bemogeln wolle. – Grans erklärt alle diese Angaben für nur halbwahr. Er erzählt die Sache so: »Nicht ich habe mich an den mit Huth am Café Kröpcke stehenden jungen Mann herangemacht, sondern Haarmann hat mir gesagt: »Du, auf den hab ich einen Bock.« Nicht ich habe Haarmann gesagt, daß ich von einem anderen das Zeug haben möchte, sondern Haarmann hat zu mir (im Fall Hannappel wie im Fall Wittig) gesagt: »Schau mal den Anzug da; möchtest du den wohl haben?« »Ich habe gelacht, weil ich nicht glaubte, daß er durch irgend eine Gaunerei mir den Anzug verschaffen könne. Als er ihn mir dennoch verschaffte, habe ich wahrhaftig nicht denken können, daß er das durch einen Mord getan hatte.« Ich habe nicht das mindeste dazu getan, den Wittig gefügig zu machen, daß er mit Haarmann mitgehe. Ich habe aber in der Tat am 26. Mai den Anzug des Wittig von Haarmann bekommen und habe ihm dafür eine Anzahlung gemacht. Haarmann forderte zuerst 40 Mark, ließ den Anzug aber auf mein Bitten mir dann für 20 Mark.« – Aus der Besichtigung des mit Zwischenbügel versehenen Haarmannschen Bettes ergibt sich zweifelsfrei, daß es unmöglich wäre, eine Leiche darunter zu schieben. Nun bestätigt freilich die Engel, daß Haarmann wiederholt sich vor Wittig verleugnen ließ und sich sogar in ihrer Küche versteckte. Der Fremde, den sie in Wittigs Bilde wiedererkannt, hat auch ihr voller Freude erzählt, er habe Arbeit in Hamburg gefunden und wolle am Nachmittag weiterreisen, ist dann aber am Abend desselben Tages doch in Begleitung von Grans und Haarmann wieder mitgekommen. – So drängt sich schließlich der ganze Fall zusammen in die folgende Frage der Seelenkunde: Ist der sicher bewiesene Umstand, daß Haarmann den jungen Wittig wiederholt abwies, ein Erweis dafür, daß der Mord durch Grans aufgedrängt sein muß? Zunächst möge man bedenken, daß Haarmann nicht immer nur aus sexueller Begierde tötete. Es wäre möglich, daß er selber das Zeug des Wittig sich oder dem Grans verschaffen wollte (sei es als Geschenk, sei es gegen Bezahlung, sei es, um zu imponieren, oder um zu werben, oder aus irgend einem anderen Beweggrund). Es wäre aber auch dies möglich, daß eine dunkle Triebangst ihn vor dem jungen Wittig sich verstecken ließ, indem er ihn töten wollte und auch wieder nicht wollte und daß gerade erst der Umstand, daß da ein anderer sich immer wieder anbot und aufdrängte (möglicherweise nur, um mit Unzucht Geld zu verdienen), schließlich die sexuelle Wolfswut aufgestachelt hat. So bin ich zuguterletzt geneigt geworden, zwar (wie auch in mehreren anderen Fällen) eine dunkle Mitwisserschaft des Grans, keinesfalls aber Anstiftung und auch nicht Beihilfe zum Morde anzunehmen.

25. Friedrich Abeling, geboren 14. März 1913,
verschwand am 26. Mai 1924

Ein zehnjähriges Kind, 1,10 m groß, volles niedliches Gesicht, Haare nach Pony-Art geschnitten, Ebenbild seiner dreizehnjährigen Schwester Alice, Sohn des Schlossers Wilhelm Mayhöfer und seiner Frau Therese, verwitwete Abeling, in der Rautenstraße, ein ruhiger und ordentlicher Junge, hatte am 25. Mai 1924 die Schule versäumt und war dafür bestraft worden. Am 26. Mai bat er die Mutter um 20 Pfennig. Der Lehrer wolle mit der Klasse einen Ausflug machen. Die Angabe erwies sich als unwahr. Er hatte bei seinem Fortgehen nichts an, als einen grauen Sweater mit grüner Borde. Er blieb vermißt. Am 17. Juni spielten Kinder in der Rautenstraße. Da trat an die 12jährige Anni Stümpel ein Mann heran mit der Frage: »Kennst du Alice Abeling?« »Es ist die dort«, sagte das gefragte Kind, worauf der Mann an die kleine Alice herantrat mit den Worten: »Guten Tag, Alice, ich komme von deiner Mutter und habe eine Karte dagelassen. Deine Mutter wird dir das schon erklären. Ich bin ein Freund von deinem Vater. Ich wollte dich nur mal sehen.« Er gab ihr die Hand und entfernte sich. – Eine Karte ist in der Wohnung der Eheleute Mayhöfer nicht abgegeben worden. Die beiden Mädchen haben als denjenigen Mann, der sie angesprochen hat, mit voller Bestimmtheit Haarmann wiedererkannt. Sie geben nur an, daß Haarmann einen schwarzen Schnurrbart trug, während er in Wirklichkeit einen blonden hat. Es konnte aber festgestellt werden, daß Haarmann in der Tat einen kleinen schwarzen Schnurrbart besaß, den er sich anklebte, wenn er sexuelle Streifzüge unternahm. Am 25. Juni wurde am Lustgarten des Leineschlosses ein Kinderschädel angespült, doch konnte nicht mit Sicherheit der des verschwundenen Abeling darin erkannt werden. Dagegen fand man seinen grauen Sweater mit grüner Borde. Er lag seit Ende Mai auf der Nähmaschine der Engel, wurde dann von Grans mitgenommen, der ihn an seine Mutter für seinen kleinen Stiefbruder Alfred verschenkt hat. Die Stubennachbarin des Haarmann, Frau Lindner, erinnert sich, daß gegen Ende Mai ein kleiner Knabe, den sie dem Bilde nach als den kleinen Abeling wiedererkennt, nach Rote Reihe 2 gekommen ist und nach Haarmann gefragt hat. Sie habe dem Kinde, das ihr leid tat, gesagt: »Kind, geh man nach Haus, der Onkel will nichts Gescheites von dir.« Der Knabe bekam einen roten Kopf und ging fort. Es ist anzunehmen, daß Haarmann den aus Furcht vor Strafe sich umhertreibenden Knaben angesprochen und durch Versprechungen von Geschenken in seine Wohnung gelockt hat. Die Alice Abeling kannte er wohl von den Schilderungen ihres Bruders und hat sie aus Neugierde aufgesucht. Es ist das ein psychologisch merkwürdiger Umstand, aber ein Beweis dafür, daß die beständige Beteuerung, daß er sich an die Gesichte seiner Opfer nicht entsinnen könne, durchaus unwahr ist.

26. Friedrich Koch aus Herrenhausen, geb. 4. Mai 1908, verschwand 5. Juni 1924

Friedrich Koch, Schlosserlehrling, 16 Jahre alt, Sohn des Malers Fr. Koch in Herrenhausen, verschwand am 5. Juni. Er fuhr morgens um 7 Uhr regelmäßig mit der Bahn zur Arbeit; in Gesellschaft des Schlosserlehrlings Paul Warnecke. Auf dem Bahnhof hatten beide den Haarmann kennengelernt. – Am 5. Juni nachmittags gingen die jungen Schlosserlehrlinge Koch, Rubi und Böcker durch die Altstadt zur Fortbildungsschule. Koch trug eine Wachstuchtasche, in der sich das Lehrbuch von

Duden befand. An der Ecke vom »Tiefental« schlug ein Mann, den Rubi und Böcker nicht kannten, aber bei der Gegenüberstellung aufs bestimmteste als Haarmann wiedererkannt haben, den Koch mit dem Spazierstock an die Stiefel und fragte: »Na Junge, kennst du mich nicht mehr?« Koch blieb stehen, winkte den Freunden Abschied und wurde seither nicht mehr gesehen. Es fanden sich weder Kleider noch Leichenteile. Nur die Aktentasche des Kindes, sowie der Duden, in welchen der Knabe seinen Namen eingeschrieben hatte.

27. Erich de Vries, geb. 7. März 1907,
verschwand 14. Juni 1924

Der 17jährige Sohn Erich des Kaufmanns Max de Vries in Hannover, welcher bei seinem Onkel, dem Bäckermeister Schulze in Celle in der Lehre war, fuhr Pfingsten 1924 auf Besuch zu den Eltern. Er war ein gesunder, schöner, wenig welterfahrener, leichtgläubiger Junge. Da die Eltern gerade einen Pfingstausflug machten, fand der Knabe die Wohnung verschlossen und ging zu seiner in der Herschelstraße wohnenden Tante, wo die Eltern auch einen Hausschlüssel für Erich abgegeben hatten. Er blieb dort bis abends ½11 Uhr, nahm dann Abschied und sagte, er wolle nun nach Hause zur Hildesheimerstraße. Als die Familie gegen 12 Uhr vom Ausfluge nach Hause kam, war der Junge nicht in der Wohnung, so daß man annahm, daß er entweder bei der Tante oder gar nicht aus Celle herübergekommen sei; man legte wie immer die Sperrkette vor die Flurtür. Am nächsten Morgen gegen 10 Uhr erschien der Knabe und erzählte seiner Stiefmutter, er habe in der Nacht zweimal gegen 3 und gegen 6 Uhr an der Flurtür geklingelt, da er der Sperrkette wegen nicht öffnen konnte; der Hund habe sehr laut gebellt, da aber niemand geöffnet habe, sei er fortgegangen und sei die ganze Nacht mit zwei Männern, einem jungen und einem älteren, durch die Altstadt spazieren gegangen. Die Erzählung erschien durchaus unglaubhaft. Am 12. Juni bat Erich um Erlaubnis, mit einem Freunde, einem schon ausgelernten Bäckerjungen ausgehen zu dürfen. Am 14. Juni morgens 10 Uhr ging er, wie fast regelmäßig, nach der

Ohe zum Baden. Der Vater mahnte ihn, er möge zeitig wiederkommen, denn er wolle mit ihm heute zum Bäcker-Obermeister, damit er eine Stelle in Hannover bekomme; der Junge brachte seine Freude zum Ausdruck, daß er in Hannover bleiben dürfe. Er ist an diesem Morgen nicht zurückgekehrt. Seine Schwester, die 11jährige Hildegard, bekundet, daß am 10. Juni, als ihr Bruder in der Ohe badete, und sie derweil auf seine Sachen aufpaßte, ein Herr am Ufer gestanden habe, den sie jetzt bestimmt als Haarmann wiedererkennt, die Badenden aufmerksam beobachtete und dann ihren Bruder, als dieser aus dem Wasser stieg, eine Zeitlang genau betrachtet habe. Haarmann sei dann auf sie beide zugetreten, habe nach der Tageszeit gefragt und habe sich entfernt. Man fand den Anzug, kenntlich besonders an einem von einer Zigarette eingebrannten kleinen Loch im linken Hosenbein, die Seidenflorstrümpfe, das Batikziertüchlein, die Brille und den von der Schwester geschenkten Taschenkamm in Haarmanns Wohnung, der sich denn auch zuletzt bequemte, die Untersuchungskommission zum Teich am Eingang des Schloßgartens zu führen, wohin er (in der Aktentasche des getöteten Koch) die Leichenteile in vier Gängen getragen hatte. – Er meint, daß er die Bekanntschaft des Erich de Vries auf dem Bahnhof gemacht habe. Er hat ihn wahrscheinlich, wie er es beständig tat, mit Beschenken von Zigaretten an sich gelockt.

Rechtstechnisches

Je weiter die Verhandlungen fortschritten, um so klarer drängte sich die Überzeugung auf, daß man eine Schlange nicht richten kann, ohne zugleich den Sumpf mit vor Gericht zu stellen, daraus allein die Schlange ihre Nahrung zog. Dies war nun vor dem Schwurgericht in Hannover nicht möglich. Und zwar aus den folgenden Gründen: 1. Haarmann machte alle seine Aussagen unter dem Druck und in Abhängigkeit von der hannoverschen Polizei; insbesondere in Abhängigkeit von dem Polizeiarzt Dr. Schackwitz, der ihn völlig zu lenken vermochte. Man setze einmal den Fall, dieser Kriminalprozeß wäre in einer anderen Stadt, z. B. in Leipzig oder in Berlin verhandelt und ein anders eingestellter, aber gleich eindrucksvoller Arzt wäre jeden Morgen in Haarmanns Zelle getreten etwa mit den Worten: »Fritz, was bist du für ein großartiger Kerl, daß du zehn Jahre lang die dumme Behörde in Hannover an der Nase herumgeführt hast«, so würde der ganze Kriminalfall ein völlig anderes Gesicht bekommen haben. Es hätte sich dann erwiesen, daß ein schadhaftes Rechtssystem und eine schadhafte Psychiatrie die dreißig Morde mitverschuldet haben. Da aber Haarmann in Hannover verblieb und seine letzten Tage völlig abhängig waren von der Gunst der Behörde, so hütete er sich sorglich, das auszusagen, was auch diese mitbelastet hätte. Ja, man benutzte Haarmann geflissentlich zur Entlastung der in Hannover herrschenden Zustände und ging in derselben Weise schonend mit ihm um, wie er seinerseits günstig für das Polizei- und Gerichts-Personal aussagte. 2. Man hatte als Sachverständige nur die dem Gericht nächstgelegenen Ärzte zugelassen, welche von Berufs- und Amtswegen bereits in der Vorgeschichte des Falles mitwirkten und darum ebensowenig wie der Schwurgerichtshof »die idealen Bedingungen zu vollkommen unbefangener Rechtsfindung« erfüllen konnten. a) Gutachter I, Gerichtsmedizinalrat Brandt, war derselbe Gutachter, welcher schon 1908 (im Gegensatz zu drei anderen nichtbeamteten Ärzten) den Haarmann gelegentlich seiner Sexualperversionen für geistig gesund erklärt und damit vom Irrenhaus freigemacht hatte. Brandt hätte, wenn er jetzt dieses sein erstes Gutachten umgestoßen hätte, seine »Mitschuld« an allen seit 1908 eingetretenen Irrsinnstaten eingestehen müssen. b) Gutachter II, Gerichtsmedizinalrat Schackwitz, war derselbe Gutachter, der als Polizeiarzt das im Februar 1924 ihm zugetragene Fleisch vielleicht nicht falsch, aber jedenfalls nach nicht genügend exakter Untersuchung für »Schweinefleisch« erklärte und der jedenfalls als nebenamtlicher Polizeiarzt kein unbedingtes Interesse daran hatte, eine etwaige Mitschuld der Behörden oder gar seiner selbst scharf und klar ans Tageslicht zu bringen. c) Gutachter III, Geh. Medizinalrat Schultze aus Göttingen, war zwar sicher unvoreingenommen; aber kannte die früheren Gutachten, als er das seine abgab (was z. B. nach englischem Recht nicht zulässig ist). – Ich will absehen von einer ganzen Reihe von rechtstechnischen Fehlern, die im Laufe des Prozesses gemacht wurden. Notwendig schien es mir, um der Wahrheit willen diese grundsätzlichen Bedenken nicht zu verschweigen.

Der Ausschluß der Kritik

Man nahm keinen Anstand, auch bei den Teilen der Verhandlung, während deren die Öffentlichkeit ausgeschlossen wurde, die 21 Vertreter der Presse im Saale zu lassen. Da diese alle nur »Berichterstatter« waren, so wurde in der Öffentlichkeit kein Versuch unternommen, das Grauenhafte geistig auszuwerten; dagegen wurde die ganze Bevölkerung Deutschlands wochenlang mit dem widerwärtigsten Schmutz und Blöff genährt. Um so erstaunlicher war der Zwischenfall, der am elften Tage der Verhandlungen zu einer wüsten, unsinnigen Entladung führte. – Schon in den ersten Tagen des Prozesses wurden die Verhandlungen wiederholt jäh unterbrochen durch Ansprachen und Einschüchterungen an die »Presse«, von der man sachliche – (das hieß aber in Wahrheit: die Mitschuld der Behörden und Zustände verschweigende) Berichterstattung erwartete. Da nach § 176 des Gerichtsverfassungsgesetzes dem Präsidenten die Verteilung der Plätze im Saale zustand, so konnte dieser androhen, solche Schreiber, die »unsachlich und unwahr« berichten würden, von der Verhandlung auszuschließen. Da jeder im Saal durch Amt, Beruf, Erwerbspflicht gebunden war, so war es unmöglich, daß die im Solde des Zeitungssystems arbeitenden Berichterstatter (abgesehen von berufsmäßigen Protesten der Kommunisten, die in Hannover aber nur eine einzige, wenig einflußreiche Zeitung besaßen), das öffentliche Gewissen aufpeitschen und dies »Panama der Kultur« enthüllen würden. So erhub sich denn während des Prozesses eine der bänglichsten aller Fragen: Wie weit darf ein Berichterstatter an der »öffentlichen Rechtsfindung« (natürlich nicht an der »Jurisdiktion«) kritisch mitarbeiten und mithin in ein noch schwebendes Verfahren geistig eingreifen? Ich glaube, daß nur in einem Fall die Gerichtskritik beschränkt werden muß: Wenn sie dazu mißbraucht wird, um zum Nachteil eines Angeklagten öffentlich

Stimmung zu machen; wie es in Deutschland hundertfach geschieht; handle es sich nun um Max Hölz oder Maximilian Harden, Ernst Toller oder Adolf Hitler. – Ein solcher Mißbrauch politischer Zu- und Abneigungen war aber im Falle Haarmann ausgeschlossen. Daß der Wolfsmensch unschädlich zu machen sei, stand für jeden von vornherein fest. Sein Kriminalfall hatte mehr sittliche, kulturkritische und seelenkundliche als rechtswissenschaftliche Bedeutung. Im übrigen besitzt jeder Gerichtshof ein einfaches Mittel, um sich vor jeder Beeinflussung durch die öffentliche Meinung zu schützen. Er braucht sich nur ganz der Sache hinzugeben; nicht rechts und nicht links blickend. Es ist ein tiefes Unrecht, während einer strengen, sachlichen Arbeit in Zeitungen nachzulesen, »welche Presse man hat«, d.h. ob der Eitelkeit geschmeichelt oder ob sie gekränkt wird. Stößt man aber wirklich auf Geister, mit denen man glaubt sich auseinandersetzen zu müssen, so suche man gemeinsame Arbeit zu tun. Der anständige Mensch wird lieber positiv mitarbeiten, als sich kritisch einstellen. Es bedarf also nur des menschlichen und sachlichen Fühlungnehmens. Gegen diese Grundsätze sündigte das hannoversche Gericht in fast unbegreiflicher Weise. Man rechtsprechelte fürs Auge. Man versuchte gleichzeitig mit der Entscheidung der Rechtsfälle auch die Prüflese der »öffentlichen Meinung« einzuleiten. Fortwährend brachten Gerichtsdiener die neuesten Zeitungsblätter. In dem überhitzten Saal, zehn Tage lang von früh bis spät, unausgeschlafen, überrege und überarbeitet, Stuhl an Stuhl sitzend, vermochte keiner etwas anderes zu erfühlen als nur sich selber. Aus Karriereehrgeiz, Wissenschaftsdünkel, Selbstgerechtigkeit und Gottähnlichkeitsgefühlen ballte sich über den wenigen noch besonnenen Häuptern allmählich eine dicke Wolke von Mißwollen, Unbehagen, Feindseligkeit und Angst zusammen, so daß der schließliche Donnerkrach vorauszusehen war. Ich darf hier einige persönliche Bemerkungen nicht zurückhalten. Ich hatte, indem ich aus Vorliebe für Seelenkunde dem Verfahren beiwohnte, nicht im mindesten die Absicht, diesen Rechtsfall zu schulmeistern. Das Gebiet war so abstoßend, ekelhaft, daß ich freiwillig niemals mich dareingemengt hätte. Aber da ich nun einmal für deutsche Zeitungen das Schreiben von Berichten übernommen hatte, so wurde ich durch, bis zu Beleidigung und persönliche Bedrohung mälig fortschreitende Einschüchterungsversuche durch das hannoversche Gericht selber, in immer gespanntere Haltung hineingedrängt. Man hatte mich zugelassen, erstens, weil man kaum mehr als den Namen von mir kannte, zweitens, weil man von einem beamteten Hochschullehrer nicht eben eine Kritik der Behörden seiner Heimatstadt erwartete; drittens, weil man von der keineswegs »radikalen« Presse, die zu vertreten ich übernommen hatte, am wenigsten die nachmals doch als notwendig sich ergebende scharfe Beleuchtung der verrotteten Zustände befürchtete. Man wäre jeder möglichen Rücksicht von meiner Seite gewiß gewesen, wenn man sachlichen Willen zur Wahrheit bewiesen und mir nicht vor Augen gestellt hätte das traurige Kleinstadtschauspiel gekränkten Juristenehrgeizes, medizinischer Selbstgerechtigkeit und amtlichen Machtmißbrauchs; das Schauspiel eines aufgescheuchten Ameisenhaufens, der den störenden Fremdkörper stechend und säurespritzend zu entfernen trachtet. Nicht einmal die unter durchbildeten Menschen selbstverständlichen Formen wurden leidlich gewahrt, sondern sobald die ersten verfänglichen Berichte im Gerichtssaal nachgelesen wurden, begann eine ungeheuerliche In-Acht- und Bann-Erklärung Aller gegen Einen. Nach mehreren ähnlichen Zwischenfällen, bei denen mir die Entfernung aus dem Saale angedroht wurde, wenn ich meine Überzeugung weiterhin zum Ausdruck brächte, zückte endlich am elften Tage der vernichtende Blitz, indem die Sachverständigen sich weigerten, ihre (mir übrigens schon bekannten) Gutachten in meiner Gegenwart abzugeben; die Staatsanwaltschaft sich durch meine Berichterstattung beeinträchtigt, die Verteidiger sich für beleidigt erklärten; der Vorsitzende aber mich anherrschte: »Sie sind hier als Reporter zugelassen, nicht als Schriftsteller. Wir können im Gerichtssaal keinen Herren dulden, der Psychologie treibt.« – Ich wurde, da ich mir ruhig und sachlich diese Beeinflussung verbat, aus dem Saale hinausgewiesen. An den Vorgang knüpften sich lange Zeitungskriege, indem von der einen Seite meine

Person herabgewürdigt, die Öffentlichkeit, die Hochschule, die Studentenschaft, sogar das Kultusministerium aufgehetzt; von der anderen Seite dagegen mein Handeln mit Zolas oder Voltaires Kriminalkritik verglichen wurde, beides wohl nur Beweis dafür, daß eine naturlos-unmenschlich gewordene Rechtsmaschinerie zwar jede »Tendenz« der Hexe Politik, jede Selbstüberhebung des blinden Riesen Wissenschaft verzeiht, daß sie jede Sprache der Absichten oder der Zwecke begreift; eines aber niemals: das natürliche Gefühl des menschlichen Herzens.

Das Todesurteil

Nachdem die Sachverständigen ihre Gutachten dahin abgegeben hatten, daß Haarmann zwar eine »pathologische Persönlichkeit«, nicht aber des »freien Willens« und der »Verantwortungsfähigkeit« bei Begehung seiner Taten beraubt gewesen sei (sintemalen weder »Absenzen« vorlagen, noch auch »Epileptische Äquivalente«, noch auch ein »Manisch-depressives Irresein«, endlich auch weder »Schwachsinn«, noch »Hebephrenie«), so begannen denn die Plädoyers. Das des Oberstaatsanwalts: klar und maßvoll; alles Wesentliche zusammenfassend; das des Haarmannverteidigers: unsachlich, wichtigtuerisch und kenntnislos; das des Gransverteidigers: sachlicher, aber recht ungeschickt und unbedeutend. Das Verhalten der beiden Angeklagten blieb das Gleiche: das eines alten eingekesselten Wolfes und das eines jungen, in tückische Falle geratenen Fuchses. Der Wolf, blutige Tränen vergießend, Bibelsprüche zitierend, alle seine Bluttaten aus der »Ungunst der Verhältnisse« erklärend, suchte zu beweisen, daß er unter günstigeren Umständen auch einen vortrefflichen Polizeihund hätte abgeben können und daß in seiner Unmoral eigentlich auch Moral verborgen läge; der Fuchs dagegen sammelte alle Kraft auf den Versuch, mit Hinterlassung einer Pfote oder des eingeklemmten Schwanzes wenigstens mit dem Leben davonzukommen. Auch ihr gegenseitiges Verhältnis blieb bis zum Schlusse das gleiche: Der Wolf, den jüngeren bedrohend und doch um Gemeinschaft werbend; der Fuchs eiskalt, bleich, lauernd, sich dieser Todesbruderschaft erwehrend. Am 19. Dezember, morgens 10 Uhr, wurde das

Urteil verkündet: Haarmann wurde in 24 Fällen 24 Mal zum Tode verurteilt. Grans wurde wegen Anstiftung zum Morde (im Falle Hannappel) zum Tode und wegen Beihilfe zum Morde (im Fall Wittig) zu 12 Jahren Zuchthaus verurteilt. Haarmann nahm das Urteil an. Grans meldete seine Rechtsrüge.

Ergebnis

Mären von Wolfsmenschentum und Vampirismus reichen zurück in die fernste Vorzeit der heute lebenden Völker. Sie sind überall mit Sexualmythen verknüpft gewesen. Um das Wiederauftauchen der »Lykandrie« inmitten der abendländischen Zivilisationsmenschheit zu klären, muß man wohl ausgehen von solchen Naturspielen, in denen noch Liebesleben und Todessehnsucht, Wille zur Vernichtung des anderen und Wille zum Selbstvernichtetwerden, ja Mördertum und Zärtlichkeit wunderbar ineinanderspielen, wie bei den schönsten Geschöpfen der Natur: Schmetterlingen und Insekten. – Wie es zu vermuten steht, daß in Haarmann auch ein beständig mit dem Leben spielender Wille zur Selbstauflösung lebendig ist – (hatte ich doch zuweilen den Eindruck, als ob er sich vom »Hingerichtet Werden« einen letzten Orgasmus verspreche) –, so darf man durchaus glauben, daß dieser gefühlstote Mensch im »Liebesrausch« eine ihn selbst auslöschende und ihn weit über seinen Alltag hinausreißende Überspannung erlitt, wehrloser und schicksalhafter, als der orgiastische Zustand eines mit »Hemmungen« versehenen Kulturmenschen, für welchen ja auch Liebe und selbst Verbrechen eine Art leichtes Sinnenspiel und behagliches Genußmittel geworden ist. Gerade daß die ursprünglich überstarke Geschlechtlichkeit dieses Androgynen und Androlyken völlig erschöpft und verausgabt wurde, macht es begreiflich, daß er gleichsam nur aus dem untersten Bodensatz hervorzuholen vermochte die Urerbschaften einer versunkenen Gattung, für welche ursprünglich der Trieb des Sicheinbeißens und Verschlingens (auch des Sicheinverleibens »fremder« Natur in Form des Essens und Trinkens) ein das Einzelwesen auslöschender, auf ursprünglichste Mitahmung zurückführender dionysisch-(»zagrystisch«) erotischer Akt war. Wir wissen nicht einmal, ob nicht selbst das Sichzerreißen der Tiere irgend ein natürliches Wollusterlebnis in sich schließt, so daß, wenn der Wolf das Lamm würgen muß, man ebensogut sagen könnte: Er liebt, wie: er haßt die Lämmer. Ich erinnere mich eines Hundes, der getötet werden mußte, weil er triebmäßig bestimmte andere Hunde (und zwar immer Hunde von gleicher, schon sehr degenerierter Art wie er selber) anfiel und würgte, bis sie tot waren. Dabei zeigte sich an dem Tiere zweifellos geschlechtliche Erregung. Bei solchen Erscheinungen müßte eine biologische Erklärung einsetzen; die seelenkundliche müßte das Traumleben, die Jugendumgebungen, das Spielzeug und die Wunschvorstellungen der Kinder- und Jünglingsjahre viel genauer erforschen, als die Schulpsychologie und -medizin von heute das vermag. –

»Und jedermann mordet sein liebstes Ding,
Damit ihr es alle nur hört,
Der eine tuts mit bösem Blick,
Der andre mit Schmeichelwort,
Der Feigling tuts in einem Kuß,
Der Held mit seinem Schwert.« …

So verklingt der Aufschrei des in Zuchthäusern verunzüchteten Lebens in Oskar Wildes Ballade. Daß aber Tod und Liebe, Eros und Eris, ursprünglich verschlungen sind, ist Gerechtigkeit der Natur, welche fordert, daß höchste Bestätigung auch Vollendung sei. Auf den Gipfeln erhabener Erotik brauchen freilich Schicksalsergriffene nicht wie in der vormenschlichen Natur noch den Lustmord aneinander zu begehen, denn hier ist die Naturmacht zu solcher Seelengewalt geworden, daß sie das Schicksal zwingt, zu töten, wie Überragendes den Blitz auf sich zieht. Daß aber die sogenannt höheren Geschöpfe und zumal der Mensch ihre Liebesakte zeitlich überdauern und überstehen, gleichsam eigenste Selbsterfüllung überlebend, wird zweifellos erkauft mit der Minderung an Sättigungskraft erotischen Lebens, ja, diese Entsinnlichung dürfte innerhalb des »Kulturprozesses« schon eingetreten sein, damit eben Hemmungen überhaupt wirksam werden können. Wir normalen und beherrschten Menschen haben uns den vormenschlichen Triebdämonen wohl weniger durch »Sublimierung«, als durch die geistbedingte (d.h. Logos- und Ethosbedingte) wachsende Abkältung der Erdkraft entzogen. Nun kommt noch einmal durch eine Art Regiefehler ein Naturspiel wie dieser Triebmonomane in eine Schicht von Lebewesen, wo nur mittlere Temperaturen des Eros die Bürger-Rechte haben. Nicht schon schicksalhaft und todverbunden mit religiösen, mythischen, enthusiastischen Mächten und andererseits nicht mehr tief genug stehend, daß Tod und Wollust von Natur aus noch zusammenfallen, scheint er unter riesigem Triebdruck doch gezwungen, dem großen Liebestodgesetze scheußliche Treue zu wahren; »scheußlich« nur deshalb, weil in einer selber verfratzten und depravierten »Kulturmenschheit« auch das Naturantlitz nur in Form der Fratze und Entartung durchbrechen kann. – Denn wie der Hund, das typisch moralisch-altruistische Geschöpf nur geschwächte und ausgeprügelte Wolfsnatur darlebt, so scheint auch die Moral der Kulturmenschheit nur eine Art versetzte und »veredelte« Wollust zu bergen, so daß nach dem Gesetz des Pendels das höchste Ausmaß auf der einen Seite sogleich nach der anderen Seite hin umschlägt, wie denn moralische Fanatiker gleich Torquémada, Dante, Robespierre etwas Wölfisches haben und der wüste Amokläufer etwas vom christlichen Heiligen. Dieses Wolfstum bei Radio und Elektrizität, der Kannibalismus in feiner Wäsche und eleganter Kleidung, dürfte somit ein Merkmal sein für die Seele der abendländischen Wolfsmenschheit überhaupt; im Kleinen noch einmal das Selbe wiederholend, was im Großen darlebten fünf Heldenkriegsjahre, in denen jegliches Werktum des Mordens und jeder Wohlstand seelischen Todes im Dienste des Wolfherzens und der Wolfsmoral stand und die älteste Erkenntnis wieder die jüngste ward: »Homo homini lupus e natura«, der Mensch ist dem Menschen von Natur der Wolf. Ich habe 1914 in einem Lazarett einen Menschen behandelt, dessen Ruhm und Glück es war, wiederholt an Wachtposten der Feinde herangeschlichen zu sein und sie mit den Händen erwürgt zu haben; dessen Brust aber – schmückte das Eiserne Kreuz. – Die Frage, ob es sich in einem solchen Falle um »Irrsinn« handle, oder ob der Mensch vor den Gesetzen verantwortlich sei, scheint mir müßig und sinnlos. Der Irrsinn liegt oft im Tun selbst. Dabei bleibt natürlich der wachbewußte Oberbau, abgeschnürt vom Triebvampirismus, völlig unversehrt. Es fehlen in solchen Fällen alle stabilisierenden Hemmungen (das was man bei »Zurechnungsfähigkeit« eben voraussetzen muß). An ihre Stelle traten wieder wie beim Tier die automatischen Triebreaktionen, alle jene »Stereotypien«, für welche die Sachverständigen kein Auge hatten. Man kann mir nun freilich einen naheliegenden Einwand machen: Haarmann mordete ja nicht zwecklos. Er war nicht reiner »Triebverbrecher« (so wenig wie Grans reiner »Intelligenzverbrecher« ist). Er hat in mehreren Fällen möglicherweise auch ohne Geschlechterrausch aus Besitzgier, Rache, Angst vor Mitwisserschaft gemordet. Dazu aber muß Folgendes bemerkt sein: Eine auf der Grundlage teilweisen Schwachsinns jahrzehntelang eingeschliffene und gewohnheitsmäßig gewordene Triebneurose wird selbstverständlich zuletzt nicht eben wählerisch vorgehen. Haarmann tötete schließlich so leicht, wie er sich die Stiefel putzte. Ja, das Töten in Heimlichkeit (wir werden sogleich sehen, daß diese Heimlichkeit wesenhaft zur Triebwollust mit gehörte), vielleicht sogar schon das Hantieren mit Leichenteilen (man kennt ja bei Infantilen solche Fälle von »Nekrophilie«) wurde für Haarmann allmählich von schauerlichem Reiz. Ich kann mich nicht enthalten, einige tiefschürfende Worte Nietzsches hierher zu setzen: »So spricht der rote Richter: ›Was mordete doch dieser Verbrecher? Er wollte rauben.‹ Aber ich sage Euch: seine Seele wollte Blut, nicht Raub: er dürstete nach dem Glück des Messers. Seine arme Vernunft aber begriff diesen Wahnsinn nicht und überredete ihn. ›Was liegt an Blut!‹ sprach sie; ›willst du nicht zum mindesten einen Raub dabei machen? Eine Rache nehmen?‹ Und er horchte auf seine arme Vernunft, wie Blei lag ihre Rede auf ihm. – Da raubte er, als er mordete. Er wollte sich nicht seines Wahnsinns schämen.« (Es hat sicherlich Stunden gegeben, wo sich der Wolf vor dem jungen Fuchs schämte, daß er mordete, ohne dabei auf »die Kleider zu achten«.) – Dem hannoverschen Gericht und seinen

Sachverständigen schreibe ich aber auch die folgenden Worte Nietzsches ins Stammbuch:

»Was ist dieser Mensch? Ein Knäuel von Krankheiten, welche durch den Geist in die Welt hinausgreifen; da wollen sie Beute machen. Aber dies will nicht in Eure Ohren; Euren Guten schade es, sagt Ihr mir, aber was liegt mir an Euren Guten! Vieles an Euren Guten macht mir Ekel und wahrlich nicht ihr Böses. Wollte ich doch, sie hätten einen Wahnsinn, an dem sie zu Grunde gingen, gleich diesem bleichen Verbrecher. Wahrlich, ich wollte ihr Wahnsinn hieße Wahrheit oder Treue oder Gerechtigkeit. Aber sie haben ihre Tugend, um lange zu leben und in einem erbärmlichen Behagen.

Ich bin ein Geländer am Strome: fasse mich, wer mich fassen kann. Eure Krücke aber bin ich nicht.« --

Ich will nunmehr auf einen wesentlichen Punkt hinweisen, der von den Seelenerratern des hannoverschen Gerichts gleichfalls recht mißkannt wurde: Die scheinbare Motivlosigkeit vieler Mordtaten. Ich habe bereits bemerkt, daß das Suchen nach Beweggründen außerhalb der Geschehnisreihen durchaus hinauskommt auf den logisch-ökonomischen Zwang, das geballte und unausmeßliche Schicksal künstlich zu verengern, um es faßbar zu machen für begreifende Orientierung. Es dürfte in Wirklichkeit niemals eine Tat aus einem Motiv geschehen. Es würde aber auch keineswegs gegen die Möglichkeit von Taten sprechen, wenn überhaupt keine Gründe für sie auffindbar wären, wie denn der Wolf das eine Mal das Lamm ohne Not zerreißt, das andere Mal, obwohl das Zerreißen zu erwarten wäre, grundlos an ihm vorüberblickt. – Die eigentümlichste Ungewißheit aber obwaltet in solchen Fällen, wo gerade die Dunkelheit und der Reiz, den das Heimliche und Bodenlose ausübt, selber zum Urgrund von Taten geworden ist. Unverkennbar ist diese Motivationslosigkeit bei manchen Formen des Giftmordes. Ich möchte dafür folgendes, im zweiten Kriegsjahr 1915 selbst erlebte Beispiel anführen. Ich befand mich im ärztlichen Dienst in einem mit fünfhundert Schwerverletzten belegten Lazarett. Es waren besonders viele russische Gefangene dort. Als Dolmetscher in der russischen Abteilung arbeitete ein junger Balte (20jährig, freundlich, gefällig, hilfsbereit, scheinbar der ideale Krankenpfleger und Helfer, daher allgemein beliebt und von Kranken, Schwestern, Ärzten als allgemeines »Faktotum« geschätzt). Es fiel auf, daß unter den Russen viele Todesfälle vorkamen, die aus dem Wesen der Krankheit nicht zu erklären waren. Als diese dunkle, todbringende Epidemie nicht nachließ, kam man schließlich auf den Verdacht, es müsse sich um Vergiftungen handeln. Die Toten wurden ausgegraben; im Magen wurde Arsen nachgewiesen. Gleichzeitig wurde festgestellt, daß aus dem Giftschrank des im Lazarett befindlichen Laboratoriums Giftstoffe entfernt waren. Die Oberschwester führte zu den Schränken des Arbeitsraumes die Schlüssel. Sie konnten nur an die Ärzte nach Genehmigung des Oberarztes ausgehändigt werden. Es war nun aber einige Male geschehen, daß, wenn ein Medikament nötig war, wir unseren Vertrauensmann, Oskar, eben den jungen Balten, zu der Oberschwester mit der Bitte um einen Schlüssel geschickt hatten; bei dieser Gelegenheit konnte der junge Mann wohl an den Giftschrank herangekommen sein. Als die Untersuchung eingeleitet wurde, war der Balte verschwunden; als das ganze Haus nach ihm abgesucht wurde, kam eine Ordonnanz kreidebleich und meldete, auf dem Boden in den Sparren des Dachwerks hänge Oskar. Er war bereits tot; die Untersuchung blieb ergebnislos, doch zweifelte niemand, daß dieser bei allen beliebte junge Mensch in etwa zwanzig Fällen seine eigenen Landsleute, zu denen er übrigens nicht die mindeste Feindseligkeit zeigte, ohne jeden Zweck und Sinn durch Beimischung von Gift in ihre Speisen langsam getötet hatte. Damals im Kriege machte man sich angesichts solcher Rätsel nicht allzu viele Kopfschmerzen. Die meisten beruhigten sich mit dem Schlagwort: »Sadismus.« Sie erklärten sich den Fall so, wie man etwa bei schlecht gearteten Kindern oft die Neigung zu grausamen Tierquälereien bemerkt: die Kinder beobachten halb mit Schauer, halb mit widerwilligem Entzücken die Zuckungen des gequälten Geschöpfs. Sie werden bei solchem Herumproben von Neugier und Entsetzen weiter und weiter getrieben. Auch mochte jene medizinische und wissenschaftliche Wichtigmacherei, die sich in einem Spielen mit Menschen und Menschenschicksal selbstbehagt, an dem lichtscheuen Treiben des jungen Balten einigen Anteil haben. Aber indem ich mir den Menschen wieder vergegenwärtige, seine bescheidene Eitelkeit, wenn man ihn lobte (»Der hats hinter den Ohren«; »In dem steckt mehr als man ihm ansieht«), so scheint es mir sehr möglich, daß ausschließlich die Spielerei mit dem Dunkel und ein Reiz des Geheimnisses diesen Burschen aus verschlagenem Ehrgeiz zum Massenmörder gemacht hat. – Im Falle Haarmann aber stieg der Reiz des Heimlichen auch noch aus anderen Triebwurzeln; nämlich aus jener Sinnlichkeit, die man wohl ein entpersönlichtes Liebesleben nennen könnte. Musterfall dieser Entpersönlichung ist die Onanie, an welcher sowohl die Persönlichkeitslosigkeit des Gefühls wie der Reiz der Verborgenheit zu haften pflegt. Die größte Qual, die man Haarmann antun konnte, war die, daß man ihm die Bilder der Opfer vorlegte, ihm von seinen Knaben erzählte und sie ihm persönlich nahe brachte. Sie waren für ihn immer nur »schöne Jungens«, von deren Persönlichem er so wenig wie möglich wissen wollte, denn bei genauer Bekanntschaft (wie bei Grans) verlor sich der generelle Trieb, welcher darauf ausging, die jungen Körper ganz Unbekannter in Verborgenheit zu packen, zu zerreißen, zu verzehren. – Ich habe in der »Symbolik der Gestalt« (Verlag Niels Kampmann, Celle, 1925) ausführlich aufgezeigt, daß Merkmale von Sinnlichkeit nichts zu tun haben mit Erotik im Sinn des persönlichen Lebens. Im Gegenteil: die eigentlich sinnlichen Naturen sind niemals starke Erotiker und auf immer unfähig, an einer lebenausfüllenden Leidenschaft haften zu bleiben. Es besteht aber die beachtenswerte Tatsache, daß die generelle »libido« gebunden ist an die Werkzeuge der ursprünglicheren Nahsinne (wie z. B. an Schmecken, Riechen, Ergreifen, Küssen, Saugen usw.); während Auge und Ohr als Bild- und Fernsinne eine stärkere Beziehung zum einmalig persönlichen und eine minder nahe Beziehung zum geschlechtlich generellen Seelenleben haben; womit manche physiognomische Anhaltspunkte gegeben sind. (Die unsägliche Ahnungslosigkeit gegenüber charakterologischer Forschung kam darin zum Ausdruck, daß man keinerlei physiognomische Untersuchung des Haarmann vornahm. Es ließ sich aber das schwächere Ausmaß des Mittelhirns im Vergleich zu Vorder- und Hinterhaupt, sowie das Überwiegen der Nahsinne über die Fernsinne schon vom bloßen Sehen ziemlich sicher vermuten.) Man könnte eine Art »Kompensation« suchen, in dem merkwürdigen Umstand, daß dort, wo eine kahle, traumlose Geschlechtslust herrschend geworden ist, sehr leicht Berührungsangst und Nähescheu sich zu entwickeln pflegen. Bei Haarmann wurde mir auffallend, daß er jedem Wissen um die Personen seiner Opfer ängstlich aus dem Wege ging; (darum ist für den Seelenforscher besonders rätselhaft jener einzige Fall, wo er nach Ermordung des 12jährigen Abeling in Verkleidung die Schwester des Getöteten aufsucht, um sich die Gesichtszüge des Kindes zurückzurufen). Die gräßliche Traumlosigkeit seines nackten Trieblebens ging so weit, daß Haarmann außer dem gemeinsten Allgemeinsten (außer Gefräßigkeit und Geschlechtstrieb) überhaupt keine persönlichen Sehnsüchte je besaß. Seine Zuneigung zu Grans war die einzig persönliche, ideale Seite seines Lebens. Nur in dieser einen Beziehung wuchs er über das Animalische hinaus. Von den Bergen der Schweiz, die er in empfänglichster Jugend sah, hat er so gut wie gar keinen Eindruck behalten. Er hatte nicht das mindeste »Naturgefühl«. Ein Busch oder Baum war ihm nichts anderes, als das günstige Versteck für Sittlichkeitsdelikte. So wie in der Tiefe der See ein gefräßiger Krake alles andere holde Leben ringsum langsam auffrißt, so hatte die unpersönliche »Sinnlichkeit« allmählich alle persönlicheren Inhalte verschlungen. Er besuchte wohl gelegentlich ein Theater, einen Zirkus oder ein Kino; aber ausschließlich zu dem Zwecke, um »hübsche Jungen« zu sehen und wenn möglich, mit ihnen in Berührung zu kommen. Er hat nie ein Buch angerührt, nie Musik gehört. Politik und öffentliches Leben waren ihm vollkommen gleichgültig. Er besuchte Sportplätze oder Bäder nur darum, weil man dort nackte junge Leiber zu Gesicht bekommt. --

Die tiefste Schicht im Wesen des Triebverbrechers entdecken

wir aber erst, wenn wir die Natur des dolosen Zweckverbrechens daneben halten. Wenn man Wahrheit hätte suchen wollen, statt Wahrheit aus dem Gerichtssaal auszuweisen, dann hätte man gerade aus diesem seltsamen Nebeneinander viel lernen können. – Eine kurze philosophische Betrachtung bahne uns den Weg.

Gleichwie das Licht und die Flamme, so lange sie umschlossen bleiben vom Kreislauf des Lebens, das allbelebende und erwärmende Urwesen, ja, vielleicht das Wesen des Lebens selber sind, dagegen, sobald sie abgetrennt und losgelöst der Natur gegenüberstehen, zum schrecklichen Dämon werden, zum einzigen Element, darin keinerlei organisches Leben mehr gedeihen kann und welches alles Leben zu verzehren trachtet und wohl am Ende aller Enden auch verzehren wird; genau so ist das, was wir Menschen den »Geist« nennen, so lange es umschlossen bleibt vom Kreislauf des Lebens, das allbelebende und erwärmende Urwesen, ja, vielleicht das zeugende Wesen des Lebens selbst; aber sobald der Geist sich losreißt vom Naturschoß und als wachbewußte Zweckwelt heraustritt aus dem träumenden Element des Vorbewußten, so wandelt er sich zum schrecklichen Dämon, zum kalten Witz, darin keinerlei Seelisches mehr gedeihen kann und der alles Dumpfe und Schlafende aufzuzehren bemüht ist und wohl am Ende aller Enden auch aufzehren wird. Dies ist nun das ganze schreckliche Rätsel unseres Zeitalters, unseres Menschenschicksals, unserer Kultur: Die Loslösung und Unverbundenheit beider ist da! Der Mensch als ein Stück Naturseele und der Mensch als zweckesetzender Geist sind auseinander getreten! Das Schauspiel unserer Erdhälfte ist die Tragödie einer Seele, die nicht mehr Schritt halten kann mit den Werken und Werten, die sie aus sich selber herausgestellt hat. Die Werke sind größer und edler geworden als der Mensch selbst. Oder wie ich vorhin sagte: »Der Wolfsmensch mit Radio und Elektrizität«; das ist die Signatur unseres Lebensalters. Solche Unverbundenheit des Naturelements mit dem Geistigen zeugt aber nach zwei Seiten hin eine unvermeidliche Entartung: Entgeistigte, sinnlose, irrsinnige Natur auf der einen Seite! – Naturlose, seelenlose Geistigkeit auf der anderen! Dort, wo im

»modernen Menschen« noch Naturtriebe durchbrechen, entbehren sie der eingeborenen Vernunft und sinnvollen Schönheit, welche überall dort das Leben durchgeistigen, wo die Wesen noch einverschlungen blieben im kosmischen Ring. Dort aber, wo der »moderne Mensch« aus dem Naturelement heraus und in maßloser Selbstüberhebung der Erde übermächtigend gegenübertrat, da ist er zum Teufel an ihr geworden. – Wir haben an Haarmann und Grans die klassischen Schulfälle dieser hoffnungslosen Entzweiung: Hier das caput mortuum des entfesselten Bestientums, dort den nackten, vom letzten Tröpflein Seele verlassenen, teuflisch leerlaufenden Intellekt.

Und es ist nur allzuverständlich, daß diese beiden Pole zur Symbiose sich aufeinanderpfropften und in künstlicher Vernietung wieder zur perversen Einheit banden, was von Natur aus heillos auseinanderbrach. Diese Doppelform der Entartung zeigt sich wie an vielen anderen Merkmalen vor allem auch an der Stellung der beiden zu Rausch und Alkohol. Grans ist ein so leerer, ausgehöhlter, vernüchterter Mensch, daß außerhalb von Nutzzwecken und Absichten seiner Selbstsucht, die Träume oder Räusche des Blutes für ihn nicht vorhanden sind. Eben darum ist der künstliche Rausch sein Bedürfnis. Er gibt ihm die einzige Möglichkeit, von sich loszukommen. Haarmann dagegen ist ein so triebtierischer, blindwütiger, vergeilter Mensch, daß ihn Alkohol bleiern traurig macht, wenn er andere auflockert. So etwa wie ein Blinder das schielende Auge des Taubstummen, der Taubstumme die krächzende Stimme des Blinden beneidet, so bewunderte hier jeder den Ausfall im andern: der gerissene Fuchs den Wolfsblutdurst, welcher zwecklos ins Bodenlose springt; der irrsinnige Wolf aber jene Fuchsbesonnenheit, die nie etwas ohne Vorteilt tut. –– Irrsinn und Teufelei! das sind die Pole dieser »Besten aller möglichen Welten«...

Unser aller Schuld

Wenn in die Gewohnheitsabläufe menschlichen Seelenlebens eine bange Frage fällt, wie ein Stein in das ausgewaschene Bett eines Stromes, dann haben wir wunderbar bequeme Streckformen zur Hand, um das Rätsel zu entwirken, und den Stein des Anstoßes kleinzukriegen. Wir reden von »Schuld« und schieben den Bruch unserer Natur, (der eigentlich hinauskommt auf unseren Bruch mit der Natur), auf unabänderliche Gesetze, Umstände oder Schicksale. – Ich habe in meiner Rechtsphilosophie (»Wertaxiomatische Studien«, Leipzig 1914, Verlag Felix Meiner) ausführlich dargelegt, daß der Satz vom zureichenden Grunde hinauskommt auf eben dieses Schuldsuchen (d. h. daß auch das Logische vom moralischen Wollen unterströmt ist), wobei (§ 13 »Epochen der Schuld«) der Mensch zwar langsam, aber unausbleiblich dahin geführt wird, alle »Schuld« einzig zu suchen in sich selber: »Jeder ist schuldig an Jedem, und ich bin der Schuldigste unter allen.« ––

Wie wir von fremder Seele niemals mehr und niemals anderes wissen können als was wir eben aus uns selber wissen, so ist an Abändern, Verbessern und Aufrichten nur gerade so weit zu denken, als wir in unserem eigenen Leben die Mitschuld am Verhalten des anderen aufzufinden vermögen. So lange dieses »Selbstrichtertum der menschlichen Gemeinschaft« nicht die Grundstimmung der Rechtsfindung geworden ist, bleibt eben alles Urteilen ein bloßes Quälen und Rachenehmen solcher, die das Glück gehabt haben, den Zuchthäusern zu entgehen, an solchen, die das Unglück haben, in die Zuchthäuser hineinzukommen. Denn was wir alle in jedem Augenblick des Lebens tun (man braucht nicht mal zu denken an das Millionenmorden, Rauben, Plündern, Lügen, Ausspionieren, Vergiften in den sogenannten »großen Zeiten der Weltgeschichte«), ist den Inhalten wie den Beweggründen nach genau dasselbe, was auch Tier, Kind und Verbrecher tut. Sobald wir aber die »Schuld« an den Übeln unserer Gemeinschaft abschieben können auf die anderen, so sind wir enthoben allen beunruhigenden Mitverschuldungs- und Miterleidungs-Erlebnissen. Daher besteht schon im alltäglichen Leben die Strebung, dort, wo einer Person unserer Umgebung ein Unfall zustößt, so lange zu forschen, bis wir die »Schuld« in ein unrichtiges Verhalten auf ihrer Seite hineinverlegen können. (Daher in der deutschen Sprache der tiefe Doppelsinn der Worte »Geschick« und »Ungeschick«). So aber fällen wir auch juridische Urteile. Wir fällen sie zu unserer eigenen Beruhigung.

Von allen Ökonomien der Denkfaulheit ist nun das »anathema sit« die bequemste Methode. Verbrennen, verketzern, Kopf abschlagen, moralisch entrüstet sein, das war von jeher die einfachste Auflösung jener peinlichen Bewußtseinsstauung, daß wir selber einem Irrationalen nicht gewachsen sind.

Auf den theoretischen Gebieten schafft man sich Unbequemes am besten dadurch vom Halse, daß man die Augen davor schließt, es nicht an sich herankommen läßt, daß man es zur Not mit irgendeiner Formel abwehrt oder – aus dem Gerichtssaale herausweist. Auf dem praktischen Gebiet werden die unangenehmen Selbsterkenntnisse am besten dadurch vermieden, daß man Problematischem den Kopf abschlägt.

Der Prozeß Haarmann zeigt uns die alte Wahrheit! Es werden Jahrhunderte kommen, die (aus dem Geiste feinerer Rechtsethik) das Todesurteil für ebenso unsinnig halten, wie es beispiellos abgeschmackt war, daß ein moderner Gerichtshof, den ich (wär ich minder verantwortungsbewußt) mit ein paar Strichen auf immer verlächerlichen könnte, mich aus dem Gerichtssaal hinauswies mit der Begründung, daß ich »geistig unfähig sei, seinen Verhandlungen folgen und sie sachlich wiedergeben zu können«. Die ganze Barbarei unserer Seelenkunde wie unserer Sittenlehre trat in diesem Straffall scharf an den Tag. Immer wird die unwillkommene Pflanze ausgerodet (die unter- wie die übernormale), wo doch unsere Arbeit sein soll: Die Erde besser zu lieben; den Acker edler zu bestellen. – Die Schlechtgeborenheit und Schlechtgeborgenheit, die falsche Zeugung und falsche Erziehung, die verkehrte Auslese, der Mangel an Gesundheitspflege und an Gemeinschaftsseele, die unsinnige Geistesverwirrung großer Menschenmassen durch Zeitungen, Halbbildung, Partei- und Staatspolitik (die selbst nichts anderes ist, als das organisierte Verbrechen und von Staats wegen das züchtet, was sie von Privat wegen – wenn es herauskommt – bestraft), die Armut, der Schmutz, der Klassenkampf, alles das erzeugt hüben: Wolfsmenschen, und drüben: die intelligenten Schmarotzer. Das Zuchthaus verunzüchtet sie zur Homosexualität. Ein sinnloser Strafvollzug mordet in ihnen, was vielleicht an zarteren Keimen noch da wäre, und läßt zuletzt nichts übrig als die moralische Gehässigkeit und Selbstüberheblichkeit einer jeden Gruppe gegen jede andere, bestenfalls noch ein mattdumpfes Solidaritätsgefühl des einzelnen mit anderen »Außenseitern der Gesellschaft«.

Nicht aber die Natur schuf die bösartigen Ungeheuer. Der Käfig schuf sie. Der Mensch ist so anfällig und triebunsicher geworden, daß man auch den stärksten, kühnsten und klügsten mit leichter Mühe durch ein paar Tage Käfig zu allem Bösen wie allem Irrsinnigen bringen kann. Wir haben es also erreicht. Unsere Irrenhäuser liefern Irrsinn. Unsere Zuchthäuser züchten Verbrecher...

Am Morgen des 19. Dezember wurde das Todesurteil gefällt. Am Abend dieses Tages wurde noch einmal Gericht gehalten. Gericht über das Gericht! Da kamen in einem kahlen Hinterzimmer, bevor sie wieder an ihre Heimstätten zurückfuhren, die Eltern der gemordeten Kinder zusammen: bescheidene, gebeugte, tiefgedemütigte Menschen, Klage führend und Anklage. Es war kein einziger darunter, den die abgeschlossene Verhandlung Genugtuung oder Gerechtigkeit hatte fühlen lassen. Es war kein einziger darunter, dem die Fragen: »Wie konnte uns das geschehen? Wodurch? Warum? Wozu?« irgendwie klarer geworden wären. Nichts als ein Haufe gallebitterer, verworrener, dunkel grollender und im tiefsten gekränkter Menschlichkeiten war aus diesem Prozeß hervorgegangen. Sie hatten mich zu ihrer Versammlung gebeten, weil sie, meine Maßregelung im Gerichtssaal kennend, eine große Anklage gegen Gericht, Behörden, Polizei, Regierungs- und Oberpräsidium erwarteten. Ich wußte, wie nutzlos und hilflos das alles wäre. All die Aufrufe und Anklagen der unglücklichen Eltern sind denn auch nachmals nur in die Papierkörbe gewandert und unbeantwortet geblieben. – Ich vermochte nichts, als zum Gedächtnis für dreißig Kinder, die beim ersten sehnsüchtigen Ausflug in den lockenden Lebenswald dem Werwolf in den Rachen liefen, so sachlich als möglich, diese Blätter hier niederzuschreiben... Zur Zeit, wo das Buch im Druck erscheint, wird vielleicht das sinnlose Ende des sinnlosen Dramas vollzogen sein. Menschlich das mildeste (denn hinter aller Zwangsgier der Wollust brennt stets auch Wille zur Selbstvernichtung); juristisch, ethisch, sozialpolitisch das dümmste aller Urteile und dem Wesen der Strafe (die nicht Instinkte ausroden, sondern nutzen und läutern muß), ganz widersprechend...

Hinter dem Bahnhof der Stadt Hannover, im totesten seelenlosesten Steinwüstenbezirk an der Cellerstraße, dort wo die ersten der geschilderten Morde begangen sind, liegt das Zuchthaus; ein riesiges Gelände, umzirkt von einer trostlosen Riesenmauer aus roten Backsteinen. Auf einem Winkel dieser Mauer blüht ein holdes Wunder, das jeder Hannoveraner kennt: eine kleine Birke, der zarteste und zäheste Baum, so blond und so bescheiden, so herb und so lieblich, von so verletzlicher und zarter Rinde und von so zäher und gesunder Wurzel, wie die Kinder unserer niedersächsischen Landschaft. Sie hat durch ein Wunder mitten in der baumlosen Steinwüste just auf der roten Zuchthausmauer Wurzel geschlagen, ein Gruß des guten Lebens, das durch all unser menschliches Zucht- und Unzuchtelend doch wieder hindurchbricht. Hier nun wird das Fallbeil stehen und der rote Richter sein sinnloses Amt erfüllen.

Dieser Tag (so habe ich den Behörden meiner Heimatstadt vorgeschlagen) soll dem Andenken jener dreißig Kinder gehören. In alten Zeiten, als noch das Erlebnis der Gemeinschuld im Menschen fruchtbar war (etwas vollkommen anderes als unser jetziger juristischer Begriff von Kollektivhaftbarkeit), da pflegte, wenn Blutschuld über einer Stadt lag, ein Werk des Gemeinsinns: Kapelle, Kloster, Denkmal, Baumpflanzung den Ruf der Bürgerschaft wieder zu entsühnen. Das älteste Bauwerk Hannovers, die schöne Nikolaikapelle am Klagesmarkt, soll aus solcher Gemeinsühne entstanden sein. Der Tag, an dem der letzte Wolf unserer Wälder getötet wird, soll als Buß- und Bettag für die Stadt Hannover gelten. Man hat (nicht am wenigsten durch die Sensationsreportage des Zeitungsunwesens) so tief an Scham und Seele der Volkheit gesündigt, daß nun diejenigen, die für die Gesundheit unseres Volkes sich verantwortlich wissen: Geistliche, Ärzte, Lehrer, versuchen mögen, auch dieses Grauenvolle wieder in Würde und Schönheit zurückzulenken. Man soll in den Schulen zu den Kindern, in den Kirchen zu den Erwachsenen sprechen. Alle Glocken der Stadt sollen mahnen. Und zur selben Stunde, wo der schuldig-unschuldige Unhold stirbt, wollen wir die traurigen Überreste der dreißig jungen Menschen in einen gemeinsamen Sarg betten, mit Blumen schmücken und auf Kosten unserer Stadt in unsere Erde legen; nicht verborgen auf einem Kirchhofe, nein! auf einem unserer großen öffentlichen Plätze. Und wir alle, eine ganze Stadt, werden hinterhergehen: Senatoren und Magistrat, Bürgermeister, Ämter, Behörden, Lehrerschaft, Geistlichkeit, Oberpräsident, Regierungspräsident, Polizeipräsident – nicht um »letzte Ehre zu erweisen« (das können wir gar nicht), sondern um gemeinsame Schuld auf uns zu nehmen.

Es hat Könige gegeben, die an dem Tage, wo ihr Volk unterlag, sich selber das Ende bereiteten. Kant hat den Grundsatz ausgesprochen: »An dem Tage, wo Krieg ausbricht, hat die Regierung sofort freiwillig die Macht niederzulegen, denn sie hat bewiesen, daß sie Das nicht zu verhindern imstande ist, was hintan zu halten der ganze Sinn ihres Amtes war.« – Es gibt zum Glück auch bei uns noch Beamte, die freiwillig aus dem Amte scheiden, wenn das Schicksal sich stärker zeigte, als sie selber zu sein vermochten. Die verantwortlichen Männer Hannovers erwiesen sich nicht als adelige Männer. –– Man hat die bitterböse Stimmung, die der Haarmannprozeß hinterlassen hat, damit zu beschwichtigen versucht, daß man verheißen hat, ihm eine Kette »Disziplinarverfahren« folgen zu lassen, durch welche die Mitschuld der einzelnen Subalternbeamten gesühnt werden solle; man unterlasse diese Komödie, durch die einem viel zu langmütigen, viel zu schwerfälligen Volke immer wieder Sand in die Augen gestreut wird; denn wer hat Vorteile daran, daß in einem vom übelsten Spitzelunwesen und Sykophantentum zersetzten Rechtsstaat zwei oder drei ungeschickte oder erfolglose kleine Unterbeamte einen Rüffel davontragen oder auf einen anderen Posten verschoben werden? Nein! Steigen wir in uns selbst hinab und nehmen die Schuld ruhig auf uns! Danach aber soll keiner mehr das Recht haben zu fragen: »Wer trägt die Schuld?« soll keiner mehr die andere Seite belasten dürfen. Wir gehen alle in gemeinsamer Elternschaft hinter dem Sarge der durch unsere Schuld unerfüllt gebliebenen Jugend. Neben dem Mordhaus, wo die Kinder geopfert sind, liegt ein weiter baumüberblühter Platz. Im Hintergrunde steht eine Kirche; darin schläft der klügste Mann, den Hannover besessen hat: Leibniz. Auf diesem Platz wollen wir sie in unseren Boden legen. Aus unseren Harzbergen holen wir dann Granit, oder besser noch holen aus unserer Haide einen der großen Findlinge ferner Urzeit. Der diene zum Denkstein und die Nachwelt lese darauf nur drei Worte:

»Unser aller Schuld!«

Nachwort

Mein Buch ist abgeschlossen und liegt vor mir, fertig gesetzt. Die Revision, die der junge Hans Grans einlegte, wurde vom Reichsgericht verworfen. Das Todesurteil ist rechtskräftig geworden.

Da ereignet sich soeben ein Umstand, den wohl jedermann, wenn er ihn in einem Kriminalroman lesen würde, als tolle Phantasie bezeichnet hätte. Der Bote Lüters, Hannover, Große Wallstraße 3, findet auf der Straße einen mit der Bezeichnung »Wertbrief« versehenen und mit einer in Meran abgestempelten Marke beklebten Briefumschlag, adressiert an Buchhändler Albert Grans, den Vater des zum Tode Verurteilten. Er befördert das Schreiben an den Adressaten, der es mir vorlegt. Es ist der folgende vier Seiten lange Brief des Massenmörders Haarmann.

Hannover, den 5. Februar

Geständnis des Mörders Fritz Haarmann

Ich habe die gelegenheit, da ich Persönlich peer Auto durch die Straße gefahren werde um zur Polizei Präsidium zu fahren, diesen Brief der Öffentlichkeit zu geben.

Ich mögte nicht, das diese Zeilen dem Gericht oder aber der Polizei in den Händen gelangen, da ich annähmen muß, dieses der Oeffentlichkeit meinen Geständniß vorenthalten wird & dadurch ein Unschuldiger Hans Grans durch das Beil des Henkers zu Tode gebracht würde. Möge der Ehrliche Finder Gottes Segen bis in Ewigkeit der Familie & Kinder bringen. Dieses wünscht Ihnen der zum Tode geweihten Fritz Haarmann. Mein volles Geständniß aber werde ich Herrn Pastor Hauptmann Gerichtsgefängnis geben. Um das auch dieses Schriftstück durch die Oeffentlichkeit geprüft wird und nicht verschwindet; daher dieser Brief. Also Herr Rechtsanwalt Dr. Lotze muß das Schriftstück von Herrn Pastor Hauptmann fordern. Ich Fritz Haarmann habe diesen Brief eigenhändig geschrieben, um die Wahrheit zu Beweisen, das dieses meine Schrift ist, kennt mein Bruder Adolf Haarmann-Fortmüller hier Asternstr. No. 16

meine Handschrift ganz genau. Mein Geständniß. So war mir Gott helfe, ich sage hir die reine Wahrheit u mögte doch so gern mein Gewissen nicht vor Gott noch mehr Belasten ich der zum Tode verurteilte.

Hans Grans, hat mich furchtbar die langen jahre Betrogen & Bestohlen, aber trotzdem konnte ich nicht von Ihm lassen, da ich keinen Menschen auf der Welt hatte. Grans sollte mir im Alter eine Stütze sein, da ich doch immer für Grans sorgte & ich hätte ein gutes Vermögen zusammen gebracht, wenn mir Grans nicht alles Fortgenommen hätte. Grans war nicht schlecht, aber sehr Leichtsinnig. Grans seine Leichtsinnigkeit ging so weit mit den Weibern & Saufereien, so das ich für Grans nur die Melkende Kuh war. Aus den Treiben, welches ich mit den Jungen Leuten machte, war Grans zu arglos durch seinen liederlichen Lebenswandel. Grans hatte überhaupt keine Ahnung das ich Mordete hat nie etwas gesehen. Grans wußte nur das ich Pervers war und mit Jungen Leuten harmonirte. Wie nun meine Sachen entdeckt wurde betrefs Mord, so wurde ich durch die hiesige Polizei genötigt mit Gewalt durch Mißhandlungen Unwarheiten zu sagen, aus Angst um das ich keine Mißhandlungen mehr haben wollte, sagte ich nachher zu allen ja & habe dann Grans, durch Unwahrheit belastet. Meine Schwester Emma & Bruder Adolf welche ich um Hilfe rief da die kommen habe ich in Herrn Kommisar Rätz gegenwart zu Ihnen gesagt, Emma, Adolf, ich werde hir mit Gewalt & Schlägen gezwungen Unwahrheiten zu sagen. Ich habe Frau Witzel damals gebeten zu beantragen das ich meine Aussagen vor der Staatsanwaltschaft machen wollte, aber leider, ich wurde nicht gehört. Dann habe ich Gelogen & habe Grans Belastet um das ich Ruh hatte vor der Polizei. Da nun noch die Polizei sagte Grans Belastette mich auch noch sehr, dann habe ich, mir gesagt, das durfte Grans nicht da Grans zu viel gutes von mir gehabt hatte, je mehr ich Schwindelte über Grans je anständiger wurde ich behandelt. Betrefs Wiederrufen meine Aussagen vor Gericht mochte ich auch nicht, ich dachte nur an Rache an Grans & das ist mir auch mit Hülfe der Polizei gelungen. Ich mögte hir Erwähnen Hans Grans der wußte von meinen Vorleben nichts. Grans wußte nicht das ich je in einer

Irrenanstalt war, hat mich betrefs auch nie bedroht, Grans wußte von keinen Mord, hat nie etwas gesehen hatte keine Ahnung. Alle die Aussagen die Grans machte wurden Grans nicht geglaubt, oder aber so gedreht, das Sie Grans Belasteten. Daher Grans seine Worte vor Gericht, Haarmann sagt Wahrheit & Dichtung so, sodas mann das nicht Unterscheiden kann. Ich, Fr. Haarmann rufe den Himmel zum Zeugen an, Grans ist Unschuldig verurteilt. Grans hat sich noch nicht mal der Helerei bei mir schuld gemacht. Grans hat mir niemals einen Menschen gebracht, welcher mir zum Opfer fiel & hätte Grans gewust das ich Mordete dann hätte Grans es bestimmt verhütet. Ich kann diese Schuld nicht mit ins Grab nehmen und Rufe meine Mutter zum Zeugen welche mir heilig ist & bei Gott ist. Hans Grans ist Unschuldig verurteilt durch die Schuld der Polizei & damals aus Rache von mir, weil Grans der nur Gutes von mir hatte noch schwer belastete. Nehmt mein bischen Leben ich fürchte mich nicht vor den Tod durch das Beil des Henkers es ist für mich eine Erlösung, aber stellen Sie sich in der Lage von Hans Grans, der muß an Gott & Gerechtigkeit verzweifeln durch meine Schuld. Ich wurde mit meinen Lügen geglaubt Grans mit seine Wahrheit verworfen. Möge Hans Grans mir verzeihen für meine Rache, die Menschheit aber mir meine Morde welche ich in Krankhaften Zustande beging. Mein Tod und Blut gebe ich gern zur Sühne in Gottes Arme und Gerechtigkeit.

(gez.) Fritz Haarmann.

Meine erste Vermutung, daß dieses Schreiben eine Verulkung sei – (denn ich hatte einen solchen Beweis für fast alle, sogar für meine zartesten Seelendeutungen nicht mehr erwartet) hat sich nicht bestätigt.

Gepeinigt von Gewissensqualen in der einzigen Beziehung, die ihm edlere Gefühle wachrief; gequält von Angst vor der Polizei, die durchaus etwas herausbringen wollte, wo doch nichts herauszubringen war als nur die Selbsterkenntnis der eigenen Mitschuld; gemartert endlich von der Pein, daß es zur Umkehr zu spät sei, daß man einen Widerruf keinesfalls in die Öffentlichkeit würde gelangen lassen, um nicht die große Schlappe unserer Rechtspflege einzugestehen, ja daß man vielleicht erklären würde: »Jetzt ist das Verfahren abgeschlossen und das Urteil rechtskräftig«; von allen diesen Ängsten gequält, hat der unselige Mensch diesen Weg gewählt, um vielleicht durch den Druck der öffentlichen Meinung die Wiederaufnahme des Verfahrens gegen den jungen Grans doch noch zu erzwingen.

Es entstehen nun die Fragen: Kann man ihm glauben? und: Wird man ihm glauben? Denn natürlich ist auch mit der Möglichkeit zu rechnen, daß ein an »pseudologia fantastica« leidender Seelenkranker im Entlastenwollen gerade so übertreibt wie er zuvor im Belastenwollen übertrieben hat. Und auch damit ist zu rechnen, daß dieser Mann immer neue Tricks ersinnt, nur um seine Hinrichtung hinauszuschieben. Folgendes aber scheint mir nunmehr bewiesen:

1. Das Urteil des Schwurgerichts Hannover kann nicht befriedigen. Die Behörden haben vermieden, die eigene Mitschuld klar hervortreten zu lassen.

2. Es ist bewiesen, daß Haarmann unter dem Druck bestimmter Behörden und Personen anders ausgesagt hat, als er in einer anderen Stadt, vor einem anderen Gericht und vor einer anderen Polizei ausgesagt hätte.

3. Das hannoversche Gericht hat ein Fehlurteil gesprochen! Es hat einen unter den Einflüssen der Zeit verwahrlosten Jüngling zum Tode verurteilt, einzig auf Aussagen eines Mannes hin, welchen fünf Irrenärzte für geisteskrank befunden haben. Die den Grans belastenden Indizien sind sämtlich auch durch In-den-Tag-Hineinleben und Nichtswissen- und Nichtssehenwollen vollkommen erklärlich.

Der Prozeß hatte zwei glückliche Zufälle. Erstens: Daß in meiner Person ein Unbefangener, gegen Schuljuristerei, Schulmedizin und Schulpsychologie Gleichgültiger zufällig zugegen war. Zweitens: Daß man diesen nicht dulden konnte und entfernte.

Dadurch machte man mich zunächst mißtrauisch und brachte zweitens auch in weiter Öffentlichkeit die Befangenheit oder Unangemessenheit des Gerichtshofes zu Bewußtsein.

Für den Gerichtshof und zumal für den Vorsitzenden ist der Ausgang wohl eine schwere Schlappe: aber dennoch sollen alle für sie dankbar sein. Denn sie bewahrte unsere deutsche Rechtspflege vor einem durch einen seelenunkundigen Richterstand und durch eine unerhört unfähige Verteidigung verschuldeten, nun völlig offenkundigen Justizmord.

Wenn ich bedachte: Was soll daraus werden?, dann schwebte mir vor eine grauenhafte Möglichkeit. Haarmann und Grans werden hingerichtet. Nach ihrem Tode findet man einen Brief. Darin steht Folgendes:

»Ich habe Rache am Leben genommen. Rache an dem Einzigen, den ich mit Wohltat überhäufte und der doch von mir abrückte, als mein schlimmes Geheimnis ans Licht kam. Da habe ich noch ein Mal um ihn geworben. Ich brachte ihn unter meine Klauen und wartete ab. Weil er mich nicht lieben konnte, darum habe ich auch ihn getötet. Zugleich war das meine Rache an der Polizei. Sie hat mich mißbraucht, benützt und verdorben und dabei heuchlerisch getan, als wolle man mich ›bessern‹. Aber als die Mitschuld klar zu Tage trat, haben alle mich fallen gelassen und wollten doch so gern noch ein Mal mit meiner Hülfe sich billige Lorbeeren verschaffen für ihre ›Karriere‹. Sie haben mir das Gesäß zerschlagen. Sie haben mir die Hoden gequetscht. (Da sieht man Mißhandlung nicht.) Sie haben mich mit dem Gummischlauch geprügelt. (Der hinterläßt keine Striemen.) Sie gaben mir nicht Ruh, bis ich Das gestand, was sie alle gerne hörten. Da hab ich ihnen denn den Triumph verschafft: ›Wir haben doch was raus gekriegt.‹ und habe mit Hülfe der Polizei auch meine letzte Schufterei vollendet, das Liebste verdorben, was ich hatte. So habe ich alle an der Nase herumgeführt, gerade als sie wähnten, mich überwunden zu haben. Meine letzten Lebenswochen habe ich mir angenehm gemacht, indem ich mich für Euch angenehm machte. Und habe Euch doch nur zum Werkzeug meiner Rache am Leben benützt. Und dadurch eben Rache genommen an – Euch!! Rache auch am Gericht! Das mordet ja nicht wie ich aus Naturzwang. (Denn ist nicht auch Todesstrafe ein Morden am Menschen?), nein! das mordet aus

Vernunft und positivem Recht. Dank der Moral! O Eure Moral! An's Karrieremachen habt Ihr gedacht, meine Lieben. An Euer Urteil im Maule der Literaten. An Euch selber habt Ihr gedacht mehr als an die Sache. Und also war Euch jede meiner Lügen willkommen, wofern sie nur versprach, daß der Herr Oberstaatsanwalt Reichsgerichtspräsident, daß der Herr Landgerichtsdirektor ein Herr Oberlandesgerichtsdirektor werden möge. Ich nahm meine Rache auch an seelenlosen Verteidigern, diesen Opfern ihrer Talare. Brannten sie denn vom Willen zur Gerechtigkeit?; sie bebten in Angst vor den Meinungen der Zeit und der großen Menge. Selbst der Blödeste, sogar ein Geschworener oder Schöffe müßte die Wahrheit fühlen, wären nicht alle so verblendet durch die Komödie der Ämter und der Amtsröcke. Ach und Eure Wissenschaft. Wie vermöchten Eure ›Sachverständigen‹ wohl zuzugeben, daß Einer viel klüger sein kann als sie selber und dennoch ein Triebverfluchter und dennoch unverantwortlich im Sinn ungeschriebener Gesetze. Rache zuletzt am ganzen Volke! Begeistert hätte man mich gesteinigt ohne Gefühl dafür, daß ich genau das Selbe tat als Einer, was Ihr eben nur noch zu tun wagt als Viele. So bereue ich denn nicht und pfeife auf Eure Pfaffen samt Christentum. Ich kenne Euch alle zu gut und weiß wohl, wie es steht mit Eurer ›Seele‹. Ihr bringt mich nicht um; ich kehre wieder, ja ich bin ewig mitten unter Euch. Und Ihr selber habt nun gemordet. Mögt Ihr es denn wissen: Hans Grans war unschuldig! Nun? Wie stehts um Euer Gewissen?«

Dies war meine Furcht. Denn so war Haarmanns stärkster Gedanke in seiner bösesten Stunde. Aber dieser arme Triebwüstling war ja wahrlich kein Teufel und mithin auch kein Charakter. Er war nichts als ein im Käfig verunzüchtetes und von der Gesellschaft mißbrauchtes primitives Tier, das vor dem Kreuz zusammenbrach und in der Hand eines starken Seelsorgers leicht hinzubringen wäre zu dem selbstaufhebenden Sühnewillen, den Schopenhauer nannte ›unsern zweiten Weg ins Nirwana‹.

Wie wird das Drama nun zu Ende gehen? Im normalen Rechtsstaat müßte nach Erscheinen dieses hier vorliegenden Buches das Justizministerium das Urteil des Schwurgerichts Hannover kassieren und den Fall zu erneuter Behandlung an ein anderes Schwurgericht verweisen. Dieses wird zwar voraussichtlich das Todesurteil gegen Haarmann bestätigen; sicher aber das Todesurteil gegen Grans aufheben, falls dieser, was zu hoffen steht, den Schwindel eines »Gnadengesuches« (durch das das hannoversche Gericht seine Verfehlungen zu verschleiern suchen wird) kräftig abweist und darauf besteht, daß er nicht Gnade, sondern Recht haben will. Möglich aber auch, daß man mit anderen Richtern, anderen Anwälten und Sachverständigen noch dahinter kommt, daß Haarmann (wofern er nicht dazu zu bestimmen ist, die Sühne, die er sich doch wünscht, klar an sich selber zu vollziehen) in eine Irrenanstalt gehört! Grans dagegen dürfte für sein Lebensschmarotzertum mit ein, zwei Jahren Gefängnis wegen Hehlerei hart genug bestraft sein. Er gehe ins Ausland, arbeite und werde ein Mann. Dann wird er sicherlich noch eine angesehene Stütze dieser Zeit und dieser Gesellschaft.

Hannover, den 8. Februar 1925
Theodor Lessing

Anmerkungen

»Die Brut des Fenrir
Rötet mit Blut
Den Ratsaal der Götter.
Wißt Ihr's zu deuten?«
Völu-Spâ

Gleichwie man aus wenigen aufgefundenen Knochenresten die ganze heute ausgestorbene Tierwelt Amerikas und Australiens wieder vorzustellen vermocht hat, so vermag die Psychologie (aus den dunklen Resten von Tiermenschentum, die sich erhalten haben inmitten der durch Gesetz, Recht, Polizei, Gesellschaft, Sitte und Schule ebenso erhöhten als verbogenen Natur) nachträglich zu erschließen die Seelenkunde unserer frühesten Vorgeschlechter. – Es ist nun gewiß sehr billig, angesichts der hemmungslosen Brutalität von Hunger, Wollust und Machtwille sich schaudernd abzuwenden; aber daß gerade die Liebesleidenschaften und das Zärtlichkeitsbedürfnis wurzelhaft verbunden sind mit dem Drange zum Töten und Fressen (nicht etwa zum Quälen, nein zum Verschlingen eines begehrten Leibes), das läßt uns einen tiefen Blick tun in das Geheimnis der Natur, welches man mit dem Worte Grausamkeit ebenso verfehlt wie mit dem Worte Liebe (amor) oder Barmherzigkeit (caritas)... In den wenigen Sekunden berauschenden Schauers sinken bei allen Geschöpfen all die lügenhaften Gewohnheiten der Kultur und alle Entstellungen wie Edeltümer der menschlichen Ethik und Logik als völlig wesenlos dahin und in der Ekstase wie im Tode werden alle gleich und wird alles Eins. Tod wie Wollust sind das Wiederauflösen in jene göttliche Sanftmut, daraus wir entstanden sind. Wir haben somit an Wesen wie diesem Haarmann Gelegenheit, uns selber in primitivster Rohnatur zu studieren; man mag dafür den Begriff »Atavismus« gebrauchen, wenn man nur festhält, daß nicht etwa nur das Verbrechen, sondern auch das Genie, ja jegliche Art von Begeisterung und Traum auf genau den gleichen Atavismus hinweisen. Die Brunst mancher Tiere, die man wohl als ihren periodischen Wahnsinn bezeichnen kann, dürfte daher nur ein letztes Überbleibsel sein jenes Triebrausches, an welchem das domestizierte und mithin zivilisierte Menschentum keinen Anteil mehr hat, weil es, alles Elementarische zerlegend oder auf die Ebene: Zeit zerdehnend, die todumlohte Bluttrunkenheit vormenschlicher Traumekstase längst ersetzte durch zahllose künstliche Nervenanregungen und tägliche Lebensaufkitzelungen vom Bewußtsein aus.

Schon Kant hat in der »Naturgeschichte des Himmels« den merkwürdigen Gedanken geäußert, daß die Liebeskämpfe und -brünste der vormenschlichen Erdzeiten unvergleichlich todumdrohter und elementarer gewesen sein müßten, »denn mit dem Erkalten des zentralen Erdfeuers reifen auch Leidenschaften ihrer langsamen Auskühlung entgegen«.

Noch tiefer hat Nietzsche diesem Gesetz der fortschreitenden Vernüchterung nachgespürt; für ihn wurde zur Überzeugung: »Auch die Künste und selbst die Religionen sind heute Narkotika des überwachen Bewußtseins, durch welche wir genau wie durch Nikotin, Alkohol, Geschlechtsrausch uns einen Traumzustand künstlich schaffen oder erhalten, welchen das Blut allein nicht mehr hergibt.«

Im »Untergang der Erde am Geist« habe ich endgültig und für immer klargelegt, daß die sogenannte Kultur selber mit allen ihren Werken, Worten und Werten, daß Artefakte, Kunstwerke, Bücher nichts als einziges Rausch-Surrogat sind; am besten zu vergleichen den großen Kohlenfeldern, ohne die wir erfrieren würden, die nichts sind als Niederschlag gewesener Sonnenleben und abgeblühter Lenze, uns im wachen Bewußtsein Lebenden nunmehr aber künstliche Wärmequellen und künstliche Blutwärme zuführen, ohne welche, das bis zu abstrakter Objektivität, bis zu logomathischer Maschinerie erkaltete Bewußtseinstier in sich selber erstarren müßte.

So frevelhaft und paradox es klingt: ein Geschöpf wie dieser Haarmann inmitten eines Gerichts wie dem hannoverschen, wirkte zuweilen wie ein Stück Saurierzeitalter inmitten eines Saales voll Berufsautomaten und Zivilisationspuppen, welche ja oft unmenschlicher sind als jeder »Unmensch«.

Von der Art, wie in der Tagesliteratur gegen die hier vorliegende Darstellung des Haarmannprozesses und den Verfasser Stimmung gemacht wurde und sogar schließlich anhängig gemacht wurde ein freilich ergebnislos verlaufenes Disziplinarverfahren von seiten der Technischen Hochschule in Hannover (an welcher ich seit zwanzig Jahren, ohne je Beförderung oder Besoldung erhalten zu haben, als Privatdozent diene); davon kann vielleicht das folgende Zitat aus der »Deutschen Zeitung« (vom 24. Dezember 1924) einen Begriff bewahren:

»Aus akademischen Kreisen wird uns geschrieben: Unangenehmes Aufsehen erregte in dem Haarmannprozeß in Hannover der Ausschluß des Prof. Dr. Lessing von der Technischen Hochschule Hannover aus dem Gerichtssaal und die Entziehung der ihm zur Verfügung gestellten Berichterstatterkarte durch das Gericht, weil er sich nach den Feststellungen der Verteidigung, des Staatsanwalts und des Vorsitzenden des Gerichtshofs schwerer Verstöße gegen das Grundgesetz jeder Berichterstattung, nämlich der Wahrheitsliebe hatte zuschulden kommen lassen. Die Art und Weise, wie Herr Lessing seine Pflichten des Berichterstatters auffaßte und der allerdings mißlungene Versuch, sich dem Gericht als Psychologe unterzuschieben, ist eines akademischen Lehrers in jeder Hinsicht unwürdig. Sie gibt Herrn Boelitz, derzeit preußischer Kultusminister, die Veranlassung, sich bei seiner ›Säuberungsaktion‹ der preußischen Hochschulen auch dieses akademischen ›Lehrers‹ etwas anzunehmen und entsprechende Schritte gegen seine weitere Wirksamkeit als solcher baldigst einzuleiten. Das vorgeschrittene Semester und die Besonnenheit der akademischen Jugend Hannovers bewahrte Herr Lessing vor etwaigen ›Beifallskundgebungen‹. Dafür wird aber erwartet, daß diese Angelegenheit baldigst bereinigt wird.«

Es ist gewiß lehrreich, neben dieses Zitat aus der »vornehmsten vaterländischen Zeitung« einige Sätze aus dem Bericht zu stellen, den eine französische Zeitung von dem betreffenden Vorfall gegeben hat.

Le Temps (vom 12. Januar 1925): »Der hannoversche Professor Theodor Lessing, Doktor der Philosophie und Medizin, einer der freiesten Geister und lebendigsten Schriftsteller des republikanischen Deutschland, hatte sich mit Leib und Seele in das Studium dieses einzigartigen Falles vertieft; er hatte gründlich dessen juristische und psychologische Probleme ausgelotet und eine ungeheure Menge von Akten ausgewertet, so daß er sie besser kannte als die Verteidiger. Kämpferisch und respektlos, hat er klar auf die Verantwortlichkeit der hannoverschen Behörden, der Polizei und selbst der medizinischen Sachverständigen hingewiesen und die Ergebnisse seiner Nachforschungen in verschiedenen linken Zeitungen veröffentlicht. Lessing war von dem ersten Verteidiger Haarmanns gebeten worden, als Sachverständiger aufzutreten. Aber der Nachfolger des Verteidigers lehnte die Dienste des angesehenen Fachmannes mit den Worten ab: ›Wozu zum Teufel sollten wir psychologische Aufklärung betreiben?...‹ Herr Lessing nahm also als Journalist an der Gerichtsverhandlung teil. Am 11. Dezember sahen wir zu unserer Überraschung, daß Lessing, gemäß Paragraph 176 der Strafprozeßordnung, aus dem Gerichtssaal ausgeschlossen wurde. Man versuchte ihn ›zur Räson‹ zu bringen. ›Wir haben Sie nicht als Schriftsteller zugelassen, nur als Berichterstatter. Wir wünschen hier keine Herren, die sich mit Psychologie hervortun... Sie haben die Erlaubnis, wiederzugeben, was wir sagen!‹... Der brave Landgerichtsdirektor Bökelmann, einer der Juristen, die den ›Himmel der Abstraktionen‹ bewohnen, worüber Jhering sich so hübsch mokiert, fragte Lessing nach seiner plötzlichen Ablehnung betrübt: ›Sie sind Professor? Wie ist denn das möglich? Als Professor schreiben Sie Feuilletons?‹... Und der Oberstaatsanwalt sagte: ›... Ich bin Mensch und möchte Sie ungern ums Brot bringen...‹ Man läßt die Sachverständigen kommen (eine schöne Gelegenheit), um deren Meinung über Lessings Geisteszustand zu hören. Sie war, wie sollte es anders sein, weniger günstig als die über Haarmann, den sie trotz allem für zurechnungsfähig befanden...

Da haben wir es: so begreift man in der deutschen Republik die Gedanken- und Redefreiheit, die Rolle des Publizisten, die Aufgaben der Kritik, die Kontrolle der öffentlichen Meinung. Die autoritäre Stellung der ›herrschenden Klassen‹ muß um den

Preis von Heucheleien und allen möglichen Ungerechtigkeiten gewahrt bleiben. ›Perinde ac cadaver‹ [Genauso wie ein Leichnam]. Eine unfähige Behörde verurteilen, die Polizei anklagen, weil sie ihren Dienstauftrag nicht zureichend erfüllt, die peinlichen Fehler und Dummheiten der etablierten Wissenschaft vor die Öffentlichkeit bringen – das ist das einzige Verbrechen, das schnelle und wirksame Bestrafung verdient.

Man muß den Prozeß von Hannover miterleben, um die ›Behandlung à la corporal‹ der heikelsten juristischen Dinge beobachten zu können, um den mentalen Mechanismus von Hunderten von anderen, im Tenor ähnlichen Urteilen zu erfassen, die im Laufe der letzten Jahre vom Fall Fechenbach bis zum Fall Ebert (Magdeburg) von einer hoffnungslos an Potsdam geketteten Justiz gefällt wurden – gegen alle, die Weimar zu repräsentieren versuchen.

Für die Richter und Staatsanwälte hat die Revolution von 1918 nicht stattgefunden.«

[Vom Herausgeber aus dem Französischen übersetzt.]

Schlußwort über Haarmann und Grans »Ein Justizmord ist begangen«

Ein dunkler Punkt

Am 30. Juni 1924 erlangte man von dem Massenmörder Haarmann das erste dämmernde Geständnis. Die Polizei hatte bis dahin nichts herausgebracht. Erst die privaten Nachforschungen von Angehörigen und Eltern, die bis dahin mit ihren Anliegen derb zurückgewiesen waren, hatten endlich die Gewißheit gebracht, daß nur der Polizeiagent Haarmann der die Stadt beunruhigende Werwolf sein konnte. Im Gange vor dem Zimmer, in welchem Haarmann von den Beamten vernommen wurde, befanden sich die Eltern, wenn ich nicht irre, von drei ermordeten Knaben; dazu einige andere Personen. Aus dem Zimmer heraus drang Weinen und Geschrei. Die draußen Stehenden riefen erregt: »Bringt ihn heraus; wir wollen ihn lynchen.« Die Tür war verschlossen. Die der Tür Zunächststehenden blickten durchs Schlüsselloch. Drei (wahrscheinlich sogar fünf) Personen können übereinstimmend bezeugen: »Wir sahen den Haarmann mit herabgelassener Hose. Er schrie und wir waren überzeugt, daß er geschlagen werde.« Bei seiner Abführung in die Zelle sahen zwei Personen, daß er ein blutgetränktes Tuch in der Hand hielt. In der Beichte nun, welche Haarmann hinterließ, sagt er aus, daß seine Belastungen gegen Grans nur erfolgt wären, weil er von den Mißhandlungen auf der Polizei habe Ruhe haben wollen. Das hannoversche Gericht war somit gezwungen, den Beweis zuzulassen, daß Haarmann in der Tat mißhandelt wurde. Fünf Beamte schwuren, daß nie dergleichen geschehen sei. Die Wahrnehmungen der Eltern vor dem Schlüsselloch wurden für Halluzination oder Sexualphantasie erklärt. Dennoch sagten drei Elternpaare (die doch wahrlich allen Grund haben, dem Haarmann jede Prügel zu gönnen) zugunsten der Haarmannschen Beichte aus. Nebenher will ich bemerken, daß Dezember 1924, als das Gericht meine ihm ungenehme Berichterstattung zu unterdrücken versuchte, mir aus dem Polizeipräsidium Hannover die Nachricht zugetragen wurde, an Haarmann sei eine Hodenquetschung vorgenommen worden, um ihn zum Geständnis zu bringen. Ich legte darauf keinerlei Wert, obwohl die Quelle glaubwürdig schien, und ich nehme auch jetzt an, daß sämtliche Zeugen über stattgefundene Mißhandlungen sich geirrt haben. Aber ich bringe öffentlich meine Beschämung zum Ausdruck darüber, daß ein deutsches Gericht die Feststellung der Wahrheit zu erschweren versucht hat. Die Mutter eines der Ermordeten wurde vom Vorsitzenden angeschrien: »Es ist gut, daß der Haarmann so behandelt wurde; sonst mordete er heute noch.« Als die vom Staatsanwalt als minderwertige Zeugin charakterisierte Frau entgegnet: »Der Staatsanwalt hat Angst«, da wird Ordnungsstrafe beantragt. Eine andere junge Frau, die, zum erstenmal in einen Gerichtssaal tretend, mühsam die Worte herauswürgend, ihrer Scham die Aussage abringt über das, was sie gesehen hat, wird angeschrien: »Wenn Sie weiter nichts zu bezeugen haben, so hätten Sie zu Hause bleiben können. Sie haben nichts als 'ne offene Hose gesehen: das ist doch keine Mißhandlung...« Ein alterfahrener Kriminalbeamter, welcher unter Eid ausgesagt hatte, niemals den Haarmann mißhandelt zu haben, rühmt sich vor Eltern eines der Ermordeten: »Dem Haarmann hab ich mit dem Gummischlauch ordentlich einen Denkzettel gegeben.« Die Eltern sind anständig genug, nun im Grans-Prozeß für die Richtigkeit der Haarmannschen Angabe einzutreten. Der Beamte verwickelt sich in Widersprüche und gibt schließlich zu, den Haarmann wirklich geschlagen zu haben und ihn auch verhört zu haben, während ein Gummischlauch auf dem Tische lag; die Existenz eines solchen Schlauches war bisher von allen Beamten abgestritten worden. Es liegt mir fern, unseren schlecht entlohnten, mit Recht verbitterten Subalternbeamten einen Vorwurf zu machen. Rügen aber muß ich eine Heimatbehörde, die nicht alles tut, um unrechtmäßige Zustände zu klären. In Hannover wurde verschleiert.

Die Sachverständigen

Zwei Sachverständige fungierten im Prozeß gegen den Grans: der Göttinger Professor Schultze und der hannoversche Polizeiarzt Schackwitz. Sie hatten zu entscheiden über Glaubwürdigkeit der Beichten und Aussagen des Haarmann. Zunächst gab Geheimrat Schultze sein Gutachten. Für Natur und Grenze dieser Art Gerichtsgutachten möge folgendes erwähnt sein. Der Geheimrat sagt: »Die Verteidigung legte mir die Frage vor, ob nicht Homosexuelle besonders zu Lügenhaftigkeit neigen. Ich bin daher gestern noch einmal von Hannover nach Göttingen gefahren, um in der Fachliteratur nachzuschlagen.« Wie Kraut und Rüben laufen diesem Sachverständigen alle die Begriffe durcheinander, deren Klärung das elementarste Geschäft der Psychologie ist. Glaubwürdigkeit verwechselt er mit Ehrlichkeit, Ehrlichkeit mit Wahrhaftigkeit, Wahrhaftigkeit mit Wahrheit, Wahrheit mit der Wirklichkeit der Bewußtseinsinhalte, Tatsachenwirklichkeit mit Urteilsevidenz, Urteilsbündigkeit mit Aufrichtigkeit und Aufrichtigkeit mit Offenheit. Alle Prüfungen, die er an Haarmann vornahm, beziehen sich auf Intellektuelles (Urteil, Gedächtnis usw.), aber das ganze Affektleben, in dessen Dienst doch sämtliche intellektuellen Funktionen stehen, blieb ganz beiseite. Schließlich wunderte sich der Gelehrte, daß das Gehirn Haarmanns auch nicht das kleinste pathologische Merkmal aufwies; er sollte sich lieber über eine Psychologie wundern, welche wähnt, Seelisches durch Gehirnuntersuchung feststellen zu können. Gehirn hat mit »Bewußtseinstatsachen« zu tun. Mit Seele aber so wenig wie mit Menschenkunde –: das »Nachschlagen in der Fachliteratur«...

Alex Schackwitz, der zweite Sachverständige, hatte von Juni 1924 bis 15. April 1925, dem Tage der Hinrichtung, den Haarmann vollständig in seinen Händen. Nach Bekundung des Dr. Schackwitz war Haarmann vergleichbar mit einem dressierbaren Tier, welches man mit jeder Schmerzandrohung leicht einschüchtert und durch Kaffee, Käse oder Zigarren sofort versöhnt. Pflege und Behandlung des Haarmann lag vor allem im Bereich dreier Angehörigen der Kriminalbehörde: Dr. Schackwitz, Kommissar Rätz, Assistent Reich; diese bezeugen ihre intime Verbindung mit dem Haarmann bis zum Moment des Todes. Dr. Schackwitz, der Begutachter im Haarmann-Prozeß, ist derselbe, der nach Haarmanns ersten Morden das eingelieferte Fleisch, von dem heute der Verdacht besteht, daß es Menschenfleisch war, ohne jede mikroskopische Untersuchung auf das bloße Sehen hin, für Schweinefleisch erklärt hat. Unmittelbar vor der Abführung zum Richtblock schrieb Haarmann einen Brief an Dr. Schackwitz. Die letzten Worte dieses Briefes (die letzten Haarmanns überhaupt) lauten so: »Wollen Sie glauben, das ist eine Lehre für ihn (für Hans Grans). Er ist ein Lump. Aber bestrafen können Sie ihn nicht. Ich schütze ihn nicht. Er hat keine Ahnung gehabt...« Ich behauptete und behaupte weiter, daß, wenn das hannoversche Gericht und die hannoversche Polizei den schönen Stolz und Mut gehabt hätte, sich selber als befangen abzulehnen, der ganze Haarmannprozeß ein anderes Gesicht bekommen, der Prozeß gegen Grans aber unmöglich gewesen wäre.

Das Plädoyer

Die Oase in der Wüste des Grans-Prozesses war die Schlußrede des Verteidigers Dr. Teich; die Rede eines Menschen: nichts von Schärfe, nichts von Übertreibung, maßvoll, vorsichtig, die Rede eines Mannes, dessen Sympathien nach rechts hin, auf Obrigkeitsstaat und Gesetzesstrenge gerichtet sind, der aber, gerecht und vielerfahren, von allen böswilligen Vor-annahmen und subjektiven Gefühlen sich frei macht und lediglich frägt: »Was ist Wahrheit?« Indessen, wäre Jesus selber im Gerichtssaal erschienen und hätte sich schützend vor dem jungen Menschen, dem nichts, aber auch wirklich gar nichts nachgewiesen werden konnte, hingestellt, gegen diese böse Atmosphäre von Haß und Ressentiments und Gerechtigkeitsgehässigkeit hätte kein Gott mehr schützen können. Ich las einmal bei Oscar Wilde den Satz: »Der Kronanwalt flehte die Geschworenen an, sie möchten den Angeklagten köpfen.« Man hatte die beiden alten Anklagen auf Anstiftung zum Morde und auf Mitwisserschaft fallen lassen und dafür eine Klage auf Beihilfe in den Fällen Hannappel und Wittig (nach § 149 S.G.B.) konstruiert. Das Schlußwort des

Grans lautete so: »Ich fordere von einem objektiv urteilenden Gerichtshof meine Freisprechung und die Wiederherstellung meiner Ehre.« Damit verlor er bei der gegen ihn herrschenden, völlig unpsychologischen Einstellung den letzten Rest Sympathie. Das Urteil lautete: 12 Jahre Zuchthaus. Auf 20 Jahre Aberkennung der Ehrenrechte. Die zweijährige Untersuchungshaft wird nicht angerechnet.

Psychologie im Gerichtssaal

Ein Justizmord ist begangen! Ich schreibe das nicht leichtfertig. Ich behaupte es aus kalter ruhiger Überlegung: auf Grund der Kenntnis aller Personen und Umstände und nachdem ich über ein Jahr alle Seiten des Kriminalfalles nach allen Seiten hin erwogen und behutsam durchdacht habe. Ich behaupte nicht, daß Grans unschuldig ist. Ich halte ihn für einen Zutreiber Haarmanns und für einen schlimmen Parasiten und Ausbeuter. Aber ich behaupte aufs bestimmteste, daß weder Anstiftung noch auch Beihilfe zum Morde vorliegen kann. Aber man möge absehen von dieser persönlichen Überzeugung; zweifellos ist: daß das »Indizienurteil« die Quelle aller Justizmorde ist, von denen der Hannoveraner Jhering sagt: »Der Justizmord ist die wahre Todsünde des Rechts.«

»Psychologie gehört nicht in den Gerichtssaal.« Ich habe dies Wort des Vorsitzenden Bökelmann nie recht geglaubt. Erst der Grans-Prozeß bewies mir, daß es völlig ernst gemeint war. Psychologische Schnitzer, die jeder, der über Menschliches nachdenkt, sofort merken mußte, wurden anstandslos hingenommen. Ein ohnehin verdächtiger Zeuge sagt aus, er habe vor drei Jahren, als überhaupt noch nichts von den Morden bekannt war, in einem überfüllten Wartesaal gesehen, wie Haarmann und Grans durch Nicken mit dem Kopf einander Zeichen gaben. Derselbe Zeuge sagt, er habe den ermordeten Hanappel an einer bestimmten Stelle des Wartesaales auf einer Truhe sitzen sehen, neben ihm habe eine Wasserwage gestanden; als sich klar ergibt, daß der Zeuge das kleine Merkmal »Wasserwage« nur aus den Zeitungen haben kann, weil in Wahrheit die Wage in der Truhe lag und nicht daneben stand, ändert der Zeuge die Aussage dahin: »Neben ihm befand sich etwas, was ähnlich aussah wie eine Wasserwage.« (Keiner merkt und rügt das.) Eine gegen Grans zweifellos gehässige Zeugin sagt aus: Er hat mir mal gesagt: »Den Haarmann trek ik blot ute.« Nun wird aber festgestellt, daß Grans gar nicht Platt versteht, so fragt denn der Vorsitzende die Zeugin: »Sagte er das auf Platt oder Hochdeutsch?«, worauf diese, die den neuen Umstand kennt, erwiderte: »Er sagte es auf Hochdeutsch.« Der Staatsanwalt leistet sich folgenden Satz: »Grans muß gewußt haben, daß Hanappel getötet werden sollte, denn als er die hinterbliebenen Sachen des Toten sah, wurde er nicht stutzig.« Eine endlose Erörterung knüpft sich an die Frage: Warum hat Haarmann den Grans denn gerade in den zwei Fällen des Mordes belastet, wo wirklich eine Beihilfe nachweisbar ist? Für jeden schlichten Verstand versteht sich von selbst, daß Haarmann den Grans gerade nur dort belastet hat, wo ein Belasten überhaupt möglich war. In jedem anderen Fall wäre die Belastung eben zusammengebrochen, wie hundert andere Belastungen des Haarmann zusammengebrochen sind. Haarmann hat z. B. einen der angesehensten Großindustriellen Hannovers, der für Kultur und Bildung der Stadt unendlich viel tat, beschuldigt, mehr als 40 Knabenmorde begangen zu haben; er hat diesen Mann, wie andere, zum Schaden der Stadt Hannover fortgeekelt und dabei doch lediglich sich über die Behörden lustig gemacht. Haarmann hat Wittkowski, Friedrich und Grans auch in anderen Fällen des Mordes bezichtigt und die Unmöglichkeit der Bezichtigung konnte glatt bewiesen werden. Der Fall Grans ist schwer zu durchdringen, weil Grans zu denen gehört, die ich »atonale Naturen« nennen möchte: ursprünglich ganz unbedacht-ahnungslose Naturen, die in großer Gefahr völlig vereisen und reaktionsunfähig werden. In dem ganzen Grans-Prozeß sah man an dem Angeklagten nicht eine einzige affektive oder gemüthafte Regung. Für den Charakterologen war unbedingt gewiß, daß auch nicht ein Schimmer von Schuldbewußtsein in Grans lebendig ist, er müßte denn ein schier übermenschlicher Schauspieler sein. Aber das Gericht nahm das als »Verstocktheit des raffinierten Verbrechers«. Die Sache ist aber die: »Grans ist in der Tat innerhalb einer bestimmten Sphäre Unrecht zugefügt worden; nämlich hinsichtlich seiner Mitwisserschaft an den Morden; alles Mögliche hat Grans pecciert: Kuppelei, Zutreiberei, das abscheulichste Ausbeuten armer Jungen; nur gerade das, was man ihm schuld gibt: »Mitwissen an den Morden«, hat er nicht pecciert; das Gefühl aber, hier verunrechtet zu werden, läßt ihn völlig blind sein gegen diejenige Schuld, die er wirklich hat und nun fühlt er sich, ohne dabei zu schauspielern, als der »schwer Verunrechtete«, der für seine »Ehre« kämpft. Ist es psychologisch denn überhaupt möglich, daß ein wirklicher Verbrecher von guter Intelligenz die Kleider und Sachen, von denen er weiß, daß sie aus Morden herrühren, aufbewahrt und offenkundig am Leibe trägt, auch dann, als die Morde ruchbar geworden sind; er hätte es ganz leicht gehabt, alle Spuren seiner Beteiligung zu vernichten und zu verwischen. Eine Zeugin sagt aus: »Grans sagte zu mir, den Haarmann habe ich in Händen, wenn er etwas will, so zeige ich ihn an.« Und weswegen will er anzeigen? »Haarmann hat die Gasanstalt betrogen durch Entnahme von Gas.« Droht so ein Mensch, der von mir Morde weiß? Ich vermöchte viele Dutzende solcher Indizien anzuführen. Was steht auf der Gegenseite? Nichts als die erste Aussage des Haarmann, der das Gericht mehr geglaubt hat als allen späteren Widerrufen im Angesichts des Schafotts. Aber auch dies ist Psychologie: Das Schwurgericht Hannover (dies hat es jetzt zugeben müssen) hat in erster Instanz, indem es den Grans zum Tode verurteilte, glatt Justizmord begangen. Das Urteil wurde umgestoßen, als die Beichte des Haarmann an die Öffentlichkeit gelangte und als ich, so weit, das irgend in meinen Kräften stand, das öffentliche Gewissen wachgerufen hatte. Dasselbe Gericht hat nun auf 12 Jahre Zuchthaus erkannt. Jedes andere Gericht hätte zur Freisprechung kommen müssen. Ich behaupte nicht, daß der Grans schuldlos sei; ich habe ihn in meinem Buche: »Haarmann. Die Geschichte eines Werwolfs«, als Lebenswucherer und Intelligenzschmarotzer aufs strengste gegeißelt. Aber ich behaupte: An den Morden kann er gar nicht anders beteiligt sein, als auch die Frau Engel, Linderer, Wegehenkel und viele kleine Kriminalbeamte Dunkles und Ungesetzliches bei Haarmann ahnten, ohne je klar zu wissen, daß es sich um Morde handelte.

Schlußwort
Daß ich den Kampf gegen ein Fehlurteil in meiner Heimat Hannover gerade im »Prager Tagblatt« geführt habe, möge mir doch das nicht als eine Ephialtes-Tat gegen Heimat und Vaterstadt verdacht werden. Ich hätte genau dasselbe in jeder andern deutschen Zeitung geschrieben, wenn mir irgendwo eine solche zur Verfügung stünde... Niemanden wünsche ich zu verletzen.

Die Gültigkeit und das Ethos deutscher Rechtspflege kümmert mich. Nicht die Personen, die in zwanzig, dreißig Jahren ja doch wieder andere sind. Zum Schluß möchte ich zurückkommen auf die Berichte im »Prager Tagblatt«. Das hannoversche Schwurgericht hat am 15. Dezember 1924 auf Grund des § 176 des Gerichtsverfassungsgesetzes mit Beziehung auf die Berichte im »Prager Tagblatt« mir den Zutritt zu den Prozeßverhandlungen gesperrt. Es geschah das in der Weise, daß aus einem Berichte zwei Sätze aus dem Zusammenhang herausgerissen und als unwahr unterstellt wurden. Ich habe dadurch, gegen die Sachlichkeit des Gerichtes mißtrauisch geworden, mich von da ab weiter in die Materie des Prozesses versenkt und habe, was ich mit bestem Gewissen vertreten zu können glaube, zusammengefaßt in dem Buch: »Haarmann, Geschichte eines Werwolfs.« Berlin 1925. Sollten nun in dem Buch oder in den Berichten im »Prager Tagblatt« Irrtümer unterlaufen sein, so bitte ich gemäß dem Pressegesetze sie berichtigen zu dürfen. Sollte Beleidigendes gegen Gericht oder Polizei in meinen Darlegungen gefunden werden, so bitte ich, mich wegen Beleidigung oder Verleumdung zu verklagen, vielleicht ist das der Weg, um die Wahrheit festzustellen, die wir ja alle wollen. Das Gericht hat beide legalen Wege nicht betreten. Es hat vorgezogen, mir den Zutritt nach Möglichkeit zu erschweren und darüber hinaus eine Denunziation beim Kultusministerium zu betreiben, die mir als akademischem Lehrer ein Disziplinarverfahren und im Verein mit politischem Unverständnis und Mißverständnis eine durch

Jahr und Tag andauernde öffentliche Hetze brachte. Nun aber stellte sich am Schluß des Haarmann–Grans-Prozesses folgendes heraus: An einer Stelle seines Plaidoyers machte der Verteidiger des Grans auch eine Angabe aus meinem Buch. Der Vorsitzende in beiden Prozessen, Landgerichtsdirektor Bökelmann, unterbricht ihn: »Ich muß Sie bitten, Herr Rechtsanwalt, hier kein Buch anzuführen, daß wir nicht kennen.« Der Verteidiger benennt mich als Zeugen dafür, daß ich ein Buch geschrieben habe, in welchem das Verfahren gegen den Grans als ein Rechtsirrtum charakterisiert wird. Oberstaatsanwalt und Staatsanwaltschaftsrat stellen fest, daß auch sie von dem Buch keine Notiz genommen hätten. Ein Saaldiener besitzt das Buch und bringt es dem Staatsanwalt. Der nimmt es, betrachtet den Einband und legt es zurück. Bei der Urteilsbegründung äußert sodann der Vorsitzende: »Der Gerichtshof weist es zurück, Notiz zu nehmen von einem Buch, das ein hiesiger Mediziner zu der Sache Haarmann–Grans geschrieben haben soll. Ebenso weisen wir zurück, uns von Zeitungsaufsätzen beeinflussen zu lassen. Wir Berufsrichter wissen aus uns selbst, was wir zu tun haben. Wir brauchen keine fremde Belehrung. (Wörtlich stenographiert.) Also ... auf Grund zweier aus einem Zeitungsaufsatz herausgerissener Sätze Denunziation beim Ministerium und Hetze durch Jahr und Tag. Aber: »Wir kennen die Sache gar nicht, wir mißbilligen sie nur.« Bei dieser Gottähnlichkeit wird mir bange. Nicht für mich! Aber bange für den Tag, wo diese Herrlichkeit der drei juristischen Koryphäen unserer guten Stadt Hannover, der Herren Bökelmann, Wilde und Wagenschieffer ganz zweifellos zusammenbrechen wird.

[1926]

Leerlauf des Willens

Gerichtsreportagen und Essays

Nahezu alle Verbrechen des Zeitalters stellen die Psychologie nur darum vor ›Rätsel der Seele‹, weil nichts Seelisches im Spiel ist. Es sind Taten der ganz entleerten, rätselarmen Seele. Und wenn man nach ›Motiven‹ forscht, so wird man am wenigsten fehlgehen, wenn man immer nur das eine Motiv unterstellt: Leerlaufender Geltungswille. [...]
Dieser leere Wille entfesselt Kriege, zündet Städte an, sprengt Eisenbahnzüge, organisiert mit bewunderungswürdigem Fleiß und unablenkbarer Zähigkeit Grauens- und Schreckenstaten in großem Stil, ohne daß andere Antriebe dahinter stünden als die Angst des leeren Willens vor seiner Leere, als die Sucht des inhaltlslos gewordenen Seelenlebens, sich erfüllt und bestätigt zu sehen von außen her. [...]
Wir besitzen bereits eine Vulgärpsychologie [...] welche unsagbar platt, aber auch unsäglich zeitgemäß, den Kampf des Willens gegen andere Willen und den Erfolg im Kampfe als Erklärungsprinzip fast aller Seelenerkrankungen benützt, ohne zu ahnen, daß eben dieser leerlaufende Wille selber die Erkrankung bedeutet.

Theodor Lessing, Leerlauf des Willens (1932)

Die Mordsache Hagedorn

Vorbemerkung: Im Folgenden wird der Versuch gemacht, einen der merkwürdigsten Kriminalfälle aus gewissenhaftem Studium der Personen und Umstände sinnfällig klarzulegen, und zwar geschieht das aus drei Gründen: erstens erklärten eine Reihe Sachverständiger den hier folgenden Fall für »den klassischen Schulfall des § 51«; zweitens ist er einer jener Fälle, die formaljuristisch vor das Schwurgericht, dem Inhalt nach aber vor ein Jugendgericht gehören, und drittens beweist er einen Mangel der Rechtspflege: das Fehlen von weiblichen Polizeikommissaren und von Gerichtsärztinnen.

Duisburg, Europas größter Binnenhafen, ist eine Stadt von 285 000 Einwohnern und hat einen Flächenraum so groß wie Paris. Wandert man nach Süden die kohlegeschwärzte Kulturstraße hinab, so kommt man in der Gegend der Eisenwerke zur Eschenstraße. Das menschenüberstopfte Arbeiterhaus Nummer 34 gehört dem Kaufmann Wilhelm Hagedorn. Im Parterre rechts hat er seinen kleinen Lebensmittelladen. Daneben ist die Küche. An der linken Seite gegenüber liegt das kleine Wohnzimmer (Palme, Öldrucke, Klavier). Daranstoßend die Kammer. In dem einen Bett schlafen Vater und Mutter. Im andern die einzige Tochter Käthe; siebzehn Jahre alt. Der Schlafbursche, Arbeiter Schilkowsky, schläft nebenan auf dem Sopha. Oben, im ersten Stock wohnt die Arbeiterfamilie Gelzleichter; Eltern und fünf Kinder. Die älteste, Aenne, ist gleichalterig mit der Käthe Hagedorn und ist ihre beste Freundin. Im zweiten Stock wohnt, vom Manne getrennt, Frau Schäfen mit ihren drei Kindern. Das jüngste, Friedo, ist neun Jahre alt. Im Hinterhaus wohnt Frau von Sonsbeck, eine robuste, des Deutschen schlecht mächtige Polin; dazu der Kaufmann Ptag, ein rabiater Mensch. Alle Kinder fürchten sich vor Ptag. Mit Hagedorns und Gelzleichters ist er verzankt und in Prozessen wegen Meineids und Schlägereien. Die Luft in dem engen Stiegenhaus ist vergiftet; es herrscht Kleinkrieg aller gegen alle.

Der Vater Hagedorn ist 40jährig, ein hübscher Mensch aus belasteter Familie. Er neigt zum Trinken und Streiten, kommt dann angeheitert nach Hause, spricht viel im Schlaf, verrichtet seine ehelichen Zärtlichkeiten ohne Rücksicht auf das daneben liegende Kind. Die Mutter, Arbeiterkind aus derselben Straße, etwa 35jährig, ist eigenwillig kalt und intrigant. Käthe, das einzige Kind der beiden, bedient im Laden die kleine Laufkundschaft. Sie hat es wohl besser als die Arbeitermädchen; sie lernt Nähen und Klavierspielen. Aber es fehlt Führung und Zärtlichkeit; sie bekommt zu viele Ohrfeigen und tägliches Gezänke. So lange sie klein war, fühlte sie sich glücklich. Sie hatte ihr Hündchen Ami, einen Rehpinscher. Sie ging gegenüber in die Volksschule zu dem guten Herrn Rektor Jung. Sie wurde drüben am Platz in der kleinen evangelischen Kirche eingesegnet vom gütigen und menschenkundigen Pfarrer Spering. Nun aber steht sie in der Reifezeit, fühlt sich unglücklich und möchte gern hinaus. Indes sie im Laden für die Arbeiterfrauen pfennigweise Soda abwiegt, träumt das kleine hysterische Mädchen von Reichwerden und Große-Dame-sein, von schönen Kleidern und den Filmschauspielerinnen, deren Bilder sie sammelt. Sie lebt und webt in der verlogenen Kinoromantik jener kleinbürgerlichen Welt, welche entwurzelt und abgeschnürt ist von der Hilfsarbeit der Kirche wie vom Klassenkampf der proletarischen Massen und welche allen verlogenen Kitsch des gehobenen Bürgertums in ihre muffigen Stuben übernimmt. Im übrigen ist Käthe ein reines Kind; sie gehört zum christlichen Jungfrauenverein; ist ganz unberührt vom Manne, betet auch gern. Nur einmal, als sie in Wut kam, da zerschlug sie ein Kruzifix, »um Gott zu strafen, weil er mir mein heißestes Gebet nicht erfüllte.« Als sie später Deutschlands erste und jüngste Lustmörderin geworden ist, da schrieb sie: »Meine Tat ist die Strafe Gottes gewesen für das von mir zerschlagene Kruzifix.«

Sehr früh packt sie der Geschlechtsdämon. Und wie bei allen zarteren Kindern im Volk überkommt er sie sogleich in verbogener Gestalt. Diese Kinder haben im Hause, im Schlafzimmer zu viel gesehen, was dieses ganze Gebiet ihnen vernüchtert, verekelt hat. Denn seien wir klar darüber: die gleichgeschlechtliche Liebe ist bei zahllosen Opfern der Zeit und ihrer Gesellschaft das letzte Restchen von – Ideal. Die Mädchen sind früh angewidert vom Manne. Die Freundin Aenne ist schon im zwölften Lebensjahr verführt worden; die Freundin Lene, Tochter des Bierverlegers drüben an der Ecke, hat sich schon mit 16 Jahren zum Falscheid verleiten lassen. Diese Mädchen sind nicht schlecht, aber leicht »angeknaxt«, brüchig und tragen doch ein großes Verlangen nach Schönheit und Scham. Aber das eigentliche Verhängnis für Käthes Liebesleben kommt, als auf dem Platze vor der Kirche Frau Hendrichs ihr Zirkuszelt aufschlägt. Die Eltern erlauben, daß Käthe dort im Zelt ihr erstes Geld verdient. Sie darf dort nachmittags Klavier spielen für 3 Mark die Woche. Und dort faßt sie nun eine große Schwärmerei für die zwei Jahre ältere Päule; eine Tänzerin, die später zur Bühne übergeht, ein verderbtes lebisches Pflänzchen. Aber für Käthe ist dieses übele Dirnchen das Ideal einer großen vorurteilslosen Dame. Diese Päule besorgt denn nun die erste Aufklärung des nervenschwachen, ganz unreifen Mädchens. Durch sie kommt das Kind in einen Flitterkreis kleiner Schmierenschauspieler. Und nun bricht mächtig der Trieb hervor und klammert sich, da sonst nichts Liebliches da ist, an die jüngeren kleinen Mädchen im Hause, für welche die Unreife wiederum die Dame spielt und mit denen sie lieber umgeht als mit den ihr überlegenen Altersgenossinnen.

Das leerlaufende Triebleben und der früh ausgeödete Traum des hysterisch verschrobenen Kindes, welches schriftstellert und stundenlang am Klavier phantasiert, befriedigt sich nun in Kolportageromanphantasien. Vergeßlich, unfähig zum Nachdenken, oberflächlich und unbestimmt sehnsüchtig, läuft sie ein paar Mal von Hause fort und wird dann sogleich wieder von der Bahnhofsmission zurückgebracht. Sie träumt immer davon, »nach Amerika auszuwandern«; sie schreibt einen phantastischen Brief an einen Wunderdoktor in Hollywood, von dem sie ein Inserat in der Zeitung gesehen hat, welches anfing: »Schreiben Sie an mich vertrauensvoll«. Sie schreibt auch an sich selber Liebesbriefe postlagernd und holt sie dann selbst wieder vom Postamt ab, sie geht zur Hellseherin, kauft sich gern Schönheitsmittel, schwärmt für Pferdesport und nährt sich mit falscher Interessantheit. Sie liest mit wollüstigem Grauen die Kriminalgeschichten über die Massenmörder Haarmann und Denke; daneben liest sie auch Schillers Werke. Sie bleibt bei alldem reine Jungfrau und hat, von ein paar mit den Eltern besuchten Tanzvergnügungen abgesehen, keinerlei Erfahrungen mit Männern. Sie ist von großer Aufrichtigkeit, aber von mangelhaftem Wirklichkeitsbewußtsein. Sie lebt und webt in einer kindischen Vorstellungswelt voller Unwirklichkeiten.

Es ist nicht klarzustellen gewesen, ob dieses schwerbelastete Mädchen als sogenannte Epileptoide zu betrachten sei. Festgestellt ist nur, daß sie zur Zeit der Menses stets launisch und reizbar gewesen ist, während sie sonst ein fröhliches und lebhaft frisches Wesen hatte. Sie klagte oft über Kopfschmerz, litt an Benommenheitsphasen, Schwindelanfällen, kurzen Absenzen, aber nie an Krämpfen. Und seit dem unseligen Verkehr mit der kleinen Filmschauspielerin Päule verfiel sie der Onanie. Sie trieb dies Laster in starkem Maße, ohne recht zu wissen, was sie da tat und ohne letzte Befriedigung zu erzielen. Es ist festgestellt worden, daß sie erst in den Tagen vor ihrer Wahnsinnstat den bei ihr mit Beklemmung und Angstgefühl begleiteten Orgasmus erlebte. Indem sie diese Dunkelheiten trieb, biß sie sich die Lippen blutig oder verletzte sich selbst, um Befriedigung zu erpressen.

Am Tage vor Johanni 1926 hatte sie mit der sechzehnjährigen Aenne Gelzleichter Sagokisten aus dem Laden in den Keller zu schaffen. Dabei kam es zwischen den beiden Mädchen zu einer Ausschweifung, die zur Folge hatte, daß Käthes Monatsregel, welche gerade am Vortage erloschen war, wieder neu einsetzte. Der folgende Tag, der 24. Juni 1926, war heiß und schwül. Am Nachmittag gegen drei Uhr saß Käthe im Laden mit einem Geschäftsfreund des Vaters, dem alten Händler Wiegand. Sie war in ausgelassener Stimmung. Sie aß Kirschen und warf dem gutmütigen Mann Kerne ins Gesicht. Die Mutter kam hinzu und schickte das Mädchen zum Baden ins Städtische Schwimmbad. Käthe nahm ihr Badetäschchen, darin Seife, Kammzeug und eine kleine Nagelschere sich befand und verließ gegen halb vier Uhr das Haus. Beim Überqueren der Straße begegnete ihr die sechsjährige kleine Kati Gelzleichter. Dieses Kind hing sehr an Käte und bat, daß sie mitgehen dürfe. Auch der neunjährige Friedo Schäfen schloß sich an. Käthe Hagedorn wanderte nun mit den beiden Kindern gemächlich und ziemlich kreuz und quer bis zum nahen Buchenwäldchen am Dickelsbach. Es war Johannistag, der Namenstag des Vaters Gelzleichter; darum wollten die drei auf der sogenannten Rehwiese Blumen pflücken und einen Kranz binden. Die Hagedorn hat nachmals ausgesagt, daß sie auf diesem ganzen Weg in Angstgefühlen und Erregung gewesen sei. Sie hatte in diesen letzten Tagen in den Zeitungen Bilder gesehen von großen Kindermorden, die in Breslau verübt worden waren und unentdeckt blieben. Sie war wohl auch erotisiert durch die Kellervorgänge am Vortage. Der Weg bis zur Rehwiese entlang der Düsseldorfer Bahnstrecke dauerte etwa 40 Minuten. Die Wiese liegt von allen Seiten offen. Im Walde ringsum ergehen sich viele Spaziergänger. Auf der Wiese machten die drei Kinder einen Kranz, den man später bei den Leichen fand. Dann verspürte die kleine Kati ein Bedürfnis und ließ sich von der Käte Hagedorn in das nahe Waldgebüsch führen. Bei dieser Gelegenheit (so hat die Hagedorn später gestanden) vergriff sich die Verbrecherin in plötzlichem Triebe unsittlich an dem Kinde. Das Kind schrie und sträubte sich, da stopfte die Verbrecherin, von Angst gepackt, ihm Laub und Erde in den Mund. Alles, was sich nun weiterhin abspielte, müssen wir zu erraten versuchen. Denn es ist nie gelungen, in der Hagedorn die klare Erinnerung des Zusammenhanges zu erwecken, obwohl diese nach der Aufdeckung der Tat niemals den Versuch gemacht hat, sich selbst zu entschulden; vielmehr sich selber weit stärker belastet und preisgegeben hat als nötig gewesen wäre und als ohne ihre Geständnisse die Tat zu beweisen möglich gewesen wäre. Die Hagedorn also wirft sich auf das zappelnde Kind. Das Kind sträubt sich. Da sieht die Hagedorn im Moose neben sich die zum Blumenpflücken benutzte kleine Nagelschere, bekommt die zu fassen und stößt blindlings zu, wohin sie nur treffen kann. Dabei befindet sie sich in wachsender Erregung. Plötzlich aber steht der kleine Friedo, der auf der

Wiese Reifen schlug und die unterdrückten Schreie gehört hat, neben ihr. Zugleich hört sie ferne Spaziergänger vorüberkommen und einen Hund bellen. Sie ist in der Lage des Amokläufers, für den, nachdem nun einmal das Gräßliche geschehen ist, es auch kein weiteres Besinnen mehr gibt. Sie schlägt mit einem Ast nach dem Knaben. Dieser stolpert und beginnt gräßlich zu schreien, worauf sie mit ein paar schnellen Stichen in den Hals die Blutgefäße durchschneidet, wonach das schreiende Kind verstummt. Jetzt wirft sie Laub, den Blumenkranz, ein paar Grasspiren auf das Mädchen, läuft dann durch die Wiese bis zum Dickelsbach, wäscht sich die Hände, rafft schnell auf: ihren auf der Wiese liegenden rosa Hut und Ledertäschchen und rennt in blinder Flucht von dannen. Bei diesem Herumjagen auf der Wiese aber ist sie gesehen worden. Eine Magd hütete am Waldrand eine Rinderherde. Ein Arbeiter, namens van der Sand, spazierte mit seiner Frau und seinem kleinen Kinde am andern Ufer den Dickelsbach entlang. Dieser Arbeiter, welcher zufällig in derselben Straße wohnt wie die Hagedorn, hat diese freilich nicht erkannt. Er hat ausgesagt: »Wir sahen eine Frauensperson. Sie trug einen grünen Mantel. Sie lief wie irr über die Wiese; sie lief schwebend leicht wie ein Reh.« Dem Arbeiter und seiner Frau kam das Benehmen dieser Person wunderlich vor. Sie sind durch den Bach gewatet und über die Wiese hinübergegangen in den Wald hinein, an derselben Stelle, woher die Frauensperson hervorgekommen war. Dort stießen sie sogleich, und dies war wenige Minuten nach der Tat, auf die Leiche des kleinen Mädchens und bald darauf auf die etwas entfernt liegende des Knaben. Das Mädchen war erstickt; der Knabe verblutet. Neben ihm lag die Schere und sein blutgetränktes Jäckchen.

Wie nun war das weitere Verhalten der Mörderin? Erst nachdem alles, was sich in wenigen Minuten abgerollt hatte, geschehen war, scheint das völlig aus sich herausgeworfene Mädchen langsam zur Besinnung gekommen zu sein. Ihr Verhalten war zunächst das einer Schlafwandlerin und wurde, je mehr ihr die Besinnung an alles Geschehene zurückkam, zu dem Verhalten eines um Selbsterhaltung kämpfenden gehetzten Tieres, das zunächst alles Gewesene aus dem Gedächtnis zu verdrängen sucht und dann, als das nicht mehr geht, durch die phantastischsten Begründungen das Geschehnis vor sich selbst zu erklären trachtet. Wie aber jedes in Lebensnot geratene Tier instinktiv und schlafwandlerisch-sicher von Augenblick zu Augenblick das Richtigste tut, ohne doch klar einen Plan verfolgen zu können, so tappte das unselige Geschöpf sich nun noch einige Stunden weiter, ehe ihr ganzer Traumbau zusammenstürzte. Zunächst irrt sie am Bahnkörper entlang, springt dann auf eine Elektrische und fährt, wohin sie ursprünglich gewollt hat, zur Städtischen Badeanstalt, schließt sich dort in die Zelle ein, badet aber nicht, sondern reinigt ihr Schuhzeug von Blutfleckchen und besinnt sich dann darauf, daß Ptag, der Todfeind ihrer Eltern und zugleich auch der Todfeind der Familien Gelzleichter und Schäfen wohl die Tat vollbracht haben könne. Ptag ist ja der im Hause allgemein Gefürchtete. Ihm also werden sie die Tat am ehesten zutrauen. Das beruhigt sie zunächst. Sie ruft von der Badeanstalt aus beim Kaufmann Ptag telephonisch an und erfährt so, daß er nicht zu Hause ist. (Dieser Telephonanruf blieb im übrigen unbewiesen; wir wissen davon nur aus ihren späteren Selbstbezichtigungen.) Dann geht sie die Herrstraße entlang und trifft ihren Onkel und ihre Tante, und während sie mit diesen an der Straßenecke plaudert, kommt ein Wägelchen vorüber, darauf ihr Vater sitzt, welcher gerade von Ruhrort kommt. Sie steigt nun zum Vater auf den Wagen und beginnt unterwegs zu erzählen: »Vater, ich habe eben Ptag geseh'n. Er hatte den Friedo an der Hand.« »Unsinn,« sagt der Vater, »das kann gar nicht sein. Ptag ist doch mit den Gelzleichters verfeindet.« ... Als sie zu Hause ankommen in der Eschenstraße (es ist etwa halb acht Uhr), da hat sich schon die Kunde verbreitet, daß am Waldrand zwei Kinderleichen gefunden wurden. Die beiden Frauen im Hause, deren Kinder seit vier Uhr fort sind, werden nun unruhig. Käte Hagedorn geht zu ihnen, beruhigt sie und wiederholt die Erzählung, sie habe den Friedo mit Ptag zusammen gesehen. Inzwischen geht der Vater Hagedorn mit dem Vater der getöteten Kati auf die Polizei und gegen acht Uhr ist festgestellt, daß die ermordeten Kinder in der Tat die beiden vermißten sind. Nun wird Ptag verhaftet, kann aber sofort sein Alibi nachweisen. Käthe Hagedorn wird vom Polizei-Oberkommissar Braun vernommen und zeigt sich bei der Vernehmung so seltsam, daß der erfahrene Kriminalbeamte, so rätselhaft ihm der Fall auch noch ist, sofort zu dem Verdacht kommt: »Dies Mädchen muß mit der Tat zusammenhängen.« Er unterläßt aber zunächst ihre Verhaftung. Während der folgenden Nacht nun bleibt das Haus in Aufregung. Es ist eine warme Sommernacht. Die Hausbewohner, darunter die Hagedorns, stehen in Flur und Haustür. Die beiden Mütter weinen. Gegen Mitternacht kommt der Arbeiter van der Sand des Weges und tritt zu der Gruppe Hagedorn. Käthe, die inzwischen ihre Kleider vom Nachmittag gewechselt hat, lehnt bleich an der Tür. Van der Sand schildert, wie er die Kinder fand und wie rätselhaft die Frauensperson auf der Rehwiese sich benommen hat. Der Mutter Blick fällt auf die Tochter. Und wie durch plötzliche Hellsicht kommt ihr der Gedanke: »Das ist Käthe gewesen.« Sie schickt das Mädchen in die Kammer hinein. Das Mädchen kriecht ins Bett. Der Vater nimmt die Kleider und Schuhe an sich und prüft alles genau auf Blutspuren, kann aber nichts finden. Die Mutter holt aus dem Laden das Hackbeil, tritt vor das Bett und schreit: »Sage, ob du es gewesen bist; dann erschlage ich dich und uns alle!« Das gräßlich verängstigte Mädchen wimmert: »Ich bin es nicht gewesen.« Sie gerät dann in hysterischen Redefluß und erzählt dunkle Geschichten von dem Arbeiter van der Sand. Schließlich gegen vier Uhr verbieten die Eltern ihr den Mund und beschließen, am Morgen mit ihr sofort aufs Kriminalamt zu gehen. Sie versuchen nun zu schlafen. Kurz darauf steht Käthe auf und geht hinüber in die Küche. Die Eltern glauben, sie wolle sich Wasser holen. Im Hofe ist schon Aenne Gelzleichter wach. Käthe bittet sie um eine Tasse Kaffee. Als sie nicht zurückkommt, steht auch der Vater auf und sieht in der Küche nach. Da ist das Mädchen verschwunden. Die Eltern gehen nun sogleich aufs Polizeiamt; aber das Mädchen ist nicht dort gewesen.

Um nun ihr weiteres Verhalten zu verstehen, muß man die Filmphantasie der Kinder des Volkes kennen. Bei allen Kinostücken handelt es sich immer um »Flucht ins Ausland«. Dies »Ins-Ausland-gehen« ist immer der erste Gedanke nach vollendeten Verbrechen. Daß dazu Pässe, Papiere, Geldmittel gehören, das bedenkt ein Kinderhirn nicht. Daher war der Hagedorn erster Gedanke, die holländische Grenze zu erreichen. Daß sie dazu ein Auto benutzte (während fortdauernd Züge dahin fahren), hängt ebenfalls zusammen mit ihren Kinobildern; auf den Filmen jagen die großen Hallunken immer im Auto davon. Ebenso kannte sie vom Filme her den Trick, in ein Restaurant zu gehen und durch die Hintertür schnell wieder zu verschwinden. Sie läuft also davon ohne Wegzehrung und mit zwei Mark im Portemonnaie (sie hätte leicht die Ladenkasse erbrechen und aus dem Laden sich Lebensmittel mitnehmen können); sie läuft zunächst am Rhein herum, wohl mit Selbstmordwünschen, sieht dann am Bahnhof ein einzelnes Auto stehen und fragt den Chauffeur, ob er sie bis zu einem bestimmten Café nach Krefeld für dreißig Mark fahren wolle. Vor dem Café läßt sie dann den Chauffeur warten, geht hinein und entläuft ihm durch eine Hintertüre; trifft dann auf ein anderes Auto und fragt diesen zweiten Chauffeur, ob er sie für zwanzig Mark, mehr habe sie nicht, bis nach Holland fahren wolle. Der Chauffeur sagt, daß er für zwanzig Mark nur bis Geldern fahren könne. Sie fahren also nach Geldern. In Geldern lädt sie den Chauffeur ein, im Restaurant zu essen; sie läßt ihn Speisen auswählen und Kaffee trinken. Ein Klavier steht im Lokal; daran setzt sie sich und beginnt irrsinnig draufloszuspielen. Dem Oberkellner wie dem Chauffeur kommt sie irre vor. Unter einem Vorwand fordert der Kellner sofortige Bezahlung der Zeche; da gesteht sie, daß sie nur zwei Mark Geld habe, aber sie werde in Kleve im Hotel »Klever Hof« von zwei Herrn erwartet, welche dort alles für sie bezahlen würden. Der Oberkellner nimmt ihr ihre Ringe und ihr Halskettchen zum Pfand. Der Chauffeur fährt mit ihr nach Kleve, um sich dort von den Herrn bezahlen zu lassen; aber im »Klever Hof« weiß man nichts von den Herrn. Die Hagedorn sagt nun, dann müsse man die Wohnungen der Herren aufsuchen. Sie läßt denn auch an verschiedenen Häusern vorfahren und fragt dort nach Namen. Sie konnte das, weil ihre Großmutter in Kleve gewohnt hatte und sie dort alle Hausgelegenheiten kannte. Der Chauffeur läßt sie aber nicht aus dem Auge. Vor den Häusern läßt er das Auto stehen und steigt ihr nach die Treppen hinauf. Zweimal versucht sie, ihm zu entkommen. Zuerst, indem sie in einem unbewachten Augenblick in einen Keller flieht; aber er zieht sie hervor. Sodann schlüpft sie in die offenstehende Tür einer Wohnung und in eine leerstehende Kammer. Als der Chauffeur ihr nachkommt, versucht sie zu tun, als ob sie dort wohne, beginnt sich auszukleiden und aufs Bett zu setzen und erklärt dem Chauffeur: »Was wollen Sie hier? Ich kenne Sie gar nicht!« Der Chauffeur schlägt nun Lärm und die Besitzerin der Wohnung, eine alte Frau, erscheint. Die Hagedorn, ganz in die Enge getrieben, wirft sich dieser und dem Chauffeur zu Füßen. Sie versteckt sich hinterm Kleiderschrank, weigert sich mitzugehen, bettelt, man möge sie nicht auf die Polizei bringen. Den Chauffeur bittet sie, er möge sie doch laufen lassen, bietet ihm an, er möge sie hinnehmen, wenn er sie nur laufen lasse. Man vergegenwärtige sich die ungeheure Angst der Gehetzten. Sie war (das haben acht Ärzte festgestellt) völlig Jungfrau; der Schlafbursche, ein derber Mensch, hatte mehrfach umsonst versucht, sie zu küssen; sie war immer unnahbar geblieben. Der Chauffeur besteht darauf, daß sie mit zurück nach Geldern auf die Polizei müsse. Dort gibt sie zunächst zehn verschiedene Namen an, romantische Kinonamen, kann die aber nicht schreiben. Man glaubt nun, daß man es mit einer geistig Gestörten zu tun hat. Aber ein Polizeibeamter erkennt sie an dem inzwischen aus Duisburg angekommenen Steckbrief. Jetzt wird nach Telephongesprächen mit Duisburg ihre Person festgestellt und derselbe Chauffeur fährt sie ins Gefängnis nach Duisburg. Bei ihrer Einlieferung ist ihr Hemd blutdurchtränkt. Ihre Menstruation ist inzwischen wiedergekehrt. Sie gesteht sogleich willig, daß sie die Mörderin sei, ersinnt aber gleichzeitig für ihre Tat die ungeheuerlichsten Begründungen. Bei der ersten Vernehmung durch den Oberkommissar Braun schämt sie sich, ihren Geschlechtsrausch einzugestehen. Seine Frage, ob sie den Ptag, den Feind ihrer Eltern und der Eltern der getöteten Kinder, vielleicht aus Liebe zu den Eltern fälschlich des Mordes bezichtigt habe, bringt sie auf den Gedanken, auszusagen, sie habe allerdings die beiden Kinder aus Liebe zu den Eltern getötet, um den bösen Familienfeind Ptag als den Mörder bezeichnen zu können, »damit endlich einmal im Hause Ruhe wird«. Späterhin sagt sie dann, sie habe in einer Hypnose gehandelt, der Arbeiter van der Sand habe sie hypnotisiert; weiterhin gab sie an, der Schlafbursche Schilkowsky habe ihr Morphium eingespritzt und die Mutter habe die Tat suggeriert. Merkwürdigerweise fanden alle diese Begründungen Glauben, sogar bei den Eltern der getöteten Kinder. Noch bei der Verhandlung sagte die Mutter des getöteten Knaben zu mir: »Ich würde die Käthe Hagedorn jederzeit zu mir nehmen und ihr auch Kinder anvertrauen; ich kenne sie zu genau, sie hat ein gutes Gemüt; schuldig sind ihre Eltern und besonders die Mutter.« Am 26. Juni führt der Oberkommissar Braun die Mörderin vor die Leichen. Der umsichtige Beamte bezeugt: »Ich habe nie in meinem Leben einen Menschen so weinen gesehen. Sie war angesichts der Leichen vollständig zerbrochen.« ... Es ist nun merkwürdig, wie der wirkliche Zusammenhang erst allmählich sich ihrer Erinnerung wieder aufdrängt. Am 30. Juli, nachdem sie vier Wochen im Gefängnis saß, wußte sie sich einen Zigarrenabschneider zu verschaffen. Mit diesem nahm sie nachts an sich selbst onanistische Manipulationen vor und schnitt dabei ihre Fingerkuppe ab. Beim Fließen des Blutes kam ihr der Zusammenhang der Geschehnisse zum Bewußtsein; sie forderte in der Morgenfrühe, vor den Richter geführt zu werden und gab nun zum ersten Male eine leidlich zusammenhängende Schilderung zu Protokoll. Sie erinnerte sich an zahllose kleine Einzelheiten: ihre Angst, an das Hundegebell, an die Lage der kleinen Schere, an den Kampf mit den Kindern, den Ast, mit dem sie schlug und an die herzukommenden Stimmen. Man kann aber nicht sagen, daß sie, obwohl sie sich sühnewillig zeigte, den Zusammenhang klar übersah. Man steckte sie nunmehr zur Beobachtung in die Irrenanstalt Bedburg-Hau. Dort ließ man sie fast ein Jahr. Der Anstaltsleiter, ein Irrenarzt vom schneidigen Typus, erklärte sie für zwar schwer pathologisch, aber doch für verantwortlich. Auch ihm erschien die Tat wie eine isolierte

Insel, die zu dem Wesen und der Natur der Täterin eigentlich nicht paßt.

Vom 13. bis 15. Juli 1927 war in Duisburg die Gerichtsverhandlung. Die Hagedorn war angeklagt aus §§ 176, 3; 212; 74 StrGB. Es war eine glänzend geleitete Verhandlung. Sie hatte einen unvoreingenommenen Präsidenten, einen ehrlichen und gerechten Staatsanwalt, einen gediegenen und männlichen Verteidiger, einen wohlwollenden Gerichtshof. Vor uns saß ein kindliches kleines Mädchen, im Zwischenalter, der Seele nach ein vierzehnjähriges Kind, dem Leiden nach eine ganz gealterte Frau; im Denken zurückgeblieben, weltunerfahren, verschüchtert, verprügelt, schlank, von banaler Hübschheit, das dunkle Haar sauber in die schmale Stirn gelegt, die mattblauen Augen unter dunklen Augenlidern voller Schwäche und Hilflosigkeit. Ihre Größe ist 165 cm, ihr Gewicht 123 Pfund, sie hat eine kleine kindliche Stimme. Ihr Handschrift ist ganz nach links übergeneigt und voll kleiner Schleifen. Es ist die Schrift eines ganz unreifen Menschen, der sich doch gern Inhalt und Bedeutung geben möchte. Sie schreibt gerne Briefe. Ich setze ein paar Stellen daraus hierher: »Der Herr Pastor hat gesagt, dieses alles hat der Teufel so gefügt; und so ist es auch.« »Es sollte wohl so Schicksal sein. Mutter, Du hast im Leben nichts gehabt und hast doch nichts getan und das geht bis ans dritte und vierte Glied, und das sind wir.« »Herr Staatsanwalt, ich bitte, daß meine Hinrichtung an einem Donnerstag ist.« »Ich bin die jüngste Mörderin der Welt; drei Tage wird um mich verhandelt und die berühmtesten Leute kommen um mich.« »Mein Rechtsanwalt kauft sich für 200 Mark Bilder von mir.« »Ich bin die größte Sünderin von allen.« Als sie hört, daß in der Familie Gelzleichter ein kleiner Junge geboren wurde, da sagt sie: »Das ist doch schade, daß es kein kleines Mädchen ist: sonst wäre es ein Ersatz für Katerl.«

Von den fünf Sachverständigen waren zwei für Anwendung des § 51, zwei dagegen, einer verhielt sich neutral. Das sehr besonnene Gutachten des Sexualforschers Dr. Magnus Hirschfeld legte klar, daß es sich nicht um einen Lustmord handele, sondern um Tötungen während eines Triebwahnsinns. Das Sehenwollen von Blut sei nicht eine Triebfeder zur Tat gewesen, sondern umgekehrt sei durch das Blut der Trieb rauschartig hervorgebrochen. Unter den Gutachten erschien mir eines voll seelenunkundiger Fachweisheit, das des Prof. Dr. Naecke aus Frankfurt; ein anderes, geradezu ein Meisterstück kerntreffender Expertise und ein Ergebnis gesundester und volkstümlicher Lebenskenntnis, das des Berliner Gerichtsarztes Prof. Dr. Strauch... Meine eigene Meinung? Indem ich ganz beiseite lasse die üblichen Medizinerfragen: »Schnitt oder Stich?«, die Medizinerweisheit über sogen. Prädilektionsstellen, epileptische Äquivalente, Hysterie, petit mals, pseudologia fantastica, retroverse Amnesie und ähnliche Wortformeln, betone ich nur einen einzigen Punkt: Dort, wo das Traum- und Bild-Erleben der Menschen völlig vernüchtert, völlig ausgeödet wird, da hilft sich die Natur durch Rückschläge auf die ältesten Triebschichten, und das sind jene, von denen wir Bildungsmenschen nur noch wissen als von den Blutopfern der Vorzeit, von Mänaden, Korybanten und heidnischen Mythen und ihrer innigen Verbindung zwischen Verschlingungstrieb und Wollust. Bei diesen Tatsachen des Mythos, ja der Magie, gelte es anzusetzen. Dazu freilich wäre nötig eine andere Art Seelenkunde als die küchenlateinische unserer Schulmedizin.

Die bestialste aller Mordtaten, verübt von einem unentwickelten bleichsüchtigen Kinde, welches, wie alle Zeugen und auch die Eltern der Gemordeten sagen, keiner Fliege je wehe zu tun vermochte. Der geschändete Dämon der Gattung, hervorbrechend just aus dem gebrechlichsten aller Opfer. Das sollte doch wohl zu denken geben! Es sollte uns daran erinnern, daß im ältesten aller Mythen, dem der Hindu: Ahimba, der Gott der Zärtlichkeit und des Mitleids zugleich auch ist der Gott des Blutes und der Blutopfer. Eine Lustmörderin? Eine Messaline? Unsinn! Ein kleines, verdrehtes, übersponiges, hysterisches Mädchen, chronische Masturbantin, triebgelockert und ausdruckgehemmt. Im gewissen Sinne: das Opfer einer falschen Romantik.

Man hätte gradliniger geurteilt, wenn wir weibliche Gerichtsärzte, weibliche Kriminalkommissäre besäßen. Es ist seelenverrohend, daß acht Männer an einem unreifen Mädchen tasten, um festzustellen, daß sie noch Jungfrau sei und daß die grausamste aller Wissenschaften, die Psychoanalyse, schließlich gar das letzte Restchen Geheimnis und Dunkel aus der Seele des Volkes herausschält. Welch eine Wohltat in diesem Gerichtssaal war die Gegenwart der Gefängniswachtmeisterin, einer wahrhaft mütterlichen Frau. Das Urteil lautete auf acht Jahre Gefängnis. Gerecht und ungerecht zugleich! Denn es gibt in solchem Falle eigentlich nur einen einzigen befriedigenden Ausweg: Man müßte in den Unseligen, auf denen die dunklen Dämonen sich niederließen, den Willen einpflanzen, freiwillig das eigene Leben fortzuwerfen und müßte dazu ihnen die leichteste und schnellste Möglichkeit bieten. Aber das ist Romantik. Unsere Welt ist nüchtern. Die Eltern der gemordeten Kinder und die Eltern der Hagedorn haben sich längst versöhnt. Die Väter sitzen allabendlich Ecke Eschenstraße beim Gastwirt Richartz. Neue Kinder wurden gezeugt und geboren. Zu Gedeih oder Verderb. Die Hagedorn wird eine gute Schule der Leiden durchmachen. Die Getöteten liegen neben dem Tatort in dem von der Stadt Duisburg gestifteten Grabe. An dem Grabe vorbei sausen die Züge der Strecke Köln–Berlin. Und die Hunderttausende, die dort vorbeifahren, ahnen nicht, daß wir alle mitschuldig sind am Schicksal der Gemordeten, am Schicksal der Mörder. Dies: »Unser aller Schuld« ist aber die einzig mögliche Antwort auf das arme Verschen, welches die Eltern auf das Grab meißeln ließen:

In der häßlichsten Gestalt
Nahmst Du Dir, Tod, zwei junge Menschenleben;
Vervielfacht traf des Schmerzes Allgewalt
Der Eltern Herz.
Kann's dafür Trost wohl geben?

[1927/28]

Kindertragödie

Steglitz, Berlins schnellstwachsender Vorort, hatte um 1900 einige Bedeutung für die Jugendbewegung. Ludwig Gurlitt (heute vereinsamt auf Capri), hat hier gelehrt. Hans Blüher, sein Schüler, schrieb die Geschichte des deutschen Wandervogels, der von den Steglitzer Schulen aus Aufstieg nahm durch die weite Welt. Dann 1918, seit der Revolution, veränderte sich das Bild. Das Hakenkreuz siegte. An die Stelle gesunder Wanderjugend trat die politisierte Jugend, trat die Spielerei mit Revolvern. Gymnasiasten töteten Deutschlands klarsten Kopf. Gymnasiasten gründeten den »Jungdeutschen Orden«. Zum »Jungdo« gehörte auch Paul Krantz, geboren am 25. Feber 1909. Heute steht er vor uns als »Mörder«. –

Ein schmaler, schmächtiger Junge verbirgt sein blasses Gesicht, streicht verlegen durch das gescheitelte dunkelblonde Haar, zuckt nervös mit eckigen Gliedern. Es ist der Sohn des Musikus Krantz aus den »Wilhelmshallen am Zoo«, ältestes von drei Geschwistern. Nachdem er die Berliner Volksschule besucht hatte, wurde er 1923, vierzehn Jahre alt, als »begabt« entdeckt und bekam eine Freistelle an der »Mariendorfer Oberrealschule«. Zunächst geht es gut. Um 1926 aber beginnen Unordnungen. Er möchte »Dichter« werden. Er träumt den Mädeln nach. Von den Lehrern unverstanden, von nachgiebigen Eltern schlecht behütet, rettet er sich in sein Reich unmoderner Romantik. Herbst 1926 hat er sich durch Nachhilfestunden hundert Mark gespart. Damit läuft er fort. Teils aus Widerwillen gegen die Schule, teils aus platonischer Liebe zu »Gerda, die einem andern zugehört«. Er will nach Konstantinopel. Er will nach Amerika. Kommt bis Wien. Dort leiht ihm die Herbergsmutter des »Jungdo« Geld zur Heimfahrt. Er kehrt reumütig zurück auf die Schulbank. Die Oberprima aber gefällt ihm nun nicht mehr. Nur Einer ist da, der kameradschaftlich an ihn glaubt: Günther Scheller, 19jährig, ebenfalls Gedichte machend, ebenfalls die schöne Literatur liebend. Günther ist aus wohlhabendem Hause. Der Vater, kalter Geschäftsmann, hat sein Bureau in Berlin; Winters wohnt man in Steglitz, Sommers im Landhaus am Mahlowsee. Auf Einladung Günthers kommt Paul Sommers nach Mahlow. Nun beginnt die Kindertragödie. –

Günther hat eine Schwester: Hildegard, geboren am 27. Juni 1911. Sie gehört zu der bekannten Gattung: Flatterseelchen. Im dunkelbraunen glatthaarigen Bubikopf unter schwarzen Wimpern klare dunkelblaue Augen. Auf den zarten Wangen im fein geschnittenen Gesichtchen Kommen und Gehen des frischen Bluts. Die geschwungenen Lippen sinnlich; weich die sanfte Stimme, voll Energie das gestraffte Persönchen; äußerlich Weltdämchen, innerlich kahl und leer. Die Freundinnen nennen sie »Männe«. Sie ist ja »wie ein Junge«, während Günther »so mädchenhaft« ist. In dieses Nixchen verliebt sich Paul, schreibt Bände Gedichte und Tagebücher, läuft einher in der selig-unseligen Jugendstimmung: links in der Brusttasche die letzten lyrischen Ergüsse; rechts einen Revolver: »für alle Fälle«. Die zwei Freunde öffnen einander beim Rudern, auf Spaziergängen das Herz. Paul spricht von Hilde. Günther, verschlossener, weil zaghafter, gesteht, daß er oft wie ein Mädchen fühlt. Ein Geschäftsfreund von Papa bewirbt sich um ihn. Und da ist ein schöner Junge aus dem Bekanntenkreis der Familie: Hans Stephan, 18 Jahre alt; wollte gern Geiger werden, muß nun, da er in der Schule nicht vorankam, im Hotel als Koch lernen. Ein gesunder, derbsinnlicher, dumpfer Draufgänger. Für den hat die zarte Hilde einen Schwarm. Aber er, Günther, liebt und haßt ihn zugleich.

So beginnen vier wurzellockere Kinder ihr trostloses Seelenquartett; zwei lebenspraktische: Hans und Hilde, zwei abgedrängte: Günther und Paul. Günther haßt Hans, Paul liebt Hilde. Aber Hans und Hilde, zwei Kaltherzige, küssen sich und machen sich lustig über die zwei »Jungens«, die für Klabund und Bronnen schwärmen und »Dichter« werden wollen.

Das ist Jugend von heute, zugleich seelisch verarmt und sinnlich überspannt, zugleich schlechtbehütet und prüde eingeengt … Sie haben Lehrer, denen sie sich nie vertrauen. Sie haben Eltern, denen man die Kinder entziehen müßte. Kinder dieser Art, Lehrer dieser Art, Eltern dieser Art gibt es Tausende. Die Schule vernüchtert, die Großstadt verflacht, die Gesellschaft verpfuscht sie; am schlimmsten verpfuschte sie die leichterregbare weltgewandte Hilde. Die küßt sich reihum mit feschen Jungens, Fräulein »tout mais ne ça pas«. Als Günther ihr Pauls Tagebuch gibt voller Todesglut und Lebenssehnsucht, liest sie es mit ihrer fünfzehnjährigen Kusine, und dann schreiben die zwei Mädels ein neckisches Gedichtchen hinein, welches so endet:

»Was nützt Dir Liebe in Gedanken?
Kommt die Gelegenheit, dann kannst Du nicht,
Ein Mädel wird sich schön bedanken,
Wenn Deine Liebesglut nur aus Gedichten spricht.«

Das läßt sich Hans Taps nicht zweimal sagen. Fortan beginnt auch er mit Hilde Küsse zu tauschen. In der ersten Erregung schreibt er ins Tagebuch:

»Die wilde Glut in Deinen Küssen
Erweckte mich zu Leidenschaft,
Nun bin ich Dein mit aller Kraft
Und werd' es bitter büßen müssen.«

So treiben sie's also: Liebe, Küssen, dazwischen blutrünstige Mord- und Selbstmordlyrik im Wedekind-, im Hasenclever-Stil. In diesen Jahren spielt ja jeder mit Liebe und Tod. Das braucht nicht katastrophal auszugehen. Aber nun kommt (wie immer!): Dämon Zufall.

27. Juni 1927, Sonntag abend, befindet sich Paul allein im Mahlower Landhaus. Fräulein Otto, die junge Hausstütze, hat Ausgang. Hilde kommt aus Berlin von einem Tanztee im Excelsior; überrege. Als Paul einschlafen will, pocht Hilde an das Dachstüberl. »Paul, Du hast ja keine Decke. Ich bring Dir ein Kissen«. Sie steht vor ihm im Nachthemd. Er preßt sie an sich und glaubt: »Nun hat sie sich mir gegeben.« – Am folgenden Morgen fährt Hilde nach Berlin ins Bureau. Die Eltern Scheller reisen mittags nach Stockholm. Die Kinder sind ein paar Tage allein. Günther überredet Paul: »Wir schwänzen die Schule,

fahren zur Albrechtstraße nach Steglitz, laden uns in die sturmfreie Wohnung Mädel ein, feiern ein Fest.« Als sie in die Albrechtstraße kommen, sehn sie: »Unsre Wohnung ist ja erleuchtet!« Auf der Treppe kommt Hilde ihnen entgegen. Sie wird verlegen. Sie hatte einen ähnlichen Gedanken gehabt. Sie hat morgens vom Bureau Hans Stephan antelephoniert und ihn für den Abend zum Stelldichein in die »sturmfreie Wohnung« bestellt. Günther ahnt und merkt nichts. Aber Paul wittert sogleich: Hier im Treppenhaus ist Hans Stephan versteckt! Sie hat ihn also lieber als mich! Hilde schwätzt, sie habe grade ihre Freundin holen wollen, Ellinor Retti von nebenan. Nun, dann könnten sie ja zu Vieren feiern; Elli und Günther ein Paar, sie und Paul das andere Paar. Sie geht denn auch, und kommt zurück mit Ellinor, der Fünfzehnjährigen, die eine vollendete kleine Lebedame ist. Aber bei der Gelegenheit gelingt es ihr, unbemerkt den Hans mit in die Wohnung zu schummeln. Sie versteckt ihn im Schlafzimmer ihrer Eltern. Paul aber hat es gemerkt! Er schweigt! Günther geht völlig ahnungslos nochmals aus dem Haus: er will Zigaretten kaufen. Hilde schleicht sich zu Hans in die Kammer und schließt ab. Ellinor und Paul bleiben allein. Da beginnen Paul und Ellinor sich zu küssen. »Du bist mir lieber als Hilde.« Im Innersten tobt er: »Die Dirne! ich werde jetzt beweisen, wie schnell ich mich trösten kann.« Schließlich aber muß Ellinor nach Hause. Ihre Mutter erlaubt nicht, daß sie bei Schellers übernachtet. Günther kommt zurück, geht in den Salon und baut dort eine Tafel auf: Johannisbeerwein, Liköre, Keks, Zigaretten. Hilde kommt hervor (ihren Hans hat sie versteckt und eingeschlossen): »Jungens, möchtet Ihr nicht endlich zu Bette gehn?« (Darauf hofft sie; dann kann sie Hans unbemerkt aus dem Haus lassen.) Paul erwidert trotzig: »Nein. Wir saufen die Nacht durch!« Schließlich wünscht Hilde »Gute Nacht« und geht zum Zimmer der Eltern zurück. Die beiden Jungens bleiben allein. »Du Günther«, sagt Paul, »gib mir jetzt Dein Ehrenwort, daß Du schweigst.« Günther gibt sein Ehrenwort, und Paul flüstert: »Weißt Du, was drüben jetzt vorgeht? Männe hat Hans bei sich in der Kammer.« Günther will in die Kammer; sie ist abgesperrt. Die beiden Jungen setzen sich in die Küche neben die Kammer. Sie sind in äußerster Erregung; sie kommen schließlich in heulende Selbstmordstimmung. Sie trinken und kommen sich verraten vor, denn sie denken: »Nebenan haben Hilde und Hans ihre Brautnacht.« In Wahrheit: alles Dämon Zufall! Die Jungen reden sich aber ein, man solle »das ruppige Leben doch von sich werfen«. Zu diesem Zweck legt Paul seine Pistole auf den Küchentisch. Günther, schon sehr betrunken, fuchelt damit herum. Ein Schuß geht los. Hilde kommt entsetzt aus der Kammer, schimpft die Jungens zusammen: »Geht doch endlich zu Bette! Seid Ihr denn verrückt? Ihr seid ja toll betrunken.« »Gib Dein Ehrenwort«, schreit Günther, »hast Du wen in der Wohnung versteckt?« »Du bist völlig verrückt!« schilt Hilde, »macht, daß Ihr schlafen kommt«. Damit geht sie ab; in ihrem Bette liegt Hans versteckt. Günther faselt: »Paul, wenn ich sterbe, dann soll Hans mit mir sterben. Er hat Hilde verführt.« Paul sagt: »Mensch, wenn Du eine so große Tat begehn kannst, dann will ich nicht kleiner sein: Ich erschieße erst Hilde und dann mich.« Nun schreiben sie einen philosophischen Abschiedsbrief: »An das Weltall.« Sie unterzeichnen gemeinsam. Beschlossene Sache: In dieser Nacht werden vier Menschen »abgekillt«. Inzwischen dämmert der Morgen. Sie werden nüchterner. Gegen sieben klopft es an der Haustüre. Ellinor ist es. Sie will zur Schule, aber zuvor noch ihre Freundin Hilde sprechen. Hilde kommt denn auch frisch und gewaschen aus der Kammer. Und wunderbar! sie läßt hinter sich die Türe weit offen. Günther schleicht hinein. Das Zimmer ist ja leer. Alle Fenster geöffnet. Nur ein Bett benutzt. So wäre also doch der Hans nicht während der Nacht bei Hilde gewesen? Oder? Er müßte durchs Fenster entwischt sein? Da plötzlich sieht Günther: hinterm Schrank hängt ein Badelaken; da bewegt sich was. Scheinbar ruhig geht er hinaus und holt Pauls Waffe. Im Flur schwätzen Paul und die zwei Mädchen. Hilde erschrickt, wittert Unheil, will in die Kammer zurück; da vertreten die zwei Jungens ihr den Weg, laufen vor ihr in die Kammer, klemmen die Türe, zwischen die sie den Fuß stellt, ihr vor der Nase zu, schließen ab. In der nächsten Minute fallen Schüsse. Hilde rüttelt irre. Die Türe ist jetzt geöffnet. Da liegt

Günther blutend am Boden: vor ihm kniet Paul. Sie schreit: Mörder! Paul sagt stumpf: »Günther hat es getan« und deutet auf das Badelaken. Jetzt erst sieht sie, da hängt auch Hans eingekeilt, noch röchelnd. Die zwei Mädchen voll Grausen rennen irr kreischend ins Kinderzimmer. Sie wagen sich nicht mehr in die Mordkammer zurück. Paul, ruhig, todtraurig, kommt zu ihnen. »Ich mache Schluß«, sagt er. Die Mädchen nehmen ihm die Waffe fort. Alle sind ratlos. Schließlich klingelt Hilde den Hausarzt an. Der kommt nach einer Viertelstunde. Er kann nur feststellen, daß Hans tot ist, Günther in letzten Zügen liegt.

Der Überlebende, Paul Krantz, wurde des Mordes angeklagt. War er schuldig? Aus sich herausgeworfen, überreizt, betrunken, nach zwei durchwachten Nächten und Tagen, nachdem er die Nacht zuvor die erste Liebeserfahrung seines Lebens gemacht hatte, nachdem er die letzte lange Nacht vor der Kammer gehockt hatte, in welcher dasselbe Mädchen, ebenso zum erstenmal einem Manne sich gab, einem andern als ihm; so hatte er mit Mord gespielt (wer hätte es nicht?) und der Gedanke war Wirklichkeit geworden in einer Sekunde letzter Traurigkeit, wo alles gleichgültig wird. Hinterher, zur Besinnung gekommen, kämpfte der junge Mensch um sein verspieltes Leben, legte sich die Sache natürlich so zurecht, daß er selber sich als der Nurgeschobene, nie als der Schiebende erscheint.

Das Kindertrauerspiel ist zu Ende. Paul wird, so oder so, abbüßen, wird nach einigen Jahren frei und befreit, Dichter werden oder Staatsanwalt oder Agent. Hilde wird, wie andere Amphibien, ihre »standesgemäße Partie« machen und in Nizza oder Sankt Moritz auf das Volk herabsehn. Aber nun beginnt die wirkliche Klage und Anklage.

Eine Woche lang hat Moabit aus diesem Kindertrauerspiel einen Sensationsprozeß gemacht. Indes hundert Literaten ihre klugen Federn, hundert Lichtbildner ihre Dunkelkammern bemühten, haben Richter, Lehrer, Erzieher, Seelenforscher, ohne schamrot zu werden, keimende Jugend betastet, nackend ausgezogen, viviseziert, ausgepreßt. Ausgepreßt durch jene Fragemartern, die die Erfahrung der alten Generation stellt, eine durchwegs verderbte und schon seelenhäßlich gewordene Erfahrung, die die Jugend nicht besitzt, weil sie triebhaft, momentan, rein anschauend erlebt und die Begriffe der Fragen gar nicht versteht, auch dann nicht, wenn sie ihre Inhalte schon alle erlebte. Ein Fall, der wie je einer vor ein Jugendgericht gehört, der wie kein zweiter keusche Behutsamkeit, Takt und große Menschenkunde fordert, wird vor tausend lüsternen Ohren, vor tausend geilen Augen zum Klatsch der Tagespresse, die die Jugend verschlingt. In solcher Roheit ihre ersten Erfahrungen schlürfend. Zwei Tote standen im Gerichtssaal. Sie verklagen nicht die verworrenen Altersgenossen. Sie verklagen das führende Geschlecht; ihre Lehrer, denen sie nie Vertrauen schenken konnten, ihre Richter, die ihr Zartestes ins Licht zerrten, ihre Seelenforscher, die bald das letzte Restchen Scham »hinweganalysiert« haben werden, ihre Eltern, die im Wechseltanz zwischen Geschäft und Vergnügen, das heißt Geld verdienen und Geld ausgeben, von der Seele ihrer Kinder (die doch immerhin noch für Gefühle sterben können) so wenig wissen wie von einer eigenen, dieweil sie der Jugend zwar Vergnügen gönnen, aber die Freude stehlen, ihre hohe Ideen verpönen, aber tausend nützliche Zwecke empfehlen, Traum und Phantasie abtöten, aber Wille und Sinne überreizen, und statt der Liebe, die sie den Kindern zu wenig gaben, nun nichts ernten als blutrünstige Orgien der Geschlechtslust, als des letzten Restchens Seele, in dem der Mensch verrotteter Kulturen noch naturunmittelbar fühlt.

[1928]

Die Schüler und ihre Lehrer

Ein dunkler Mord ist geschehen. In einer deutschen Kleinstadt findet man einen Abiturienten des Gymnasiums abscheulich verstümmelt, mit durchschnittener Kehle. Vor dem Zaun seines Elternhauses.

In der Nacht, bevor der Ermordete gefunden wurde, war der Abiturientenkommers. Der Getötete ist gegen zwei Uhr morgens mit seinem Freunde heimgegangen. Vor der Pforte haben sie sich getrennt. Bald danach muß der Mord geschehen sein.

Das Verhältnis der beiden Freunde ist das folgende: Der Getötete ist der einzige Sohn des Rektors Daube. Ein guter Schüler, Sportfreund, körperlich gewandt, aber zart und empfindsam. Der robustere Freund, namens Hußmann, befindet sich mit zwei jüngeren Brüdern in Schülerpension beim Rektor Kleinhöwer. Seine Eltern leben in Mittelamerika. Die zwei Primaner verband eine Zeitlang innige Freundschaft. Die hatte aber in der letzten Zeit Sprünge und Risse erlitten.

Mancherlei Gründe nun verdichteten den gräßlichen Verdacht: der Schüler Hußmann könne nach dem nächtlichen Trinkgelage seinen Freund Daube umgebracht haben. Aus Eifersucht. Aus Rache. Vielleicht nur infolge geschlechtlicher Belastung.

Der Prozeß dauerte durch zwei Wochen. Er hielt alle Leser deutscher Zeitungen in Atem. Das Ergebnis war: Der dunkle Mord blieb unaufgeklärt. Die gegen den jungen Hußmann zeugenden Indizien fallen in sich zusammen. Seine Angaben erwiesen sich durchwegs als richtig. Auch für das einzige Anzeichen, das ihn wirklich ernst belastete, Blutspuren an seinen Stiefeln, fanden sich mehrere andere Erklärungsmöglichkeiten. Wie bei allen derartigen Mordprozessen, die die Phantasie breiter Menschenmassen beschäftigen, entstand alsbald ein Rattenknäuel von Vermutungen, Unterstellungen, Möglichkeiten.

Nicht weniger als zehn Personen meldeten sich bei der Staatsanwaltschaft mit der Selbstbezichtigung: die Schändung und Ermordung des unglücklichen jungen Daube vollführt zu haben. Es fanden sich Zeugen für eine in derselben Nacht in der Nähe des Tatortes stattgefundene blutige Messerstecherei. Ein Zeuge will in der Nähe der Leiche ein Auto mit unbekannten Männern gesehen haben. Ein Schlächtergeselle namens Osthof, der bald nach dem Bekanntwerden der Mordtat Selbstmord verübte, soll vor dem Tode sich der Tat bezichtigt haben. Aber andere Zeugenaussagen machten auch diese Version recht unwahrscheinlich. Es sei gestattet, im folgenden auf einige Punkte hinzuweisen, die bei dieser Schülertragödie auffallen.

Wie immer die düstere Mordgeschichte sich abgespielt haben mag, es ist eine merkwürdige Schülerschaft und Lehrerschaft, die dieses Gymnasium der kleinen Stadt Gladbeck bevölkert.

Die seelischen Einstellungen, die sich in den Verhandlungen offenbarten, verrieten oft solche Verkehrtheit oder gar Borniertheit, daß dem Ethiker, dem Pädagogen doch dabei graute. Zunächst die Entäußerungen des beschuldigten Schülers Hußmann. Man rühmte seine Selbstbeherrschung, Sicherheit undurchdringliche Sachlichkeit. Aber gerade diese Erweise erschienen oft erschreckend unnatürlich in der Lage des jungen Menschen. Ihm ist sein liebster Freund ermordet, und er redet vor Gericht vom »Objekt der Tötung«. Der Junge redet, als wenn ihn der Fall nichts anginge. Er ist bärenstark und hält fünf Liter Bier für einen normalen Festtrunk. Aber er frömmelt in ganz unjugendlichen Briefen, süßlich und keineswegs naturecht.

Die Verworrenheit der jungen Leute (die doch einige Jahre später »die führenden Häupter der Nation« sind) ist erstaunlich. Worüber sprechen sie? Was haben sie für Inhalte, Ziele, Ideale? Sie streiten, ob es feudaler sei, in Bonn oder in Erlangen »aktiv« zu werden. Sie männern auf Kommersen, bei denen studentische Sitte und Unsitte nachgeahmt wird. Mit dem stählernen Schläger wird gefuchtelt und auf die Platte geschlagen, »in die Kanne gestiegen«, »Prost Blume« getrunken, »Salamander gerieben«. Und am Tage darauf schwafeln sie im »Bibelkränzchen« über die Nachfolge Jesu und das Ideal christlichen Lebenswandels. Wie verträgt sich das? Ungesund ist ihr Verhältnis zum anderen Geschlecht, ungesund das zum eigenen

Geschlecht. Sie treiben viel gesunden Sport neben Grammatik der alten Sprachen. Sie prügeln und knuffen sich wie Knaben und ihr Führer ist der Muskelstärkste. Das ist der Jugend gutes Recht. Aber erschreckend ist bei alle dem die Seelenöde, die Gefühlsstumpfheit ihres Lebens. Ebenso unverständlich unnatürlich wie diese verbildete Jugend aus gutem Bürgertum sind ihre Lehrer, ihre Eltern, unfrei, von schiefen Idealen besessen. Zunächst: Alte und Junge wissen nichts von einander. Sie leben unter demselben Dache, zehn Jahre, zwanzig Jahre. Und kennen nicht einer den andern.

Die Mutter des Ermordeten sah in ihrem Jungen das Ideal religiöser Zucht, sittlicher Reinheit, männlicher Unberührtheit. Daß er nachts ausblieb, auf Kommersen zehn Glas Bier und mehr trank, seine Schwärmerei für Mädchen, für Freunde, das alles hat die Mutter nie beunruhigt, nie zum Denken gestimmt. Der Vater hört nachts drei vor dem Hause die Hilfeschreie des Sohnes. Er macht darüber eine schriftliche Notiz: »Ich hörte vor dem Fenster laut Hilfe schreien. Ich dachte bei mir: Der hat wohl auch genug gekriegt. Dann ging ich in das Zimmer des Jungen, um zu sehen, ob er zurückgekehrt sei. Da ich sah, daß er noch nicht zurückgekehrt war, so beruhigte ich mich, ging zu Bett und schlief ein.« Wer kennt sich aus in der Seele des Mannes? Wieso ist es, nachdem er Hilfeschreie gehört hat, beruhigend, daß der Sohn nachts um drei noch nicht zu Hause ist? Und pflegen christliche Rektoren so auf Hilfeschreie zu antworten? Er hört einen Gepeinigten schreien, konstatiert gemütsruhig: Der hat wohl auch genug gekriegt, legt sich zu Bett und schläft weiter. Der selbe Vater äußert, als der Mord festgestellt und der junge Hußmann verhaftet wird, zu seiner unglückseligen Frau: »Wenn es Hußmann gewesen ist, Mutter, dann müssen wir ihm verzeihen und wollen ihn nicht hassen.« Das ist zu viel an Edelmut und Nächstenliebe. Zeitungen haben des Vaters Heldentum bestätigt; ich kann mir nicht helfen, ich sehe darin nur ein Stück Unnatur.

Wenn mein einziges Kind, am Tage, wo er mannbar geworden ist, in die Welt hinaustreten soll, gemordet, geschändet, verstümmelt wird vom Freunde, dann ist die einzig gesunde und mögliche Reaktion die: zu wünschen, daß der unselige Täter, der den Namen Mensch durch solche Tat geschändet hat, schleunigst an sich selber Gericht vollstrecken möge. Gewisse Dinge darf niemand »verzeihn« können. Es sei denn, daß er, ein wahrer Heiliger, sich selber den Tod gäbe, um nicht einen anderen hassen zu müssen. Die gleiche Art Seelenverstumpfung zeigte sich aber auch an anderen Seiten des Prozesses. Es liegt nämlich so, daß, gleichgültig, ob die Untat wirklich geschehen ist oder nicht geschehen ist, die bloße Annahme, daß gewisse Taten bei gewissen Menschen überhaupt möglich sein könnten, eine ethische Abstempelung der Menschen in sich birgt. In vielen Fällen (zum Beispiel bei dem jüngst in Dresden verhandelten Gattenmordprozeß) führt die Unmöglichkeit des lükkenlosen Indizienbeweises zum Freispruch, dennoch aber bleibt der bittere Nachgeschmack: Diesem Angeschuldigten wäre solche Tat immerhin zuzutrauen. Ich glaube nun, daß dort, wo eine gesunde Jugend natürlich aufblüht, kaum je ein Junge von 18 Jahren gefunden wird, dem man die ungeheuerlich bestiale Tat von Gladbeck überhaupt zutrauen könnte, so daß man nach langen Monaten der Prüfung und Untersuchung nicht ganz sicher wissen müßte: Es kann das ja gar nicht gewesen sein! Hat man diese volle Sicherheit nicht, so ist da schon viel zu viel Faules.

Aus dem Wust des Gladbecker Prozesses drang nicht eine wirklich freie, gute, menschliche Stimme an unser Ohr. Bezeichnend für den Geist des Falles schien mir auch dies: Der Angeschuldigte schickt aus dem Gefängnis Kassiber an seine Mitschüler, in denen er von den ihn vernehmenden Kriminalbeamten (deren Protokoll freilich ein Monstrum an brutaler Ungeschicklichkeit darbot) aussagt, sie seien »Sozialisten« und »Republikaner«. In diesem Kreise angehender Studenten ist das Wort Sozialisten und ebenso das Wort Republikaner -- ein Schimpfwort. Das Gericht, Beamtete einer Republik, findet für solche Geschmacklosigkeit keine Rüge...

Unbegreiflich die Lehrer! In allen deutschen Landeserziehungsheimen ist es längst erreicht, daß die Lehrer sich verpflichten, so lange sie Lehrer sind, weder zu rauchen noch zu trinken.

Daß kein Schüler Alkohol genießen darf, versteht sich für die moderne Pädagogik ganz von selber. Der Direktor des Gymnasiums in Gladbeck veranstaltet mit seinen Kindern Kommerse. Die Studienräte kneipen mit. Feste trinken ist männlich. Daneben blühen die Stahlhelm- oder Bibelkränzchenideale. Kommt es nun aber zur Aussprache von Seelischem, dann stellt sich heraus, daß die Lehrer nichts von Dem gesehen haben, was unmittelbar vor ihren Augen geschah. Die Lehrer müssen den Saal verlassen, damit die Schüler und auch noch die ehemaligen Schüler frei reden, denn sie würden vor den »Paukern« nie ihr Inneres preisgeben. Wo das Verhältnis zwischen Lehrern und Schülern gesund ist, so sollte man meinen, da dürfte keiner mehr mein Vertrauen haben als der Lehrer, der für mich denkt und sorgt und mit dem ich meine ganze Jugend verbrauchte. Die Verlogenheit des Anbiederns und Verbrüderns bei Alkohol und Parteiphrase zeigt sich immer in den Augenblicken, wo wirklich Verständnis der Herzen, Seelengemeinschaft, wechselweises Vertrauen offenbar werden müßte. Dort aber, wo bei den Lehrern wirklich der Versuch psychologischen Durchdringens aufleuchtete, da zeigt sich deutlich eine Seelenkunde, die aus Papier und Büchern kommt, nicht aus lebendigem Eigengefühl und Zusammenleben Mensch und Mensch. –

Wie immer die Rechtslage des Falles sein mag, wie immer der gräßliche Mordfall künftig sich aufklärt, solche Prozesse werfen Lichter auf Erziehung und Seele, Wirtschaft und Gesellschaft. Dieser Prozeß hat gezeigt, daß noch viel zu tun ist, nicht nur zur Erziehung der Kinder, sondern auch der Lehrer.

[1928]

Halsmann: Tragödie der Jugend

Philipp Halsmann, 23 Jahre alt, Student der Ingenieurwissenschaften an der Technischen Hochschule in Dresden, Sohn eines Zahnarztes in Riga, Jude, wurde im September 1928 auf einer Bergwanderung in Tirol unter dem Verdacht des Vatermordes verhaftet und im September 1929 in zweiter Instanz von den Innsbrucker Geschworenen, auf einen Indizienbeweis hin, wegen Totschlags zu vier Jahren schweren Kerkers verurteilt, die er nun gegenwärtig in einer österreichischen Strafanstalt abduldet. Der Schreiber dieser Zeilen hat, als der Mordprozeß in erster Instanz verhandelt wurde, (im »Prager Tagblatt«) den Versuch gemacht, die Situation zu schildern, die Möglichkeit des Verschuldens nicht völlig bestreitend, aber die starke Unwahrscheinlichkeit der Täterschaft klar belichtend. Der Kern der seltsamen Geschichte war, wenn wir recht berichtet sind, der folgende: Vater und Sohn befinden sich auf einer Ferienwanderung. Der Vater bleibt zurück, um ein Bedürfnis zu verrichten. Der Sohn wandert auf gewundenem Bergweg voran. Bei einer Biegung blickt er um, und sieht, daß der Vater den Abhang hinunterstürzt. Er läuft zurück, klettert hinab und findet den Vater bewußtlos und blutend im Bett eines Baches. Er rennt nun zum nächsten Hüttengasthof, um Hilfe zu holen. Als er mit den Helfern zurückkommt, findet er mehrere Personen bei der Leiche des Vaters. Sein aufgeregtes zerfahrenes Wesen erregt Verdacht. Er wird verhaftet. Der Vorgang bleibt unaufgeklärt. Unerklärlich der Absturz an einer nicht gefährlichen Wegstelle. Unerklärlich die Verletzung des Schädels. Unerklärlich, daß Geldscheine aus der Tasche des Vaters fehlen, die später unter einem Steine gefunden werden. Unerklärlich, daß der Sohn nichts auszusagen vermag, als: »Ich sah nur, wie der Vater stürzte.« Für ein Verbrechen fehlte jedes Motiv. Die Briefe des Studenten, die vor Gericht verlesen wurden, zeigen ihn als liebevollen zärtlichen Sohn. Dennoch kommt es zur Verurteilung. Einzig darum, weil für das Geschehnis jede Erklärung mangelt. Aber die bei Voraussetzung eines so ungeheuerlichen Verbrechens erstaunliche Milde der Strafe bezeugt, daß die Verurteilung nicht mit gutem Gewissen und nicht aus klarer Einsicht erfolgte, sondern lediglich entsprang aus beunruhigten Gemütern, die vor einem Rätsel standen, dem ihre Urteilskraft nicht gewachsen war. Das Urteil ist nun unwiderruflich. Der Verurteilte steckt seit Juni im Kerker. Eine Zeitlang war das Weltgewissen durch dieses krasse Beispiel offenbaren Irrtums aufgepeitscht. Bekannte Juristen, Psychologen, Schriftsteller traten gegen das Urteil an. Dann, wie das immer so geht, wurde auch dieser Fall rasch vergessen. Nur ein einziger, Jakob Wassermann, der das schönste aller Gerechtigkeitsbücher, die Geschichte des jungen Etzel schuf, erklärte öffentlich, daß er nicht rasten wolle, bis ihm die Rehabilitierung des offenbar verunrechteten jungen Halsmann geglückt sei. Aber bis heute hat auch dieser so bedeutende als einflußmächtige Geist nichts zu bewirken vermocht. Der unselig Verunrechtete kümmert also weiter. Nun haben ein paar Freunde einen ungewöhnlichen Schritt unternommen. In den zwölf Monaten seiner Untersuchungshaft in Innsbruck hat der Beschuldigte zahlreiche Briefe geschrieben, an die ihm zunächst stehende Frau, Briefe, die sein ganzes Wesen und Fühlen offenbar machen. Das junge Mädchen hat diese intimen Briefe hergegeben. Die Verlagsbuchhandlung Engelhorn in Stuttgart hat sie durch einen Herausgeber als Buch veröffentlichen lassen. An diese Veröffentlichung knüpft sich für die Freunde des Gefangenen die letzte Hoffnung. Das Justizministerium, die Ämter, die ganze Welt muß jetzt einsehen, daß Philipp Halsmann unschuldig ist.

Nachdem ich diese Briefe gelesen habe, sage ich mit voller Gewißheit: Ja, es ist so! Ich würde nicht einen Augenblick zaudern, mit meinem Leben dafür einzustehen, daß dieser Verurteilte schuldlos verurteilt ist. Es ist (wenn ich hier von einer persönlichen Überzeugung sprechen darf, und andere gibt es ja nicht), naturgesetzlich unmöglich, (mit der Sicherheit, die überhaupt Naturgesetzen der Seele zuzubilligen ist), daß der Schreiber dieser Briefe an der ihm schuldgegebenen Handlung Anteil haben kann. Aber zugleich wird aus diesen Briefen für den Psychologen auch ein anderes klar: daß gleichwohl ein so irrtümliches Urteil sogar ohne Böswilligkeit und aus bestem Glauben sehr leicht zustandekommen konnte. Ein Urteil weniger aus der Trägheit des menschlichen Herzens als aus der Unergründlichkeit menschlicher Torheit; aus einem Mangel an Phantasie und Einfühlung. Die freigesinnten Zeitungen haben einzig das Judentum des Verurteilten in den Blickpunkt der Aufmerksamkeit gerückt. Man hat den Fall beurteilt, als stünde der naive »Antisemitismus« einer weltfernen Bevölkerung hinter dem Fehlspruch der Geschworenen. Aber das dürfte nicht stimmen. Oder es stimmt doch nur insoweit, als das Fremdartige, Schwerzugängliche, Exotische im Verhalten und Wesen des Angeklagten mit seinem Judesein zusammenhängt. Es handelt sich im Kern um die Unbegreiflichkeit des Geistigen, das will sagen, um das Mißtrauen, die Abneigung, ja die geheime Angst, die jeder einfache ungedankliche Mensch empfindet vor einem völlig anders eingestellten, immer tiftelndem und nagendem Geiste. Denn dieser Philipp Halsmann gehört jenem von Hamlet abstammenden, ewig selbstanalytischen und ganz und gar unnaivem Menschentyp. Es ist zwar gewiß, daß dieser Typ nicht eben Vatermörder zu stellen pflegt, aber es ist auch begreiflich, daß ein minder vom Intellekt besessener und minder gefühlsverbauter Menschenschlag just diesen Wortkeuschen, Ausdruckskargen, Zuchtvollen jedes böse Raffinement zutraut. Ja, es ist sogar richtig, daß diese Hyperkrise der Geistigkeit wirklich etwas Böses und Selbstgerechtes in sich birgt, das im krassen Widerspruch steht zu der ganz kindlichen, sehr herzenswarmen und empfindsamen Seele, die sich hinter so viel Intellekt verpanzert hat.

Ein sehr verletzlicher, zarter, noch keineswegs ausgeglichener, keineswegs reifer junger Mann verschanzt sich hinter der ehernen Macht überlegenen Geistes und erscheint nun den Primitiveren hart und böse. Dies psychologische Mißverstehen ist sehr begreiflich! Wie denn würde der Richter, der Geschworene, der den jungen Halsmann für schuldig hielt, sich im gleichen Falle benehmen? Er würde wahrscheinlich aufschreien und toben und Tag und Nacht hinausschreien: Ich bin ja unschuldig. Oder er würde bald zusammenbrechen und als ein Gebrochener das

Mitleid rege machen, das Mitleid, vor dem ein Geistesstolzer wie vor einer Todsünde sich fürchtet. Oder er würde zornwüten und brüllen: Schurken! Ihr begeht an mir einen Justizmord! Aber nichts von all dem wäre möglich bei einem Philipp Halsmann. Der würde mit zusammengebissenen Lippen in den Tod gehen, vermauert in sein Ich, sehr schamhaft, sehr gebunden und nicht fähig, seine Wunden wie Coriolan vor dem Volke zu entblößen. Jede seiner Reaktionen offenbart Vorsicht, Rücksicht, zarte Verantwortung. Er muß ängstlich über seine Würde wachen. Nur der kleine Kreis, der ihn genau kennt, weiß, daß eine Schuld, wie die ihm zugeschobene, gerade bei dieser Natur völlig undenkbar ist. Er selber steht vor der Anklage des Mordes mit einem ungeheueren lähmenden Staunen. Er versteht diese Welt gar nicht. Er trauert um den geliebten Vater. Daß man annimmt, er habe ihn getötet, ist so ungeheuerlich, daß er selbst als Hypothese diesen Fall gar nicht durchdenken kann, ein Mensch, der alles durchdenkt! Denn dieser Halsmann hat eigentlich nur ein einziges, ganz klares Talent: eine überkritische, überwache Bewußtheit; er muß durchaus über alles und jedes Rechenschaft ablegen. Hätte er die Tat begangen, so würde er sie intellektuell verarbeiten müssen. Möglich, daß er so stark sein könnte, nie das Geschehene einzugestehen, aber bei sich selber müßte er darüber grübeln. Er könnte doch unmöglich das Geschehene abseits liegen lassen und statt dessen (wie er tut) über Shaw und Kafka und Ilja Ehrenburg reflektieren. Über alles grübelt dieser junge Mensch, und immer ist sein Gewissen voll von ganz unberechtigten Minderwertigkeitsgedanken, nur gerade an diesem Punkte, wo man ihn zum Mörder machen will, grübelt er gar nicht; da ist er völlig klar und einfach und natürlich: Er liebt den Vater, ein Unglück ist geschehen; daß man ihn für mitschuldig hält, ist absurd. Ja, es ist absurd, ist schauerlich, grausig, daß Männer, die auch nur ein bißchen Menschenkenntnis und Welterfahrung haben, von diesem Jüngling annehmen können, daß er den Vater totgeschlagen habe. Dieser junge Mann ist das Musterexemplar des überlegenen »Intellektuellen«. Ungemein kritisch gegen sich und andere, überaus verantwortungsbewußt, urteilsklar und scharf; aber alles dieses nur als ein erkennender Intellekt. Als fühlender Mensch völlig anders: weich, hilflos, ein großes Kind. Und so entsteht die Doppelheit: der Kopf triumphiert über das Schicksal, an dem der Mensch zerbricht. Wie aber wirkt ein so komplizierter Mensch auf die Primitiven? Sie sehen die Sicherheit seines Verstandes und ahnen nicht die schüchterne Unsicherheit seines Selbstgefühls. Sie sehen die Arroganz, ja die Frechheit, hinter welcher jeder unflügge junge Mensch sich verpanzern muß, und fühlen nicht die Liebebedürftigkeit und Einsamkeit dieses wirklich in allen seinen Möglichkeiten ungewöhnlichen und überlegenen Menschen, oder wenn sie diese Überlegenheit mit Unbehagen sich eingestehen, so begreifen sie doch nicht, daß ein so Geistes- und Charakterstarker dabei doch ein hilfloses armes Hascherl sein kann. Der Student Philipp Halsmann, der durch ein unerklärliches Schicksal in diese erstaunliche Verstrickung hineingeraten ist, zeigt den besten adeligsten Seelenstoff; hält sein Körper durch und gelingt es wirklich seinem rastlos grübelnden Geiste, das an ihm verübte schwere Justizverbrechen ohne Bitterkeit und Verhärtung mit dem Herzen zu verarbeiten, dann wird er als unzerbrechlicher Charakter und großer Mensch aus der Kerkernacht der vier Jahre hervortauchen. Die Jugend aber, die für eine gerechtere und klügere Welt kämpft und für vom Wahn erlöste Seelen, sie sollte Halsmanns Briefe an eine Freundin lesen, denn Philipp Halsmann ist die ringende Jugend von heute, karg, sachlich, streng gegen sich selbst und die Träne hinter dem Witzwort verbergend. Ein leicht mißzuverstehender, oft mißverstandener Typ. Wir dürfen nicht nachlassen, nun zu fordern, daß er begnadigt, nein, daß er rehabilitiert wird, denn dieses Fehlurteil war keineswegs nur eine Rache der Einheimischen gegen den »Ausländer« oder der Arier am Semiten oder der Dumpfen am Intellektuellen, nein! Dies ist ein Kapitel aus der alten Martergeschichte der geistigen Persönlichkeit. Es geht jeden besseren Menschen an, und jeder bessere Mensch sollte gegen die Möglichkeit solchen Unrechts opponieren.

[1930]

Die Krankenschwester Flessa

Seitz, Karl, vierzig Jahre alt, stattlich und robust, ein liebenswürdiger, gutmütiger, immer hilfsbereiter Mensch, ein beliebter Arzt, ein tüchtiger Chirurg, alter Korpsstudent, treuherzig, honorig, bierehrlich, hätte, wie er gerne sagte, »von Weibergeschichten die Nase voll«. Allzu jung hatte er geheiratet; die Ehe war bald auseinander gebrochen. Seither zog es ihn mehr zu den Freunden am Stammtisch. Die Haushälterin sorgte tadellos. Er hatte besten Familienverkehr. Und – Donnerwetter! – so ein angesehener, junger Arzt, kann an jedem Finger eine haben; gelegentlich bittet man ein süßes Mädel in die Sprechstunde, gelegentlich mietet man ein verschwiegenes Zimmerchen; wichtig ist das nicht, wenn morgen der Pneumothorax und übermorgen die Tennotomie ruhig Blut und Hand fordern... Aber immerhin! Ein wenig eitel ist jeder Mann. Und es gibt Männer, sinnlich, leidenschaftlich, die lieben nicht, die wollen geliebt sein und haben es gern, wenn die Frauen romantisch werden, wenn sie Briefchen schicken, heimlich Rosenblätter in die Überschuh streuen und den fortgeworfenen Zigarettenstummel als Reliquie aufheben. Von dieser Sorte war Doktor Seitz. Sonst ein guter und tüchtiger Kerl.

Eines unseligen Tages bei irgend einer Visite begegnete ihm eine Krankenschwester, die Schwester Wilhelmine. Schon ein bißchen passé, dreißig Jahre alt, knochig, hager, mürrisch, reizlos, ein Mädchen wie viele. Zehn Jahre zuvor; ein schönes Kind, hoffnungsselig, gut und brav, aber zu arm, zu ungebildet, vor allem aber zu fahrig und innerlich unausgeglichen, um Examina zu bestehen, Gönner zu gewinnen, im Leben vorwärts zu kommen. Ein zu kurz gekommenes Geschöpf, doch irgendetwas interessiert den feschen Doktor an der ausdrucksschweren Person. Wie nennt doch der Jockei die sturen Pferde, die kein Halfter wollen: »mäulig, hartmäulig«. Etwas Widerborstiges steckt in dieser herben Schwester. Sakra! die Frauen fliegen sonst auf Süßholz.

»Schwester, wir haben ja denselben Weg. Kommen Sie, wir

bummeln 'n Stück durch den Park.« Und sie gehn, sie trinken Kaffee im Grünen. Der Doktor diagnostiziert: Dolle Kruke; die Eisrinde taut, hat Feuer gefangen. Wochenlang sieht man sich nicht wieder, gelegentlich kreuzen sich die Wege. Schwester Wilhelmine hat den Drang fürs Höhere. Sie spricht gern mit Gebildeten. Der Doktor hört sie gern reden. Man geht spazieren und wirft sich Wortknäuel zu und spinnt scheinbar harmlos das Garn der Worte. Eines Tages begleitet er sie auf ihr Zimmer. Sie zittert und glüht. Sie zeigt ihm ihre kleine Welt, die paar Andenken von Mutter, ihre Bücher, das Bild als Konfirmandin. Er ist gut und gutmütig und nimmt die Zitternde an seine Brust.

Es gibt einen alten Spruch. Der heißt so:

»Dies ist der Liebe Sinn:
Der Sehnsucht letzte Stillung,
Ist für den Mann Erfüllung
Und für die Frau Beginn.«

Von dieser Stunde an war die Schwester Wilhelmine Flessa für den Doktor nicht mehr so rätselhaft: ein Weib wie hundert. Von dieser Stunde an war der Doktor Seitz für die Schwester Wilhelmine Flessa der Eine, der Einzige, der Mann, an den sich nun alle die alten Wunschträume hängten. Daß er sie zu seiner Frau Doktorin machen könnte (Gott ja, ne Frau würde er wohl schließlich wieder nehmen und am besten eine mit Sinn für die Medizin), nein, das wäre zu viel, zu überschwängliches Glück. Aber in jeder Frau liegt der Keim, der ins Leben drängt. Dieser Mann konnte ihm das Leben gewähren oder endgültig zertreten. Und wenn sie nur sein Kind hatte, Mutter und Kind würde er nie vergessen.

Im Leben der Schwester Wilhelmine gab es ein Geheimnis. Die Krankenpflege war der Notausgang. Eigentlich traute sie sich selber nicht. Sie fühlte sich minderwertig. Sie war wohl auch nichts für Männer; viel zu nüchtern und schwer. Und darum sagte sie sich täglich: Aus den Männern mache ich mir nichts. Aber Kranke und Krankheit, das liebte sie. Baumlange, starke Kerle, verwöhnte strahlende Frauen, weit überlegene Geister vor ihr, der Schwester, waren alle wie hilflose arme Kinder. Sie küßten der Schwester die Hand. Und Schwester Wilhelmine streichelte die fiebernden Stirnen. Ja, ihren Kranken schenkte sie sich und fühlte sich dabei mächtig – Wille zur Macht, Wille zur Erlösung, das sind die zwei Pole. Aber nun war alles ganz anders geworden. Dieser gutmütige ruhige Riese hatte sie kurzweg hingenommen wie ein Spielzeug. Fortan mußte sie abweisend werden, kränkend, von oben herab. Das wieder reizte und beschäftigte ihn. Darum hielt er diese Beziehung aufrecht, eine unter vielen Beziehungen zur Frau. Kennt Ihr die Peripetien? Wißt Ihr, wie viel Liebe diesen Haß trägt, wie viel Haß in der Liebe lauert? Und Scham und Geltungswille und Selbstverachtung und der Wille, den Mächtigen zu ängstigen, ja grün und blau zu ärgern ihn, den Angebeteten, dem sie das ganze Leben hingeben möchte. Da war einmal eine Stunde, wo der Mann brutal ihr ethisches Gerede unterbrach: »Daß ich net lach, Willi, dein ziepiges Getue. Du brauchst nen Mann. Basta.« Und sie schrie: »Ja, ja, ja.« Und er wurde zynisch, daß es sie grauste. Aber sie gab sich noch zynischer. Danach die Stunde der Reue. Und die Stunde nach dem Beethovenkonzert: langsamer Wiederaufbau der Frauenwürde. Und die Stunde, wo sie tobte: Ich verachte ihn. Und die Stunde, wo sie wimmerte: Ich will sterben. So entstand die große Leidenschaft. Gewöhnung und Hemmung, mittlerer Zustand zwischen Haben und Nichthaben, das ist der Boden der Leidenschaft.

In dem guten dicken Doktor dämmerte es: »Verflucht! Was hab ich mir eingebrockt? Wie werd' ich die wieder los! Die reine Ibsenide läuft immer herum mit der ›moralischen Forderung‹.«

In der langsam Zerrüttenden aber stand nur noch eines fest: »Ich will ihn haben. Er soll mich lieben. Ernst lieben, nicht nur so neben den anderen. Denn jetzt habe ich ihn und habe ihn doch nicht.«

Kennzeichnend, wie die zwei Leutchen sich gegen die Welt zeigten. Das Mädchen renommierte fortan mit ihrem feinen Bräutigam. So erfüllten sich die verdrängten Wünsche. Der Mann erzählte seinen vielen Freunden etwas männisch, etwas renommistisch, aber doch auch sehr besorgt: »Da ist so 'n verrücktes Weib. Krankenschwester, Hysterika. Will partout von mir 'en Kind.« Am Stammtisch der Bekannten schmunzelte dann der Justizrat: »Tu' ihr doch den Gefallen, Leibfüchschen.« »Um Jotteswillen«, rief der Staatsanwalt, »nich in die la main, wirf' ihr lieber was in den Rachen.« Doktor Seitz spürte dunkel: Eigentlich verrat ich sie. Eigentlich ist das was Heiliges. Eigentlich sind wir alle Hundsfötter. Aber warum? Die verlogene Moral der Welt sagt: Der Mann ist schuldig, weil er die Liebe annahm und sie dann von sich stieß. Unsinn! Dies Mädchen fühlte tiefer, (obwohl ihr dummer Kopf da nicht aus und ein weiß): daß er diese Liebe, diese alles wagende Liebe nicht annimmt, das ist eine Schuld. Gäbe er mir sein Kind und wäre er brutal, und stieße uns beide ins Elend, er hätte edler an mir getan. Aber er redet ja väterlich und markiert Ehrenmann und vernichtet mich.

Was sie wollte? Sie spielte mit dem Revolver. Heute dachte sie: Ich töte mich. Morgen: Ich räche mich. Übermorgen: Nur ein Denkzettel, nur ihn unmöglich machen vor dieser feigen Welt; was geht mich diese Welt an? Und so lief sie wochenlang mit der Waffe herum.

Dann kam das Entscheidende. Damals diente sie als Krankenschwester in einer angesehenen guten Familie. Dort war er Hausarzt. Sie pflegte die Tochter des Hauses und sprach dieser vorsichtig von ihrer großen Liebe. Da kam es heraus. Dieses junge Mädchen, sanft, beherrscht, verständnisvoll, überlegen, besaß das ganze Herz des Mannes, dem eine Frau wie Schwester Wilhelmine eben nur ›Episode‹ war. Die beiden waren Verlobte und sie – nun sie war – die dienende Schwester Wilhelmine. Kein Dichter entwirrt, was zusammenstrudelt in der Enttäuschten, Übergangenen, Vernutzten, Gealterten. Diese Herrschsucht aus Sklaventum, Haltlosigkeit und Verstarrung, Schrei nach Entspannung und unerlösbarer Gespanntheit. Hier gab es nur ein Gesundes: Religion, Gott, Kloster. Oder: fortgehen in weite Ferne, arbeiten und nicht mehr denken. So plant sie auch. Aber: Nur noch ein einziges Mal ihn sehen, ihn demütigen. Nein, von ihm genommen sein. Nein, den letzten verzweifelten Versuch machen, um ihn zu werben ... Sie lauert ihm auf. Sie weiß die Stunde, wo er die Treppe herabkommt und auf

Praxis geht. Will sie ihn morden? O ja, sie will. O nein, das wird sie nicht wollen. Als sie ihn nicht sah, da stand es ihr fest: Ich töte ihn. Wenn sie ihn sehen wird, wird sie den Revolver fortwerfen. Oder nein, ganz anders. Spricht er jetzt weich, Mensch zu Mensch, ehrfürchtig, schuldbewußt, dann stürzt sie als sein Hund bereuend zu seinen Füßen. Aber wehe, wenn er jetzt kommt als ›ein Herr der guten Gesellschaft‹, väterlich, herablassend, erzieherisch und schlimmer noch, wenn er wagt, sie zu züchtigen, ja, dann ist's um ihn geschehen.

Sie tat, was Carmen tat. Sie schoß blindlings drauflos und brach dann jammernd zusammen: »Ich habe ihn getötet, meinen einzig Geliebten.« Bis Leute kommen, fleht sie um Hilfe und wimmert monoton: »Ihr wißt doch nicht, wie das ist, wenn man einen Mann liebt.«

Dann, nach einem mißglückten Selbstmordversuch, die langen Torturen des Gerichts! Wie sie ausgingen? Es ist vollkommen gleichgültig, was geschehen wird mit dem armen Rest des wunden Lebens, das schreit und schreit und sich selbst mißversteht. Ganz gleich, ob man das verglimmen läßt im Gefängnis oder schneller zu Asche brennt im Zuchthaus oder ganz schnell beseitigt durch barmherzigen Tod.

Wer ist schuld? Sie hatte einen Augenblick, wo sie sich erhob zur Richterin über Menschenschuld, und Harfe war, darauf die Dämonen spielten. Dann aber sank sie sogleich zurück in die Menschenwelt und verfiel dem Recht und der Gerechtigkeit...

War es so? Ich weiß es nicht. Ich habe diese Menschen nie gehört und gesehen. Und ein Blick, ein Bild, selbst die Handschrift läßt mehr vom Menschen spüren als alle Gutachten der Psychiatrie. Es könnte so gewesen sein. Und wo man zweifelt, möge man das Beste glauben.

[1926]

Nach dem Urteil

Berlin Nord. Drontheimer Straße. Eine fahle seelenlose Straße, die endlos den Wedding verbindet mit dem neuerdings eingemeindeten Reinickendorf. Die großen Fabrikgebäude der A.E.G. beherrschen die Straße. Von hier aus hat das elektrische Licht den Siegeszug angetreten über die ganze von Menschen bewohnte Erde, und ein Goldstrom ist hierher zurückgekehrt. Hier war das Stammhaus von Emil und Walther Rathenau. Die Bewohner dieser Häuserwüste vegetieren im Dunkel. Sie verspüren nichts von dem Goldstrom. Kleine jämmerliche Geschäfte locken mit billigem Auslagekram. Die Kinder auf der Straße haben blasse, verhungerte Gesichter und rachitische Glieder. Frühgealterte, verkrümmte Hausmütter kommen mit Beuteln am Arm und besorgen ihre armseligen Einkäufe. Arbeitslose Burschen lungern herum. Hier gibt es nur Arbeitslose. Von den Fassaden bröckelt der Stuck; der Anstrich der Häuser ist verschlissen, und durch die Portale blickt man in graue, leere Höfe. Abends brennt auf den zertretenen Stiegen das magere Öllämpchen oder der Kerzenstumpf. Die Treppen sind schmutzig. In diesen Kasernen, Loch neben Loch, schmachten die Armut und die Sehnsucht in hundertfachen Verwandlungen. Gleich am Anfang der Straße steht über einem kleinen Laden die Firma-Inschrift zu lesen: »Uhren-Reparaturwerkstatt«. Das war der Laden des Uhrmachers Ulbrich. Ein kauziger, einsamer, aber gutherziger Sonderling; saß von morgens sieben bis in die Dämmerung über seinen Uhrwerken, verdiente spärlich und steckte, was er verdiente, ins Ledersäckchen und schloß das Ledersäckchen in den wurmstichigen Sekretär. Er hatte eine schlimme Schwäche, der verschrobene Kauz: »Kleine Mädchen«. Das wußten alle halbwüchsigen Blagen in den hungrigen Mietskasernen. »Beim Onkel Ulbrich bekommt man Schokolade«. Oder er sagt: »Paß nen Augenblick auf den Laden« und läuft nebenan in die kleine Warenhandlung und kauft Keks oder Obst. Aber den größeren Mädchen zeigt er Photographien. Die sammelt er. Verfängliche

Aktbilder und die Bilder der berühmten Filmköniginnen. Er hat viele Hundert. Die holt er hervor und beginnt komische Reden. Die Mädchen kichern, verstehn alles und denken doch nichts dabei. Und auch die Alten denken nichts. In diesen Zinskasernen denkt keiner über den andern. Jeder hat genug mit sich selbst zu tun. Da kann auch ein Unhold sein schlimmes Wesen treiben. Der Ulbrich war noch nicht der schlimmste. Und alle Frauen klatschten und die Männer fluchten, als man den Sonderling im Hinterraum des Ladens ermordet fand. Wer war der Täter? Drei verwahrloste Kinder verübten die Tat. Zwei Jungen und ein Mädel. Und es ist wohl gar nicht zu sagen, in welchem der sehnsüchtigen und überstiegenen Seelchen zuerst der Mordplan ausgeheckt wurde und ob es überhaupt ein klarer und richtiger Mordplan war, den sie »ausbaldowerten«, die drei, die sich bald nach der Tat täppisch verrieten und dann gegenseitig beschuldigten. Richard Stolpe, Erich Benzinger und Lieschen Neumann sind die Namen der Kinder, die Jungen anfang zwanzig, das Mädchen, das als Hochschwangere vor Gericht stand, ist sechzehn Jahre alt. Der Fall ist ganz einfach und verbarg keinerlei Rätsel.

Deutschland hat vier Millionen Arbeitslose. Auch diese drei lungerten arbeitslos, oft stumpf vor Hoffnungslosigkeit, oft hungrig und immer abgerissen und brauten in den Hinterhöfen und Torgängen blöde und kluge Pläne, wie man zu Geld kommen könne und durch Geld zu gutem Essen und schönerem Kleid. Lieschen Neumann »ging« mit Stolpe, ein Kerl, wie Molnars Liliom. Das heißt ein wirklich gutherziger Kerl, dem aber die Armut saß an der Stelle wo sonst das gute Herz sitzt. Und im übrigen ein brutaler und wie alle Brutalen auch sentimentaler Bursche. Wenn er getrunken hat, aufbrausend und ein Prahlhans, aber am Morgen kleinlaut, stumpf, kaduk. Sein Handgelenk saß locker. Wenn Lieschen nicht parieren wollte, wenn sie dem Schatz nicht zu Willen war, dann setzte es Ohrfeigen. Aber grade darum mochte sie ihn gern, weil er so männlich tat und sie Angst vor ihm hatte, und er so tat, als könne er ihr das geben und ersetzen, was sie nie hatte: einen Willen. Der andere, ihr Nebenfreund, Erich war ein Schlemihl, ein guter Trottel.

Der konnte nie Nein sagen, dachte »reine gar nichts« und »machte nur so mit«. Die Treibkraft bei der schlimmen Tat war Richard, die Intelligenz Lieschen und Erich das schwache Instrument. Die Sache entwickelte sich grauenhaft einfach, natürlich und roh. In der Nacht hockte Lieschen bei den verbummelten Jungen und entwickelte den Plan. »Dabei kann Euch nichts passieren. Dabei kann keiner verschütt gehn. Der Ulbrich, die putzige Kruke, ist hinter mir her. Verliebt wie ein Zinshahn. Versteckt euch unters Bett. Ich mache ihn ganz verrückt. Wenn ich mit ihm im Bett liege, dann raus mit Euch, dann räumt den Laden aus. Ich sorge schon, daß er still ist.« Man spielte mit Gedanken an Raub, und man erntete Mord. Das mußte kommen. Als »ganze Arbeit« gemacht werden mußte, blieb Lieschen die kälteste und couragierteste. Sie forderte die Jungen auf, das Beil zu brauchen, und tat auch selbst mit. Die Beute war armselig. Lumpige dreißig Mark. Die ganze Sache war armselig. Berlin machte sich daraus eine Sensation. Psychiater, Neurologen gaben Erklärungen und Gutachten ab. Doktor Sidney Mendel, Modeanwalt von Berlin W und seiner bekanntesten Theaterdirektoren und Prominenten, verteidigte überscharf und überbegabt den Stolpe. Justizrat Davidsohn, der sich als Vorsitzender der Anwaltkammer selbst zum Offizialverteidiger ernannte, verteidigte das Lieschen. Bewunderungswürdig überlegen lenkte der Vorsitzende Doktor Schmitz den Prozeß. Was war denn nun eigentlich aus dem Prozesse zu lernen? Stolpe, arbeitslos und verbummelt und von Lieschen auf die schlimme Fährte gebracht, war Kutscher. 32 Arbeitskollegen, die ihn gut kannten, haben eine rührend ungeschickte Petition an den Gerichtshof gesandt. Er sei immer hilfsbereit und anständig zu den Kollegen und immer gut zu den Pferden gewesen, überhaupt ein tadelloser Junge. Lieschen aber habe sich auf den Rummelplätzen herumgetrieben, habe schon als Vierzehnjährige mit Männern zu tun gehabt, habe ihn verführt. Dergleichen stimmt und stimmt wieder nicht. Dieser Stolpe, verstockt und bockig, war zweifellos der Schuldigste von den dreien, weil er wenigstens einige Ansätze zu einem Charakter und zu Verantwortlichkeit aufwies. Er wußte schließlich, als der reifste, was ein Totschlag bedeutet. Lieschen wußte es nicht. Aber alle Gedanken des rohen Burschen waren schief eingestellt. Er kam aus dem schlechtesten »Miljöh«. Er war verkracht mit Vater und Brüdern. Der Vater, ein übler Rowdy und Trinker, ist über die Tat des Sohnes weniger entrüstet als über den Umstand, daß der Junge, um nach Pommern zu fliehn, seinen alten Mantel mitgenommen hat. Wegen Diebstahl dieses Mantels zeigt er den Sohn an und belastet ihn vor Gericht. Ein Bruder, der 1914 wegen Raubüberfalls zu langer Zuchthausstrafe verurteilt war, starb im Zuchthaus. An der früh verstorbenen Mutter haften seine sentimentalen Gefühle. Er äußert in der Haft immer wieder den Wunsch, ihr Grab noch einmal besuchen zu dürfen. Eine Schwester tritt als Zeugin für den Bruder ein. Sie ist tiefunglücklich, daß sie drei mitgebrachte Apfelsinen ihm nicht geben darf. Er verteidigt sich dumm und ungeschickt. War es wohlüberlegter Mord, war es ein Totschlag? Stolpe erzählt, Lieschen, seine Braut, habe versprochen, sich mit dem Uhrmacher nicht intim einzulassen. Sie wolle tun, als ob sie schläfrig sei und ihn bis zum nächsten Morgen vertrösten. Der Landgerichtsdirektor: »Und dann?« Stolpe: »Wir sagten uns: das geht nicht.« Der Landgerichtsdirektor: »Warum nicht?« Stolpe: »Na, weil der Mann dann nicht mehr ist.« – Kann ein Angeklagter, der um den Kopf kämpft, sich dummer hereinlegen? – Hat er Lieschen Neumann, die sein Kind trägt, geliebt? Ja, gewiß. »Sie wollte ja so gern ein neues Kleid haben.« Das wurde ihm ein Beweggrund zum Morden. Nicht der einzige. Er wollte auch gerne vor der Braut als ganzer Mann sich beweisen. Er prahlte gern, wie er gern Ohrfeigen ihr gab. Der andere Junge, Erich Benzinger, hatte keine heilen Schuhe mehr. Man versprach ihm das Geld für ein Paar Stiefel, da war er bereit mitzutun, aber als die drei am Tage nach dem Morde ins Kino gingen, da mußte er sich sogar die Mark Eintrittsgeld von ihnen leihen.

Aus dem Lieschen Neumann haben die Journalisten ein dämonisches Weib gemacht. »Die Greta Garbo des Wedding.« Ach, zehntausend solche Mädchen schweifen auf dem Asphalt. Jede kann heute oder morgen zu solcher Tat kommen. Das menschlichste Wort, das klügste vielleicht im ganzen Prozeß, sprach eine alte Lehrerin, welche Lieschen Neumann unterrichtet hatte und nun als Zeugin vernommen, sich selber anklagte, daß sie nicht in der Lage gewesen sei, den Kindern eine bessere Stütze zu sein. »Ich habe mal das Wort eines Gefangenen gelesen, das lautete so: ›Gefallen seid Ihr? Ja und nein.‹ Das Wort ist interessant. Wie kann denn der gefallen sein, der niemals stand?« Diese selbe Lehrerin erzählt, daß sie mit der Klasse drei Tage am Werbellinsee war und hinterher den Kindern aufgab, daß sie aufschreiben sollten, was auf sie am meisten Eindruck gemacht hätte. Einige schrieben wohl von Wasser und Schwimmen und Kahnfahrt, aber übereinstimmend lautete der Bescheid: »Daß wir jede ein Bett für uns hatten.« Es ist gar nicht zu sagen, ob dies Mädchen schuldig oder unschuldig, gut oder böse ist, und erst recht nicht, ob das Urteil gerecht ist, denn es gibt da kein gerechtes Urteil. Ja, man muß eigentlich bedauern, daß für solche Prozesse ungeheure Gelder verbraucht werden, statt daß man sie für Brot und warme Strümpfe verwendet. Man sollte solche Entgleiste sogleich in irgendeine Anstalt stecken; es gibt da gar nichts zu richten. So ein Dirnchen wirft kein Ziel über die Stunde hinaus, hat keine Leidenschaften, hat weder große Liebe noch großen Haß. Auch den Gemordeten hat sie weder geliebt noch gehaßt und hätte ihn ebenso gern geheiratet wie getötet. Sie wußte nur, daß sie lange nichts Warmes gegessen hatte und daß sie ein schlechtes Kleid trug und daß in den Delikatessenläden am Kurfürstendamm und in den Modehäusern der Leipziger Straße alle Herrlichkeiten der Welt im Schaufenster liegen und der putzige alte Ulbrich, der so schrecklich verliebt tut, einen Lederbeutel mit Geld hat und daß der Lederbeutel dort in der Schublade liegt, im Sekretär. Eines ist grauenhaft: Eine werdende Mutter wird vor das Kriminalgericht gestellt. Es müßte uns Gebot sein: Nie darf judifiziert werden, solange die Angeklagte nicht entbunden hat. So durfte in Hellas nicht gerichtet werden, »so lange das heilige Schiff noch auf dem Wasser ist«. Oder ... ach ja, man sollte solche Kinder gar nicht zur Welt kommen lassen. Wir aber morden die Ungeborenen, wir schädigen sie tiefer als jemals die zur Welt Geborenen einander schädigen können. In dem Buche eines jungen Juristen, Friedrich Meß, »Nietzsche als Gesetzgeber«, fand ich eine denkwürdige Stelle über das östliche Rechtswesen. Die exterritorialen Gerichte der Europäer im Fernen Osten wollten den Chinesen und Japanern dadurch imponieren, daß sie möglichst streng und oft bestraften, und sie ahnten gar nicht, daß sie gerade dadurch sich vor der andersartigen Ethik des Ostens als Barbaren erwiesen. Denn nach der Meinung der Ostasiaten ist die Anzahl der Verbrechen ein negatives Maß für die Güte der Rechtspflege, und man kann dort sogar den Richter verantwortlich machen, wenn bestimmte Delikte häufig vorkommen. Denn, so wie die Ärzte nicht dazu da sind, ausgebrochene Krankheiten zu heilen, sondern es eigentlich ihre Aufgabe ist, zu verhindern, daß Krankheiten ausbrechen, so ist die Rechtspflege nicht dazu da, um Verbrechen zu bestrafen, sondern um zu verhüten, daß sie geschehen. Es ist auch nichts damit getan, daß wir ein Kultusministerium haben, welches die Beförderung und Versorgung der Professionalen verwaltet, sondern die ganze Aufgabe eines Erziehungsministers müßte sein, dafür zu sorgen, daß dem Volke keine Talente verloren gehen, daß nicht etwa die Begabtesten und Besten verkümmern oder lebenslang um bloße Duldung kämpfen müssen. Und wenn in einem großen Volke vier Millionen Menschen arbeitslos sind, ohne daß die Regierung dem abhelfen kann, dann ist die Regierung verantwortlich für die Morde und Mordprozesse, die im Lande erlitten werden.

[1931]

Revolte im Zuchthaus

Strafanstalt in Celle. Ein weitläufiges Mauerkarree mit altmodischer Schloßfassade. Ursprünglich Irrenhaus, Siechenhaus, Zuchthaus in Eins. Heute: Männerzuchthaus mit gegenwärtig 401 Insassen. Im Keller sieht man die Eisengitter, Zwangszellen, Peitschen, die noch vor zwanzig Jahren in Gebrauch waren. Die Disziplin der Anstalt war verfahren. Der Direktor unbeliebt, die Gefangenen aufsässig, bis die Regierung 1928 sich entschloß, einen moderneren Direktor, Vorkämpfer des humanen Strafvollzugs dorthin zu entsenden. Der Mann heißt Fritz Kleist. Keiner, der ihn in seiner Arbeit gesehen hat, keiner, der seine nie rastende Fürsorge sah, seine erzieherische Kraft, seine Väterlichkeit, seine Kraft der Liebe hat diesen Mann, der sein Leben den Ausgestoßenen und Verworfenen opfert, ohne Ehrfurcht, ohne Rührung, ohne Bewunderung gesehen. Er ist einer der stärksten Organisatoren des humanen Strafvollzugs. Ein großer menschlicher Mensch. Tausenden hat er geholfen. Binnen zwei Jahren hat er aus der schlecht organisierten Celler Anstalt eine Musteranstalt, hat er tausend Verlorene zu Menschen gemacht. Mit geringen Geldmitteln, unter tausend Widerständen und Erschwerungen ist das Wunder erwachsen: Aus einer Strafanstalt wurde eine Erziehungsanstalt. Die Gefangenen sind in drei Stufen geteilt. Ihre Stufe ist an den Achselaufschlägen kenntlich. Die erste Stufe umfaßt die Neuangekommenen. Stufe zwei solche, die soziale Führung bewiesen und gewisse Erleichterungen erhalten haben. Stufe drei: die sozial Bewährten (es sind meist die »Lebenslänglichen«), denen weitere Vergünstigung zuteil werden kann. Sie haben ein bescheidenes Gesellschaftszimmer, einen Raum zum Lesen, essen Sonntags an einem gemeinsamen Tisch mit Direktor und Beamten, dürfen rauchen und zuweilen ohne Aufsicht im Hause schalten oder Urlaub bekommen. Es lastet noch immer genug Qual und Not auf den schuldig gewordenen Menschen, die nie mehr die Freiheit sehen. Aber manche pflegen in ihrer Zelle eine Blume, haben sich einen Vogel zum

Gefährten gezogen, lernen freiwillig, üben Musik oder bildende Künste.

Kleist ist Sozialist. Schon darum wird ihm in diesen politisch verhetzten Tagen die Arbeit sauer gemacht. Er hat die Zwangsgottesdienste abgeschafft. Die Gefangenen können nach eigenem Belieben die Gottesdienste besuchen. Sie werden aber nicht mehr dazu gezwungen. Neben den kirchlichen Feiern gibt es im Zuchthause an Feiertagen weltliche Veranstaltungen, außerkonfessionell und allversöhnlich. Dazu werden Musiker, Sänger, Vortragskünstler, Lehrer, Gelehrte herangezogen, die ohne Entgelt den Büßenden gern aus ihrem Können schenken. Jede der kleinen Feiern wird mit rührendem Eifer von den Gefangenen schon lange vorher beredet und vorbereitet. Sie drucken in ihrer kleinen Druckerei selber das Programm, zeichnen und klischieren dazu Bilder und schmücken den bescheidenen Saal.

Weihnachten 1930 kam es in Celle zu einer Revolte. Der Hergang war dieser. (Mir lagen die Protokolle vor, und ich kenne Anstalt und beteiligte Personen.) Der oberste Leiter des Strafvollzugs, Dr. Muntau in Celle, ist ein streng evangelischer frommer Mann. Keineswegs, wie die Linkspresse ihn hinstellt, ein inhumaner und mißwollender, wohl aber ein fanatischer Mann, der bei vielen Gelegenheiten sich getrieben fühlt, »ein Zeugnis abzulegen in Christo Jesu«. Sein kirchlicher Eifer war gekränkt durch die Wahrnehmung, daß von den 401 Insassen nur ein Teil die vom 24. bis 28. Dezember täglich angesetzten Gottesdienste besuchte, daß dagegen alle in den Weihnachtsferientagen die weltlichen Vortragsveranstaltungen mitmachen. So kam er zu der ersten dieser Veranstaltungen schon mit übler Laune und vorgefaßter Antipathie. Das Programm der Nachmittagsfeier am zweiten Weihnachtsfeiertage umfaßte elf Musiknummern und drei Rezitationen des Schauspielers Dr. Tyndall aus Wien, der auf der Reise nach Bremen, von wo er sich zu einer Tournee mit Moissi nach Südamerika begab, in Celle Station machte und den Gefangenen einen Nachmittag schenkte. Tyndall rezitierte die Parabel von den drei Ringen aus Lessings »Nathan, der Weise«, und leitete sie ein mit einer

Ansprache über Duldung und Humanität. Er begann mit den Versen aus Mozarts Zauberflöte »In diesen heiligen Hallen kennt man die Rache nicht, und wenn ein Mensch gefallen, führt Liebe ihn zur Pflicht.«: Er sprach dann von Sühne und Strafe im humanen Sinn und nannte (was zweifellos nicht geschickt, weil einer agitatorischen Ausdeutung zugänglich war), Karl Liebknecht und Rosa Luxemburg unter den »großen Befreiern des Menschengeschlechts«. Die Ansprache wurde mit nicht endenwollendem Beifall aufgenommen. Aber bevor die nächste Programmnummer, ein Musikstück, beginnen konnte, erhob sich spontan der Präsident Dr. Muntau und schleuderte erregte Worte hinaus: »Ich glaubte, zu einer christlichen Weihnachtsfeier zu kommen, und muß mit Schmerz erfahren, daß hier das letzte Restchen religiösen Glaubens den Büßern aus der Seele gerissen wird. Ich hebe hiermit die Feier auf.« Die überraschten Gefangenen gerieten in wilde Erregung und drangen gestikulierend und protestierend auf Dr. Muntau ein, der nur durch die Autorität des Direktors Kleist geschützt werden konnte. Plötzlich stimmte der zur Feier erschienene »Freie Volkschor Celle« ein Lied an: »Brüder zur Sonne, zur Freiheit«, und die Gefangenen fielen in den Gesang mit ein. Der Direktor verbot den Gesang, und der Saal wurde geräumt. Der Präsident wandte sich erregt an den etwa fünfzigjährigen Dr. Tyndall mit den Worten: »Sie sind ein verlorener, unglücklicher junger Mensch, ich werde Sie in mein Gebet einschließen«, und äußerte zum Direktor: »Sie werden sich vor Gottes Thron für Ihr Tun verantworten müssen.« Aus diesem Vorkommnis entspann sich ein langer politischer Zeitungskrieg und eine Disziplinaruntersuchung, deren Verlauf noch unbekannt ist. Auch wenn wir den reinsten Willen haben, dem frommen Bekehrungseifer des Strafvollzugspräsidenten gerecht zu sein und seine Gefühlsart zu verstehen, so kann doch die Ungeschicklichkeit seines Verhaltens nicht verkannt werden. Er hätte die Möglichkeit gehabt, den Schauspieler wie den Strafanstaltsdirektor dienstlich zu sich zu bitten und dann seinen Tadel auszusprechen. Statt dessen säte er Zwist und Unruhe in die ohnehin labilen Seelen der Gefangenen. Er verkannte dabei völlig die Kompetenz der Kirche. Er verkannte auch den Geist und Sinn der doch wohl nicht nur auf dem Papier stehenden Verfügungen zur Strafvollzugsreform. Man lese beliebige Bücher, die das Leben in den deutschen Strafanstalten schildern. Ganz gleich, ob von Max Hölz oder Ernst v. Salomon, von Hans Leuß oder Ernst Toller. Es ist herzzerreißend, welche Sinnlosigkeit der Mensch am Menschen verübt. Man könnte zahllose Unsinnigkeiten des Strafvollzuges rügen. Ich nenne nur zwei Beispiele aus Hannover. Man versuchte, das widerwärtige Kübelsystem abzuschaffen und in die Zuchthäuser Wasserklosetts einzubauen. Da wurde verfügt: die Wasserklosetts sind zu entfernen, denn die Spülung könnte mißbraucht werden, indem Gefangene Kassiber aus der Anstalt mittels der Spülung entsenden. In einem anderen Falle wurde gerügt, daß einige Stühle Lederüberzüge hätten; diese seien zu entfernen, denn Gefangene hätten auf nacktem Holz, nicht auf Lederbezügen zu sitzen. Von solchen Unmenschlichkeiten wimmeln die Verfügungen. Kommt nun in diese Höllen ein Mann mit starkem Willem und starkem Herzen, der Tag und Nacht das Leben hingibt, um diesen kranken und düstersten Fleck des menschlichen Gemeinschaftslebens auszuheilen, so sollten wir danken, sollten froh sein und helfen, so viel wir nur vermögen, ganz gleichgültig, welcher Partei, Konfession oder Gruppe wir zugehören. Ich denke mit Schauern daran, daß selbst ein Mann wie Kleist verärgert werden und die Lust an seiner Reform verlieren könnte.

[1931]

Karl Magnus Hirschfeld zum 60. Geburtstag

Man braucht nicht in die vergangenen Jahrhunderte zurückzuschweifen, in Jahrhunderte, in denen die gleichgeschlechtliche Liebe als Laster oder als Verbrechen galt, ihre Betätigung aber oft sogar mit dem Tode bestraft wurde, man braucht nur zu wissen, wie noch vor dreißig Jahren, als Richard Krafft-Ebing die heute noch übliche Nomenklatur der Geschlechtspsychologie schuf, die Gesetzgeber die Homosexualität brandmarkten und selbst die Ärzte blindlings sie moralisch verurteilten, man braucht nur den Umschwung, viele werden sagen: die Lockerung aller Moralurteile in der letzten Generation zu kennen, um zu wissen, welche bedeutsame Wendung zu danken ist der theoretischen Arbeit, die an den Namen Sigmund Freud, der praktischen, empirischen, die an den Namen Magnus Hirschfeld für immer geknüpft ist. Man kann streiten, ob diese Wendung gut war; man kann nicht bestreiten, daß sie kommen mußte. Ein großes Mitgefühl für die Leidenden, ja der Geist der Humanität selber hat dieses wichtige Stück moderner Sitten- und Lebensreform beflügelt; es war daher auch notwendig, daß diese Forschungen und praktischen Bestrebungen ausgingen von Forschern, die, außerhalb der offiziellen Fachkreise stehend, selber viel umstritten oder abgedrängt waren. Die Zukunft wird diesen Männern danken; sie wird gerechter sein als unsere Gegenwart, die, noch voller Vorurteile, geneigt ist, jeden zu verunglimpfen, der an den Schlaf der Welt rührt. Denn wer die Fackel der Aufklärung durch die Zeiten weitergibt, der muß gerüstet sein, daß ihm die Schnuppen auf die Finger fallen.

Die Feier eines 60. Geburtstages ist nicht die Gelegenheit, bei welcher Bedenken, Gegenargumente, kritische Erwägungen geäußert werden dürfen; ich bin wahrlich in den meisten wissenschaftlichen Fragen ein Gegner der biologischen und der psychologischen Voraussetzungen, auf denen Dr. Hirschfelds Arbeit fußt, wie ich auch gegnerisch stehe zu der Lehre, die heute als Psychoanalyse Allgemeingut der Gebildeten geworden ist, oder vollends zu jener anderen, die mit dem Schlagwort Individualpsychologie bezeichnet wird. Aber Pflicht erscheint es auch mir, dem freien vorurteilslosen Geist, dem warmen helfenwollenden Herzen, der klaren unbestechlichen Gesinnung zur Anerkennung zu helfen, und das, was Dr. Magnus Hirschfelds Arbeit getan hat, muß durchaus an die Seite gestellt werden der Tat jener freien und großen Menschen, die einst gegen den Hexenwahn auftraten, die gegen die Folter und gegen die Ketzerbrände ihre Stimme erhoben. Es kann gar kein Zweifel obwalten darüber, daß diesen Forschungen der Sexualwissenschaft künftig auch die Gesetzgebung Gehör geben wird. Viele merkwürdige Kriminalfälle der letzten Jahre haben immer wieder gezeigt, daß unsere gegenwärtige Sexualgesetzgebung teils ganz veraltet, teils noch lückenhaft ist. Daß ein Forscher wie Magnus Hirschfeld, der an Material und konkreter Erfahrung reichste unter allen Sexualpathologen, dazu ein Geist von maßvoller Besonnenheit und strenger Sachlichkeit, gehört werden muß, dies ist selbstverständlich, und traurig ist es, daß solche Versicherung überhaupt nötig ist.

Zum sechzigsten Geburtstag möchte auch ich den Ausdruck meiner Ehrerbietung übermitteln dürfen.

[1928]

§ 297: Gewerbsmäßige Unzucht
Antwort auf eine Rundfrage

Anläßlich Ihrer Rundfrage zum amtlichen Entwurf eines Allgemeinen Deutschen Strafgesetzbuches darf ich vielleicht darauf hinweisen, daß der Begriff der »gewerbsmäßigen Unzucht«, ja, der Begriff der Prostitution überhaupt, keineswegs aus der Erfahrung stammt und vorhandene Schäden und Laster konstatiert, sondern aus einer der Klärung bedürftigen Moraleinstellung und Weltauffassung, welche die Schäden, die sie bekämpft, selber erschafft. Es gibt Länder und Völker, denen unser Begriff der gewerbsmäßigen Unzucht, auch der unter Männern, völlig unverständlich und fremd ist. Auch sie haben natürlich ihre sozialen Schäden und Schädlinge, die mit dem Gesetze bekämpft werden müssen. Nicht aber haben sie eine Klasse männlicher Prostituenten, Kinäden und Erpresser. Diese werden bei uns und durch uns erst erzüchtet. Es ist das sicherste Gesetz, daß jedes ins Dunkel abgedrängte und durch verneinende Wertung verpönte Leben verkümmern, entarten und verderben muß. Auch die Liebe unter Männern kann völkerverbindende und völkererhöhende Kraft werden. Was aber die Hingabe gegen Geld und die Verbindung von Erotik und Erwerb betrifft, so ist sie in den höheren und gebildeten Klassen weit häufiger als im Volk.

Man kann positive Gesetze schaffen, das Liebesleben adeln, ihm das schlechte Gewissen und die trübe Atmosphäre nehmen. Das Gesetz aber, welches »gewerbsmäßige Unzucht mit einem Manne« bedroht, trifft in Wahrheit nur die Elenden und Armen, ist ohne jede moralische Sanktion, kehrt gleichsam den Staub unter die Schränke und behauptet dann, die Gesellschaft gereinigt und den Staat geordnet zu haben.

Jedermann weiß längst, daß die Gesetze zum Schutze der Jugendlichen und Schutzbedürftigen vollauf genügen, um wirkliche Unzuchtsdelikte strafen zu können. Wer aber durchschaut hat, welche Rolle Protektionswesen und Lieblingstum in der höheren Gesellschaft spielt und wie Millionen Menschen beständig Liebe für Geld verkaufen, der muß Ekel fühlen vor der Heuchelei, welche dieses allgemeine Phänomen nur dort ächtet, wo es in seiner ärmsten und hilflosesten Gestalt in Armut und Lumpen dahergeht. Das männliche Prostitutionswesen ist ein Gegenstand für die Fürsorge- und Erziehungsarbeit, nicht für den Strafrichter.

[1929]

Epochen der Schuld

I.

In einer Gesellschaft von Richtern und Anwälten wurde, gelegentlich eines viel umstrittenen Urteils, die Aufgabe angeregt, ein jeder solle begründen, warum er das Urteil in jenem Rechtsfalle für gültig oder ungültig halte, und indem man dieser Aufgabe nachzukommen versuchte, wurde die erstaunliche Entdeckung gemacht, daß der Begriff »Begründetsein des Urteils« in den Beteiligten die allerverschiedensten Auslegungen gefunden hatte. Da war zunächst eine große Anzahl von Richtern, die den Begriff »das Urteil ist begründet«, formal-juristisch auslegten derart, daß ein begründetes Urteil ein solches Urteil ist, dessen Voraussetzungen zur Deckung gebracht werden können mit den Vorschriften bestimmter Paragraphen des Strafgesetzbuches. Kann man feststellen, daß die Tatbestände des Rechtsfalles gleich laufen den in den namhaft gemachten Paragraphen vorgesehenen Tatbeständen, dann ist das daraus sich ergebende Urteil eben »begründet«. – Eine andere Gruppe von Richtern verwarf diese mechanische Auffassung und forderte, daß das Urteil aus der Schuld oder Unschuld des Verurteilten begründet werden müsse; gefragt, was denn unter »Schuld« zu verstehen sei, zogen sie sich zurück auf die alte Unterscheidung von Culpa und Dolus, bemerkten, daß die bewußte Einsicht in die Tat dem Schuldigen nicht ermangelt habe und verwickelten sich alsbald in alle die in § 51 des Strafgesetzes so grob vernachlässigten schweren Probleme: Was heißt Einsicht, Willensfreiheit, Selbstbestimmung? Was besagt »Möglichkeit der Einsicht«, wenn doch die Einsicht eben de facto ermangelt! Was bedeutet »Willensfreiheit«, wenn doch der Wille schon von Natur böser Wille ist, und ähnliche Fraglichkeiten mehr. Hier setzte nun eine dritte Gruppe von Juristen ein, welche das »Begründetsein« der psychologischen Sphäre entrücken und auf eine sachlichere Unterlage zurückführen wollten. Aber gerade in dieser Gruppe entstanden alsbald neue Streitpunkte, welche leidenschaftlich abgehandelt wurden, indem der eine den gordischen

Knoten durchhieb mit der alten Versicherung, »non puniendum quia peccatum, sed ne peccetur«, während eine andere Gruppe diese Abschreckungstheorie ungenügend befand und auf die sogenannte klassische Rechtstheorie lossteuerte, welche die Begriffe Schuld und Sühne nicht entbehren mochte und der Ansicht huldigte, daß derjenige, der Schmerz und Leiden in die Menschenwelt brächte, genau ebensoviel Schmerz und Leiden zurückgezahlt erhalten solle; worauf eine dritte humangesinnte Gruppe sofort aufschrie: was denn damit nun erreicht werde, daß auf dem Wege der Rechtspflege die Summe von Schmerz und Leiden in der Menschenwelt offenbar immer verdoppelt werden müsse, indem zu einem Geschädigten eben noch ein zweiter Geschädigter in der Person des Schuldigen hinzukomme? Nein! Berechtigt sei die Bestrafung nur im Sinne des Versuchs, eine irrende Seele zu verbessern, und keine Rechtspflege könne zuletzt dieser ethischen, ja sozial-pädagogischen Sanktion der Strafe entbehren. – War nun schon durch diese dritte Gruppe von Suchern nach »Begründung des Urteils« der allgemeine Streit und Hader sehr vermehrt, so wurde der Tumult der Geister fast unleidlich, als eine vierte Gruppe zu Worte kam, welche sehr erhaben darlegte, daß das »Begründetsein eines Urteils« weder in der aktuellen Sphäre des historischen Rechts, noch auch in der psychologischen Sphäre gesucht und gefunden werden könne. Ein Gesetz sei nicht darum schon gerechtfertigt, weil es eben historisch da sei und aus irgendwelchen sozialen Gründen eben notwendig da sein müsse. Ein »Urteil ist berechtigt«, das heißt: es erweist sich als gültig vor dem Tribunale der normativen Vernunft. Von der Sphäre des faktischen Rechts müsse die rationale Sphäre wohl unterschieden werden, das Strafgesetz sei an sich weder logisch noch ethisch, das schlösse aber doch nicht aus, daß man an Hand der Logik oder Ethik die vorhandenen Gesetze auswerten könne. Das jeweils geltende Recht werde vom praktischen Juristen nach bestem Wissen gehandhabt, aber darüber hinaus gäbe es noch eine Ebene des gültigen Rechtes. An Hand gültiger Normen der Vernunft könne von nachhinein (post festum) auch das geltende Recht und das geltende Urteil wieder betrachtet und kritisiert werden, ob es denn wohl auch gültig und nicht bloß zeitlich geltend sei. Man möge sich doch erinnern an den berühmten Streit über die »Natur des Rechts« zwischen Savigny und Eduard Gans, zwischen Liszt und Rudolf Stammler. – Diese vierte Gruppe gebärdete sich, wie gesagt, sehr erhaben und hatte es sehr leicht, sämtliche geltende Rechtssysteme vor das Tribunal der reinen und absoluten Gültigkeit zu fordern, bis endlich ein geärgerter Anwalt die Frage aufwarf, wie denn der Richter es eigentlich anfange, vom gültigen Rechte aus das nur geltende Recht praktisch zu reformieren, worauf man alsbald merkte, daß man hilflos in die Sackgasse des Rationalismus geraten war, jene Sackgasse, in die schon Kant geriet mit dem unlösbaren Problem: »Wie kann der kategorische Imperativ praktisch werden?« Denn daß die gültige Norm aller Rechtsurteile da ist und aufweisbar ist, und daß ich post festum alle Urteile der Welt an Hand der reinen Vernunftsnorm kritisieren kann, das gibt mir doch noch nicht Gewähr dafür, daß diese Vernunftsnorm praktisch und historisch wirksam werden könne. Was also nutzt mir die schönste Einsicht in das gültige Recht, wenn dieses nicht imstande ist, Motivkraft meines Urteils zu werden? Und so sah man schließlich ein, daß hier vier verschiedene Gruppen über Urteilsbegründung stritten, deren jede andere Begriffsbestimmungen zugrunde legte und daß alle diese Begriffsbestimmungen in undurchdringliche Dickichte und Urwälder hineinführten. Diese Erfahrung regte mich an zu der folgenden Betrachtung über die »Epochen der Schuld«.

II.

Ich stelle an ihre Spitze eine Entdeckung, die mich aufs lebhafteste bewegte und mir immer wieder zum Kern neuer Überlegungen wurde: Der Schuldbegriff hat eine doppelte Wurzel, eine logische und eine moralische, und beide sind so ineinander verschlungen, daß es sich überhaupt nicht sagen läßt, ob der Satz »ich suche nach der Ursache« soviel bedeutet wie »ich suche nach der Schuld«, oder ob umgekehrt der Satz »ich suche nach der Schuld« soviel besagt wie »ich suche nach der Ursache«. Ich will indes vorausschicken (ohne an dieser Stelle das begründen zu können), daß mir völlig gewiß scheint, daß die moralische Kausalität weit umfassender ist als die logische, und daß auch in allen scheinbar rein erkennenden Wissenschaften das Aufsuchen von Ursache ursprünglich nur moralische Bedeutung hatte, etwa so, als wenn man den hinter der Erscheinung stehenden Dämon aufstöbert, ein Animismus, der auch heute noch überall wirksam ist, wo immer der Begriff Ursache zur Anwendung kommt. Eben darum nennt Ernst Mach den Begriff Ursache den metaphysischsten aller Begriffe. Demnach dürfte hinter der logischen Einstellung immer Willensinteresse lauern; in Kants Sprache ausgedrückt: die praktische Vernunft dürfte umfassender sein, als die theoretische, und wo immer wir versuchen, die Ursache festzustellen, da suchen wir in Wahrheit mit einer ganz naiven Vermenschlichung nach einem dem unseren verwandten Wollen.

Diese Behauptung findet lückenlose Bestätigung an der Sprache. Es scheint, daß in allen Sprachen die Bezeichnungen für Ursache und Schuld ursprünglich gleichlautend waren. Der Logiker Clifford hat nachgewiesen, daß das griechische αιτια in mindestens 20 verschiedenen Bedeutungen vorkommt, unter denen aber grundlegend sind die beiden Bedeutungen Ursache und Schuld. Ob man einer Person oder Sache die logische oder moralische Verantwortung zuschreibt, das läßt sich ursprünglich nicht unterscheiden. Die lateinische Sprache kennt zwar die klare Unterscheidung von Sachgrund und Vernunftgrund, causa und ratio (sie war ja auch von früh an die Sprache der Juristen), aber innerhalb von causa ist nicht zu unterscheiden, ob logischer Zusammenhang oder moralische Folge festgestellt werden soll, und indem ich z. B. auch ein Motiv »causa« nenne, etwa Rachsucht bezeichne als die »Ursache« des Mordes, tritt jene Moralisierung des Kausalverhältnisses an das Licht, die mir für alle orientalischen Sprachen kennzeichnend zu sein scheint. Ich entdecke diese Vermoralisierung der Kausalbeziehung vor allem im Chinesischen. Hier scheint Schuld und Ursache ohne weiteres dasselbe zu sein. Wenn Kung-Fu-Tse sagt, daß die Ursache des Unglücks die Sünde sei, daß man, um eine gute

Ernte zu erzielen, nicht den Pflug verbessern, sondern seine Eltern ehren müsse, daß man einen Brand besser als durch Feuerspritzen lösche durch das Erweisen guter Taten, so zeigt sich klar diese merkwürdige, für das chinesische Denken kennzeichnende Vermoralisierung aller natürlichen Zusammenhänge. Das Volk konnte den Kaiser absetzen, wenn der Staat Unglück hatte; der Gedankengang war dieser: »die Geschicke der Welt sind abhängig von der Moral der Menschen. Sind alle Moralgebote erfüllt, dann muß Glück der Erfolg sein. Kommt Unglück, so ist das ein Zeichen, daß in der Erfüllung der Moral etwas haperte. Der Kaiser ist der Repräsentant des Volkes. Er haftet für treue Erfüllung der Riten und Gebote; zeigt sich, daß er der Haftpflicht nicht genügt, so muß, um das Unglück zu wenden, ein anderer Herrscher eingesetzt werden.« Derselbe Gedankengang berechtigt noch heute den frommen chinesischen Bauern, seinen Hausgott bei schlechter Ernte zu prügeln. Der Gedankengang ist: »ich habe alle Gebote erfüllt, für die Du meinem Hause Schutz schuldest, gibt Du mir ihn nicht, so kann ich mein reines Gewissen dadurch beweisen, daß ich die Schuld auf Dich schiebe und Dich strafe.« Dieser Vorgang des Haftbarmachens ist kennzeichnend für die einfache Denkökonomie naiver Menschen. Wir dürfen aber nicht glauben, daß diese animistische Kausalität jemals erloschen ist. Wir sagen auch heute noch im Deutschen: »er ist schuld daran«, um die Ursache zu bezeichnen. Was ist wohl schuld daran, daß es regnet, was ist schuld an meinem Kopfschmerz? Du bist selber schuld daran, daß es dir nicht besser geht! Ein Arzt, der an einer Afrikaexpedition teilnahm, berichtet, daß er bei einem Gange durch ein Negerdorf von einem unbekannten Schwarzen überfallen und mißhandelt wurde. Die Nachforschung ergab, daß der betreffende Mann Zahnschmerzen hatte, als der Weiße an seiner Hütte vorbeikam. Er sah nun das Erscheinen des weißen Mannes an als die Ursache seines Zahnwehs und reagierte auf der Stelle. Dies ist nur ein besonders krasses Beispiel für den logischen Kurzschluß, den wir überall im Volke finden. Ein Fremder hat einen Säugling betrachtet, der bald darauf erkrankt. Man folgert daraus, daß der Fremdling den »bösen Blick« hatte.

Diese Ökonomie des moralischen Schuldgebens ist die primitivste Befriedigung unseres Bedürfnisses nach Weltordnung und Welterklärung.

III.

Ich gehe nun einen Schritt weiter und zeige die Anwendung auf die Rechtswissenschaft. Überall dort, wo etwas Störendes, Unangenehmes, Unbequemes, Ungewohntes, Beunruhigungbringendes in unser Leben tritt, da versuchen wir alle zunächst mit dieser sehr einfachen Denkökonomie, des logisch-moralischen Schuldsuchens auszukommen. Wir drehen und wenden die Tatsache so lange, bis wir das Störende belastet und damit uns selber entlastet haben. Meine kleine Tochter weint, weil sie sich an einem Stein gestoßen hat. Meine Nichte hat den Schnupfen, weil sie, vom Tanze erhitzt, vor einem offenen Fenster gesessen hat. Mein Sohn bringt ein schlechtes Zeugnis heim und wird nicht versetzt werden. Lauter hemmende Tatbestände für das Familienleben. Wie entledige ich mich der Störung? Zunächst schelte ich meine Tochter für ihre Dummheit: »Warum siehst du dich nicht vor? Du konntest doch sehen, daß der Stein im Wege liegt!« Sodann schelte ich meine Nichte: »Wie kann man so dumm sein, nach einem Tanze vor das offene Fenster in die Zugluft zu treten?« Schließlich schelte ich den Sohn, »Du bist wieder mal faul und unaufmerksam gewesen.« Damit ist das Störende für mich erledigt, ich durchchaue nicht meine denkökonomischen Finten; für das Stolpern könnte ich den Stein so gut verantwortlich machen wie das Kind. Ich könnte für den Schnupfen der Nichte auch meine Frau verantwortlich machen, die, bereits erkältet, Ansteckungsstoffe ins Haus brachte. Ich könnte auch die Bakterien oder den Nachtwind verantwortlich machen oder den allzu stürmischen Tanzherrn, der das Mädchen so erhitzte; für das schlechte Zeugnis meines Sohnes braucht nicht dessen Trägheit verantwortlich zu sein, sondern schuld ist vielleicht von mir ererbte Dummheit oder das Schulsystem oder die Unfähigkeit der Lehrer oder verkehrte Behandlung zu Hause. Aber ich fälle ja mein Urteil gar nicht, um Zusammenhänge zu ergründen. Ich fälle es überhaupt nicht um meiner Tochter oder um meines Sohnes willen. Ich fälle es ausschließlich zu meiner eigenen Beruhigung. Kann ich aber zu dem Störenden sagen: »Du bist selber schuld daran (und ich kann, wenn ich mir dazu Mühe gebe, das immer sagen), so bin ich beruhigt und kann in Frieden meine Zigarre anstecken. Genau so verfahren wir als Richter! Wir fällen nicht Urteile um des Angeklagten willen, sondern um uns selber willen. Wir wünschen durchaus nicht Zusammenhänge zu erkennen, sondern wir wünschen den Punkt zu finden, an dem wir sagen können: »Du bist schuld daran«, worauf der Denkökonomie genügt ist und wir uns beruhigen. Das Verfahren bei Gericht ist allemal dies, daß ein Tatbestand so lange her und hin gewendet wird, bis der Punkt erreicht ist, an dem wir sagen können: »Hättest du damals nicht...« oder: »Hättest du das und das vermieden.« »Du bist selber schuld, wirst bestraft und der störende Fall ist erledigt.« Was nun ist mit diesem Moralakt erreicht? Was ist gebessert? Nur unsere eigene Stimmung, indem wir uns von einer die bestehende Lebensordnung störenden Gewalt befreit fühlen! – Ich glaube nun aber, daß dieser logische Kurzschluß des Schuldsuchens nur die erste Stufe einer langen Rechtsentwicklung ist. Es gibt »Epochen der Schuld«, die diese primitive Stufe der Rechtsauswertung weit hinter sich lassen. Ich verweise auf die Untersuchungen über eine reine Ethik und reines Recht, die ich als Studien zur Wertaxiomatik bezeichnet habe (2. Auflage bei Felix Meiner in Leipzig). Der § 13 meines Buches bietet eine Skizze der Rechtsentwicklung. Ich gebe an dieser Stelle einige Andeutungen.

IV.

Der große Vorschritt ist getan, sobald der Vorgang des Schuldzuschiebens entgiftet ist. Es kommt nicht mehr darauf an, eine Ruhe zerbrechende Tat zu rächen. Es kommt darauf an, die Determinierungen des Ereignisses festzustellen. Auch bei dieser objektiven Auswertung wird freilich noch nach »persönlicher Schuld« gesucht. Aber es werden doch auch die Umstände und somit die schicksalsmäßige Notwendigkeit des Geschehnisses aufgedeckt. Es ist heute zumal die Aufgabe der Anwaltschaft, daß sie diese Bedingtheiten des Geschehnisses enthüllt. Sie verhindert, daß ein Mensch aus einem einzigen Faktum seiner Lebenslaufbahn heraus charakterisiert wird, und daß man einen einzelnen Akt aburteilt anstatt eines Menschen, der diese eine strafbare Tat unter vielen anderen Taten gewollt hat. Herkunft, Jugend, Erziehung, Umwelt werden berücksichtigt, und indem das geschieht, kann die Schuld weiter zurückgeschoben werden und muß weit mehr Instanzen durchlaufen, als bei dem logischen Kurzschluß des laienhaften Urteils. Noch ein Schritt weiter, und wir sind schon bei der soziologischen oder biologischen Auswertung des Deliktes. Das alte Wort »alles verstehen, heißt alles verzeihen« hat nun freilich nimmermehr den Sinn, daß wir Übeltäter freisprechen und laufen lassen, sondern besagt nur, daß wir ohne Feindseligkeit Strafen verhängen, ähnlich wie wir Tiere domestizieren oder Kinder erziehen. Wieder ein Schritt weiter, und wir machen nicht mehr die persönliche Lebenslinie, die Vorgeschlechter, die erbliche Belastung verantwortlich, sondern wir kommen bereits zu der Überzeugung, daß auch die Gesellschaft und ihre Wirtschaftsordnung mitschuldig sind, aus welcher Verbrechen oder Laster hervorgehen müssen, gerade so wie Tugenden und Werte aus ihr hervorgehen. Ja, wir durchschauen bereits, daß alles Unethische das unvermeidliche Gegenstück des Ethischen ist, und daß die Übertretungen gerade darum da sind, weil es Gebote gibt. Stehen wir erst auf dieser Stufe, so ist Schuld nicht mehr ein einzel-psychologischer, sondern ein sozial-psychologischer Begriff geworden. Diese Einsicht ist aber in allen Völkern schon sehr frühe durchgebrochen; man braucht sich nur zu erinnern an jene kollektive Haftbarkeit in allen Kulturen, die für die Übertretungen von seiten eines Einzelnen die Sippe, den Stamm, die Stadt, ja, das ganze Volk haftbar machte. Auch die unausrottbare Sitte der Blutrache und Talion bricht aus ähnlichen Erkenntnissen und ist oft viel minder primitiv, wie jener logische Kurzschluß, der nur die Einzeltat kennt. Eines der tiefsten und ergreifendsten Beispiele für die Erkenntnis der Gemeinschaftsschuld bietet das alte Judentum, welches verfügt, daß wenigstens an einem Tage des Jahres innerhalb der

Gemeinde jeder sich mit jedem aussöhne und jeder die Schuld jedes anderen auf sich nehmen müsse. Die Ablegung des kollektiven Schuldbekenntnisses am Versöhnungstage, das sogenannte Widduj, welches der Geistliche als Vertreter der Gesamtheit abzulegen hat und wodurch auch der Unschuldigste sich für den Schuldigsten mit verantwortlich bekennt, ist ein schönes Beispiel für die höhere Stufe des Rechtsgewissens. – Wohin nun aber dieser Wechsel der Epochen steuern muß, das liegt, glaube ich, auf der Hand. Wie alles Schuldsuchen anhebt beim Ich des Angeklagten, so endet es auf dem Wege des Schuldsuchens bei Gattung, Gesellschaft und schließlich der ganzen Menschheit, notwendig wieder im einzelnen Ich; nunmehr aber am entgegengesetzten Pole: dem Ich des Richtenden. Der Gipfel der Rechtspflege (so paradox das klingt) wäre dann erreicht, wenn der Richter die Tat des Angeklagten wie seine eigene Schuld empfindet. Denn jede ethische Auswertung endet ganz notwendig immer im Ich des Menschen. Das tiefe Symbol dafür ist die christliche Sühne und Heilslehre, das Aufsichnehmen der Schuld aller durch den sittlich höchsten Menschen, der sein eigenes Blut hingibt als Sühne für alle. Zuletzt also gilt immer der Satz: »Jeder ist schuldig an jedem!« Damit aber schließt sich der Ring und kehrt sich der auf den Schuldigen gerichtete Pfeil gegen seine Richter. Wenn man heute die Möglichkeit dieses höchsten, bisher nur als religiöses Symbol vorgeschauten Richtertums bezweifelt, so möge man wohl bedenken, daß dieser Übergang der Rechtspflege in ein Selbstrichtertum ja nicht nur für den Richter, sondern ebenso auch für den Angeklagten gelten muß. Eine Epoche des Schuldbegriffs, in welcher der Richter die zu beurteilende Tat als eigenste Schuld empfindet, setzt ja auch schon voraus Angeklagte, die befähigt sind, die Selbstsühne als ein Recht zu fordern und vor dem eigensten Gewissen sich selbst die Strafe zu bestimmen. Ich bin optimistisch genug, zu glauben, daß im Menschen ein ganz untrügliches instinktives Schuldbarometer angelegt ist, welches in Form hemmender oder fördernder Gefühle anzeigt, wie weit bei einer Tat das eigenste Ich, wie weit die Mitschuld der Welt entscheidend war. Die letzte Stufe der Rechtsethik hätte zu fordern, daß das eigenste Gewissen die Strafe feststelle. Ein Ansatz dazu bestand bereits in der antiken Rechtspflege: jedem Angeklagten wurden eigentlich zwei Prozesse gemacht; bei dem ersten hatten die Richter nur ganz allgemein zu entscheiden über Schuldig oder Nichtschuldig. War im ersten Prozesse schuldig gesprochen, so begann vor einem anderen Gerichtshof ein zweiter Prozeß zwecks Festsetzung des Strafmaßes. Zwischen beiden Prozessen lag eine Art Selbsteinschätzung des Angeklagten, dieser konnte sich selber eine Strafe bestimmen und als Sühne anbieten. Dem zweiten Gerichtshof war es dann überlassen, zu entscheiden, ob die Selbsteinschätzung des Verurteilten als annehmbar und angemessen zu gelten habe. – Wir können die beiden Zielpunkte der Rechtspflege aufs klarste schon heute entnehmen aus den Schriften eines großen Kriminalpsychologen. Ich meine die Schriften Dostojewskis. Als ein schwer belasteter Mensch voll verbrecherischer Anlagen wurde Dostojewski, der sein halbes Leben unter Verbrechern verbrachte, dank einer ungeheuren psychologischen Intelligenz der feinste Zerfaserer aller Schuld- und Sühneerlebnisse. Er zeigt in Raskolnikow den Verbrecher, der sein eigener Richter und Henker wird: »knie nieder, küsse die Erde, sprich: ich habe dich befleckt und will bestraft sein«. Dieser Mensch drängt zur Strafe und hat sicheren Instinkt für die seiner Schuld angemessene Art und für das Maß der Strafe. Ihm könnten die Richter ruhig überlassen, gleich Sokrates sich die Strafe selbst zu bestimmen. Andererseits zeigt den Gipfel des Richtertums der Starost Sosima in den »Brüdern Karamasoff«, welcher vor den Schuldigen demütig niederkniet, weil er ihre Tat als eigene Schuld empfindet gemäß seiner letzten Erkenntnis: »Jeder ist schuldig an jedem und ich bin der Schuldigste von allen.« Diese beiden Pole, der Verbrecher, der sich selber richtet, und der Richter, der die Schuld auf sich nimmt, zeigen das im Unendlichen liegende Ziel der zur Sozialethik gewordenen Rechtspflege. Heute aber leben wir zweifellos noch in der ersten Epoche der Schuld; wir kehren den Staub unter die Schränke und glauben nicht mehr an ihn, wenn wir ihn nicht mehr sehen. Wir richten über die Schlange und schließen die Augen vor dem Sumpf, der die Schlange geboren hat. Wir beseitigen das Unangenehme, indem wir ihm die Schuld zuschieben; dann sind wir die Pein los und können vergessen, daß es mancherlei Probleme gibt, über welche nachzudenken auch für praktische Juristen lohnend wäre.

[1926]

Editorischer Bericht

Die vorliegende Edition ist der zweite Band einer kommentierten Leseausgabe der Schriften Theodor Lessings. Sie bringt die Texte nach der Erstausgabe bzw. nach Zeitungs- und Zeitschriftendrucken. Originalmanuskripte, von denen nur wenige sich erhalten haben, konnten dabei unberücksichtigt bleiben. Die Texte wurden auf falsche Schreibweisen, Zahlenangaben und fehlende bzw. unvollständige Quellenangaben und Zitate durchgesehen. Der bei Zeitungsveröffentlichungen bekanntlich hohe Anteil an Setz- bzw. Druckfehlern wurde durch stillschweigende Korrektur getilgt. Zum besseren Verständnis der Texte werden im Anhang alle die Ereignisse, Personen und Anspielungen erklärt, die nicht ohne weiteres jedem gegenwärtig sein können. Zitate werden in der Regel nachgewiesen; wo es sinnvoll erschien, ist weiterführende Literatur angegeben.

Die im zweiten Teil des Buches abgedruckten Gerichtsreportagen über Mordprozesse der zwanziger Jahre sowie die psychologischen, justizkritischen und rechtsphilosophischen Essays erscheinen hier erstmals in Buchform. Der sachliche Zusammenhang mit dem Fall Haarman legt es nahe, diese weniger monströsen, in den meisten Fällen jedoch nicht weniger spektakulären Prozesse um Sexualität und Verbrechen mit Theodor Lessings psychologischen Gerichtsfeuilletons zu dokumentieren.

1 *Die Aasgeier der Haarmannaffäre.* Zit. n. *Göttinger Tagblatt* v. 26.8.1924, in: Niedersächsiches Hauptstaatsarchiv Hannover, NHStAH: Hann. 155 Nr. 864a. Umfaßt die psychiatrischen *Vernehmungsprotokolle* zum Fall Haarmann, Landesheil- und Pflegeanstalt Göttingen, dem heutigen Landeskrankenhaus, sowie Auszüge aus den Polizei- und Gerichtsakten, eine Sammlung von Briefen und eine Pressemappe.

2 *Göttinger Zeitung* v. 28.9.1924. Zit. n. NHStAH: Hann. 155 Nr. 864a.

3 Zit. n. *Göttinger Tagblatt* v. 30.7.1924, in: NHStAH: Hann. 155 Nr. 864a.

4 B. Kreutzahler, *Das Bild des Verbrechers in Romanen der Weimarer Republik. Eine Untersuchung vor dem Hintergrund anderer gesellschaftlicher Verbrecherbilder und gesellschaftlicher Grundzüge der Weimarer Republik*, Frankfurt/M. 1987, 92.

5 Reichel, in: *Deutsche Juristen-Zeitung*, 31. Jg. (1926), H. 5, 355.

6 Th. Lessing, *Geschichte als Sinngebung des Sinnlosen*, München 1919, 266.

7 Th. Lessing, *Das Lazarett*, in: *Prager Tagblatt* v. 7.3.1929. Jetzt in: Th. Lessing, *Ich warf eine Flaschepost ins Eismeer der Geschichte. Essays und Feuilletons.* Herausgegeben und eingeleitet von R. Marwedel, Frankfurt/M. ²1989, 369–373 (373).

8 Th. Lessing, *Feind im Land. Satiren und Novellen*, Hannover 1923, 81.

9 Th. Lessing, *Europa und Asien*, 5., völlig neu gearbeitete Auflage, Leipzig 1930, 70.

10 A.a.O., 61.

11 K. Tucholsky, *Les Abattoirs*, in: ders., *Gesammelte Werke in 10 Bänden*, Bd. 4 (1925–1926), Reinbek 1987, 205–208 (208).

12 Th. Lessing, *Europa und Asien*, a.a.O., 238, 184.

13 Th. Lessing, *Geschichte als Sinngebung des Sinnlosen oder die Geburt der Geschichte aus dem Mythos*, 4., völlig umgearbeitete Auflage, Leipzig 1927, 223.

14 Th. Lessing, *Der Massenmörder*, in: *Das Lazarett*, Artikelfolge aus dem *Prager Tagblatt* (1929). Jetzt in: Th. Lessing, *Ich warf eine Flaschenpost...*, a.a.O., 354–386 (369–371), 370f.

15 Th. Lessing, *Geschichte als Sinngebung...*, Leipzig 1927, 188, 183.

16 *Haarmann-Vernehmungsprotokolle:* »mit den besten Jahren wird mein kleiner Mann nicht mehr steif und dann lernte ich das Küssen und das geht gut bei allen Geschlechtsverkehr ist Küssen das beste«, in: NHStAH: Hann. 155 Nr. 864a (schriftliche Aussage Haarmanns); vgl.

W. Riese, *Der Fall Haarmann,* in: ders., *Das Triebverbrechen. Untersuchungen über die unmittelbaren Ursachen des Sexual- und Affektdeliktes sowie ihre Bedeutung für die Zurechnungsfähigkeit des Täters,* Bern 1933, 26–33 (31).

17 Zit. n. H. O. Lange, *Fritz Haarmann. Der Würger von Hannover. Kriminalreportage,* Hannover 1960, 72.

18 A.a.O., 87.

19 Vgl. A. Wetzel, *Über Massenmörder. Ein Beitrag zu den persönlichen Verbrechensursachen und zu den Methoden ihrer Erforschung,* Berlin 1920, 45–49; F. Bauer, *Das Verbrechen und die Gesellschaft,* München/Basel 1957, 65–68.

20 Zit. n. H. O. Lange, *Fritz Haarmann...,* a.a.O., 102.

21 Zit. n. Kriminaldirektor Polke, *Der Massenmörder Denke und der Fall Trautmann. Ein Justizirrtum,* in: *Archiv für Kriminologie,* Bd. 95 (1934), H. 1.2., 8–30 (19).

22 Vgl. die *Haarmann-Vernehmungsprotokolle,* in: NHStAH: Hann. 155 Nr. 864a (30.8.1924; 2.9.1924; 10.9.1924).

23 Zit. n. H. v. Hentig, *Zwei Morde auf kannibalistischer Grundlage,* in: *Kriminalistik,* 11. Jg. (1957), H. 1, 10–12 (11, Anm. 11).

24 A.a.O., 12.

25 Vgl. F. Werremeier, *Bin ich ein Mensch für den Zoo? Der Fall Jürgen Bartsch: Bericht über vier ermordete Kinder und den Jugendlichen, der sie getötet hat,* Wiesbaden 1968; R. Schübel, *Jürgen Bartsch – Nachruf auf eine ›Bestie‹. Dokumente – Bilder – Interviews,* Essen 1984.

26 Vgl. J. Nolte, *Schuldunfähig wegen seelischer Abartigkeit? / Betrifft: Honka, Fritz, wegen Mordes,* in: *DIE ZEIT* v. 29.11.1976; M. Fritzen, *Das letzte Stadium eines Menschen / Fragen über Fragen im Prozeß gegen Fritz Honka,* in: *FAZ* v. 18.12.1976; L. Bewerunge, *Lebenslange Freiheitsstrafe für Joachim Kroll / Achtfacher Mord / Schwer gestörter Triebtäter, zugleich planmäßig vorgehender Mörder / Jagd nach Frauen und Kindern,* in: *FAZ* v. 10.4.1982.

27 F. Bauer, *Das Verbrechen...,* a.a.O., 67f.

28 Vgl. F. Hartung, *Jurist unter 4 Reichen,* Köln 1971, 73.

29 Zit. n. *Sittengeschichte des Zweiten Weltkrieges.* Die tausend Jahre von 1933–1945. In Fortsetzung der von Sanitätsrat Dr. Magnus Hirschfeld... verfaßten ›Sittengeschichte des Ersten Weltkrieges‹. Unter Mitarbeit von Dr. A. Gaspar u.a., Hanau o.J. [1981], 322–327 (326).

30 Vgl. G. L. Mosse, *Nationalismus und Sexualität. Bürgerliche Moral und sexuelle Normen,* Reinbek 1987, 38f., 173–178, 183, 229.

31 Th. Lessing, *Kritisches zur Psychoanalyse,* in: *Biologische Heilkunst,* 13. Jg. (1932), Nr. 23, 361f.; Nr. 24, 385f.; Nr. 25, 403f.; hier Nr. 23, 360;

vgl. E. H. Ackerknecht, *Kurze Geschichte der Psychiatrie,* Stuttgart 1957, 57–94.

32 M. Hirschfeld, *Warum Haarmann mordete,* in: *Neue Berliner Zeitung. Das 12 Uhr Blatt* v. 16.12.1924. Zit. n. NHStAH: Hann. 155 Nr. 864a.

33 *Haarmann-Vernehmungsprotokolle,* in: NHStAH: Hann. 155 Nr. 864a (6.8.1924).

34 A.a.O. (25.8.1924).

35 *Ärztliches Gutachten* v. 1.10.1924, in: NHStAH: Hann. 155 Nr. 864a.

36 Sanitätsrat Mönckemöller, *Fall Haarmann und Irrengesetz,* in: *Hannoverscher Kurier* v. 24. 8. 1924, Beilage. Zit. n. NHStAH: Hann. 155 Nr. 864a.

37 R. Herbertz, *Verbrecherdämmerung. Psychologische Deutung und weltanschauliche Perspektiven der jüngsten Mordfälle Haarmann, Angerstein, Denke usw.,* München 1925, 27, 25.

38 Zit. n. NHStAH: Hann. 155 Nr. 864a.

39 S. Friedländer, *Der Massenmörder Haarmann. Psychologische Bedenken und Erwägungen,* in: *Die Umschau,* 24. Jg. (1925), H. 3, 46–48 (48). Zit. n. NHStAH: Hann. 155 Nr. 864a.

40 *Haarmann-Vernehmungsprotokolle,* in: NHStAH: Hann. 155 Nr. 864a (29.6.1924).

41 A.a.O. (20.8.1924).

42 A.a.O. (14.9.1924).

43 Vgl. F. Alexander / H. Staub, *Der Verbrecher und sein Richter. Ein psychoanalytischer Einblick in die Welt der Paragraphen,* Wien 1929. Hier zit. n. *Psychoanalyse und Justiz* (Theodor Reik, *Geständniszwang und Strafbedürfnis;* F. Alexander / H. Staub, *Der Verbrecher...*), mit einer Einleitung hrsg. v. T. Moser, Frankfurt/M. 1974, 283f.

44 Vgl. H. Lungwitz, *Psychoanalyse und Kriminalität,* in: *Archiv für Kriminologie,* Bd. 77 (1925), 304–306; 309–311; J. Nohl, *Die kriminalistische Bedeutung der Psychoanalyse,* in: *Archiv für Kriminologie,* Bd. 77 (1925), 306–309; F. Alexander, *Psychoanalytische Gutachten vor Gericht,* in: *Internationale Zeitschrift für Psychoanalyse,* Bd. 11 (1925); H. Prinzhorn, *Psychoanalyse und Rechtsprechung,* in: *Deutsche Richterzeitung* (1926), 298ff.; P. Schilder, *Die Psychoanalyse in der Rechtsprechung,* in: *Monatsschrift für Kriminalpsychologie und Strafrechtsreform,* Bd. 19 (1928), 474; Höpler/Schilder, *Suggestion und Strafrechtswissenschaft,* Wien 1926; H. Coenen, *Strafrecht und Psychoanalyse,* Breslau 1929.

45 Es war der Philosophie- und Psychologieprofessor R. Herbertz. Vgl. R. Herren, *Freud und die Kriminologie. Einführung in die psychoanalytische Kriminologie,* Stuttgart 1973, 48, 155f.

46 A. Hellwig, *Psychoanalyse und Strafrechtspflege,* in: *Juristische Rundschau,* 6. Jg. (1930), Nr. 12, 133ff.; Nr. 13, 146ff.; Nr. 14/15, 160ff.;

Nr. 16/17, 173ff.; *E. Mezger, Die Bedeutung der Psychoanalyse für die Rechtspflege*, in: H. Prinzhorn (Hrsg.), *Krisis der Psychoanalyse*, Bd. 1, Leipzig 1928, 360; ders., *Psychoanalyse und strafrechtliche Schuld*, in: *Schweizerische Zeitschrift für Strafrecht*, 44 Jg. (1930), 185–193; E. Hafter, *Psychoanalyse und Strafrecht*, in: *Schweizerische Zeitschrift für Strafrecht*, 44. Jg. (1930), 1–18; H. Sachs, *Strafrichter und Psychoanalyse*, in: *Juristische Rundschau*, 6. Jg. (1930), Bd. 1, 85 ff.; P. E. Fränkel, *Psychoanalyse und Strafrechtspflege*, in: *Juristische Wochenschrift*, 61. Jg. (1932), 3311 ff.; natürlich beteiligten sich auch die Kriminologen an dieser Diskussion. Vgl. G. Bohne, *Die strafrechtliche Verwertbarkeit der Psychoanalyse*, in: *Deutsche Juristen-Zeitung*, 32. Jg. (1927), H. 13, 919–923: »Die Juristen, insbes. auch die Kriminalisten, haben diesen Untersuchungen und ihren Ergebnissen bisher kaum irgendwelches Interesse entgegengebracht.« (919); H. W. Gruhle, *Die Psychoanalyse in der Rechtsprechung*, in: *Monatsschrift für Kriminalpsychologie und Strafrechtsreform*, Bd. 19 (1928), 475 ff.; in dem Sonderheft der Zeitschrift *Imago* zum Schwerpunktthema Kriminologie ragen die Beiträge von H. Staub heraus: H. Staub, *Psychoanalyse und Strafrecht*, in: *Imago*, Bd. 17 (1931), H. 2 (Sonderheft), 194–216; ders., *Einige praktische Schwierigkeiten der psychoanalytischen Kriminalistik*, in: *Imago*, Bd. 17 (1931), H. 2 (Sonderheft), 217–225; ein abschreckender Vertreter der Kriminologie ist R. Heindl, *Der Berufsverbrecher. Ein Beitrag zur Strafrechtsreform*, Berlin 1927. Vgl. dazu K. Tucholsky, *Ein Schädling der Kriminalistik*, in: ders., *Gesammelte Werke in 10 Bänden*, Bd. 6 (1928), 180–190. Sowie E. Wulffen, *Kriminalpsychologie. Psychologie des Täters*, Berlin 1926, der in seine Ausführungen praktische Hinweise für ein Strafgesetz zur *Vernichtung lebensunwerten Lebens* (428) eingeflochten hat. Zum Widerstand der Juristen gegen die Psychologie und Psychoanalyse vgl. P. Reiwald, *Die Gesellschaft und ihre Verbrecher*, Frankfurt/M. 1973 [zuerst Zürich 1948], 65–77, mit weiterführender Literatur.

47 H. Sachs, *Strafrichter und Psychoanalyse*, in: *Juristische Rundschau*, 6. Jg. (1930), Bd. 1, Nr. 8, 85–89 (85).

48 Das Berliner Psychoanalytische Institut begann damit Anfang 1930, der Arzt F. Alexander und der Rechtsanwalt H. Staub waren die Initiatoren dieser kriminalistisch-psychoanalytischen Arbeitsgemeinschaft.

49 K. Kraus, *Gerichtspsychiatrie*, in: ders., *Sittlichkeit u. Kriminalität*, München 1970, 293–297; exempl. für die schroffe Ablehnung d. Psychoanalyse durch die Psychiatrie vgl. G. Aschaffenburg, *Psychoanalyse u. Strafrecht*, in: *Süddeutsche Monatshefte*, H. 28 (2931), 793 ff.; s. a. den Haarmann-Psychiater E. Schultze, *Psychiatrie u. Strafrechtsreform*, Berlin 1922.

50 Vgl. P. Eschweiler (Hrsg.), *Psychoanalyse und Strafrechtspraxis*, König-

stein/Ts. 1979; H. Becker-Toussaint u. a., Aspekte der psychoanalytischen Begutachtung im Strafverfahren, Baden-Baden 1981; S. Barton, *Der psychoanalytische Sachverständige im Strafverfahren,* Heidelberg 1983; M. Muck, *Berührungspunkte und Divergenzen der Denkstrukturen von Psychoanalyse und Justiz,* in: K. Menne (hrsg.), *Psychoanalyse und Justiz. Zur Begutachtung und Rehabilitation von Straftätern,* Baden-Baden 1984, 11–12.

51 Vgl. A. Langelüddeke, *Gerichtliche Psychiatrie,* Berlin 1971; A. Langelüddeke / P. H. Bresser, *Gerichtliche Psychiatrie,* 4., völlig neubearbeitete Auflage, Berlin 1976; H. Göppinger / H. Witter (Hrsg.), *Handbuch der forensischen Psychiatrie,* 2 Bde., Berlin 1972; W. Sluga, *Geisteskranke Rechtsbrecher. Forensische Psychiatrie und Strafrechtspflege,* Wien/München 1977; J. Glatzel, *Forensische Psychiatrie. Der Psychiater im Strafprozeß,* Stuttgart 1985; H. Witter (Hrsg.), *Der psychiatrische Sachverständige im Strafrecht,* Berlin 1987; kritisch: T. Moser, *Repressive Kriminalpsychiatrie. Vom Elend einer Wissenschaft. Eine Streitschrift,* Frankfurt/M. 1971; F. Päfflin, *Vorurteilsstruktur und Ideologie psychiatrischer Gutachten über Sexualstraftäter,* Stuttgart 1978; F. Langegger, *Doktor, Tod und Teufel. Vom Wahnsinn und von der Psychiatrie in einer vernünftigen Welt,* Frankfurt/M. 1983.

52 F. J. Sulloway, *Freud. Biologe der Seele. Jenseits der psychoanalytischen Legende,* Köln-Lövenich 1982, 635f.

53 Th. Lessing, *Rezension* von W. Salewski, *Die Psychoanalyse Sigmund Freuds. Grundlagen und Konsequenzen,* Stuttgart 1931, in: *Biologische Heilkunst,* 13. Jg. (1932), Nr. 18, 296; ders., *Wir psychoanalysieren einander,* in: *Prager Tagblatt* v. 17.6.1928. Jetzt in: Th. Lessing, *Ich warf eine Flaschenpost ins Eismeer der Geschichte. Essays und Feuilletons.* Herausgegeben und eingeleitet von R. Marwedel, Frankfurt/M. ²1989, 137–141.

54 Th. Lessing, *Leerlauf des Willens,* in: *Prager Tagblatt* v. 19.7.1932.

55 Th. Lessing, *Über Symbolik des Hymens,* in: *Biologische Heilkunst,* 12. Jg. (1931), Nr. 5, 89f. (90).

56 Th. Lessing, *Monomania erotica Freudiana,* in: *Die Gegenwart,* Nr. 46 (1911), 769–773 (772).

57 Vgl. A. Pfabigan, *Karl Kraus und der Sozialismus. Eine politische Biographie,* Wien 1976, 109–113.

58 I. Claßen, *Darstellung von Kriminalität in der deutschen Literatur, Presse und Wissenschaft 1900 bis 1930,* Frankfurt/M. 1988, 254–283.

59 A. Döblin, *Berlin Alexanderplatz. Die Geschichte vom Franz Biberkopf,* Olten/Freiburg i. Br. 1977, 499. Dagegen ist die oft fast wörtliche Adaption des Haarmann-Buches in den historischen Roman von K. J. Hirsch, *Kaiserwetter,* Berlin 1931, nicht überzeugend.

60 A.a.O., 237.

61 H. Staub, *Psychoanalyse und Strafrecht,* in: *Imago*, Bd. 17 (1931), H. 2 (Sonderheft Kriminologie), 194–216 (203).

62 A.a.O., 204.

63 A. Döblin, *Berlin Alexanderplatz* ..., a.a.O., 477.

64 A.a.O., 489.

65 A. Döblin, *November 1918,* 4 Bde., München 1978.

66 A. Döblin, *Friedells ›Kulturgeschichte‹*, in: *Die Weltbühne*, 23. Jg. (1927), 2. Halbjahr, Nr. 52, 966–970 (966); vgl. über die Spurenelemente von Theodor Lessings Geschichtstheorie in Döblins Romanen: A. Wickert, *Alfred Döblins Historisches Denken,* Stuttgart 1978, 177, 190, 204, 208, 216, 241.

67 A. Döblin, *November 1918*, Bd. 3: *Heimkehr der Fronttruppen,* München 1978, 358.

68 A. Döblin, *Berlin Alexanderplatz* ..., a.a.O., 387.

69 A. Döblin, *November 1918*, Bd. 4: *Karl und Rosa,* München 1978, 592f.

70 A. Döblin, *Berlin Alexanderplatz* ..., a.a.O., 291.

71 Th. Lessing, *Leerlauf des Willens,* in: *Prager Tagblatt* v. 19. 7. 1932; vgl. auch Th. Lessing, *Europa und Asien,* 5., völlig neu bearbeitete Auflage, Leipzig 1930, 111f.: »Nun aber zeigt die Natur, [...] daß ein Geschlechtstrieb ebenso wenig wie ein Freßtrieb vereinzelt auftritt, außer denn im Zustande der Not. [...] Hat aber ein solches Nacktwerden von Trieben stattgefunden, dann allerdings kann dieser letzte Rest von Natur zum allesbesetzenden Alleinbeherrscher über das gesamte Leben sich aufwerfen, und es ist die Frage, ob wir nicht Alles, was wir Krankheit, wie auch Alles, was wir Verbrechen nennen, erläutern müssen als ein solches Heraustreten und hypertrophes Nacktlaufen eines abgesplitterten Teillebens. [...] Sicher scheint mir, daß solche nackte Abdrängung von Triebimpulsen nie auftritt ohne Not und daß die abnormalen Bedingungen solcher Not stets gegeben sind in folgenden Fällen: 1. Beim verhäuslichten Tier. 2. Bei jedem der Freiheit beraubten Geschöpf. 3. Beim seele- und naturverarmten, bild- und traumlosen Menschen der Großstadt.«

72 F. C. Heidelberg, *Justizreportage. Journalistische Ziele und juristische Schranken,* Heidelberg 1932, 42–45, 78–80.

73 E. E. Noth, *Erinnerungen eines Deutschen,* Düsseldorf 1971, 104; vgl. auch Sling, *Mordprozeß Krantz,* in: ders., *Richter und Gerichtete.* Neu eingeleitet und kommentiert von R. M. W. Kempner, München 1969, 19–44; E. Frey, *Ich beantrage Freispruch. Aus den Erinnerungen des Strafverteidigers Prof. Dr. Dr. Erich Frey,* Hamburg 1959, 269–384; P. E. Marcus (PEM), *Heimweh nach dem Kurfürstendamm. Aus Berlins glanzvollsten Tagen und Nächten,* Frankfurt/M.-Berlin 1986, [zuerst Berlin 1962], 97–103.

74 Gemeint sind die beiden Antworten auf die in den zwanziger Jahren sehr beliebten Rundfragen bei Prominenten über Themen der Zeit: *Karl Magnus Hirschfeld zum 60. Geburtstag*, in diesem Band S. 265 f., und *§ 297: Gewerbsmäßige Unzucht*, in diesem Band S. 267 f; siehe auch H.-G. Stümcke, *Homosexuelle in Deutschland. Eine politische Geschichte*, München 1989, 76.

75 Vgl. in diesem Band den Text *Revolte im Zuchthaus* S. 261 ff.

76 Vgl. *DER SPIEGEL*, Nr. 31 v. 25.7.1977, 75 f.: *Hand und Fuß / In Hannover werden seit zwei Jahren Leichenteile aufgefunden – ein neuer Haarmann am Werk?*

77 Vgl. *Hannoversche Allgemeine Zeitung* v. 24.2.1984: *Leichenteile tiefgekühlt und gekocht / Mutter von zwei Kindern gesteht grausamen Mord / Hinweis auf Täterin kam auch aus Videoklub.*

78 Zit. n. A. Makowsky, *Visite in einer von rund 7000 bundesdeutschen Videotheken / Vom Alltagsgeschäft mit dem Mitternachts-Horror*, in: *Süddeutsche Zeitung* v. 8.5.1989.

79 D. Perier, *Le dossier noire du Minitel rose*, Paris 1989.

80 So Wilhelm Busch in einem *Brief* v. 20. November 1875 an Maria Anderson, in: W. Busch, *Es ist allerlei Sichtbares drin. Sein Leben in Selbstzeugnissen*, hrsg. v. H. Bayer, Rudolstadt 1956, 157 f. (158).

Haarmann. Die Geschichte eines Werwolfs

Als Buch zuerst erschienen in der Sammlung *Außenseiter der Gesellschaft. Die Verbrechen der Gegenwart,* Bd. 6, herausgegeben von R. Leonhard, Berlin: Verlag Die Schmiede, 1925. Von 1924–1925 sind vierzehn Bände mit justizkritischen Reportagen erschienen. Diese Reihe stand in der Tradition der *Causes célébres et interessantes* (1734 ff.), einer Sammlung von zweiundzwanzig Bänden mit Gerichtsberichten des französischen Gelehrten François Gayot de Pitaval (1673–1743), der damit zum Begründer der kritischen Gerichtsberichterstattung wurde und dessen Name Pitaval sich als Sammelbegriff für die seit dem 19. Jahrhundert vermehrt erscheinenden Dokumentationen zu Kriminal- und Strafrechtsfällen einbürgert hat. Das ehrgeizigste Unternehmen in diesem Zusammenhang war die Herausgabe eines *Neuen Pitaval* (1842–1890), bearbeitet von J. E. Hitzig und W. Alexis.

Theodor Lessings Buch entstand aus den vor allem im *Prager Tagblatt* veröffentlichten Artikeln, die er während des Prozesses in Hannover vom 4.–19. Dezember 1924 schrieb. Ein Nachweis der Zeitungsfassung von der Buchausgabe erübrigt sich, da Lessing keine wesentlichen Änderungen vorgenommen hat. Im *Prager Tagblatt* sind folgende Artikel vor, während und nach den beiden Prozessen erschienen:

Ein Kriminalfall, 8.7.1924 (in diesem Band S. 31–35).
Haarmann und die Polizei, 15.7.1924.
Grans, der Komplize Haarmanns, 22.7.1924.
Die Freundschaft zwischen Grans und Haarmann, 7.12.1924.
Die Schuld der Polizei, 10.12.1924.
Haarmann lenkt den Prozeß, 11.12.1924.
Skizzen aus Hannover, 13.12.1924.
Sechster bis 13. Mord, 14.12.1924.
Auf der Höhe des Dramas, 16.12.1924.
Die letzten Knaben, 17.12.1924.
»Wir haben Sie nicht als Schriftsteller zugelassen«. Professor Lessing über seinen Ausschluß, 18.12.1924.
Zusammenfassendes Schlußwort, 21.12.1924.
Haarmanns Brief, 12.2.1925.
Erster Verhandlungstag gegen Grans, 14.1.1926.
Haarmanns Schatten, 16., 17.1.1926.
Schlußwort über Haarmann und Grans. »Ein Justizmord ist begangen.« Ein dunkler Punkt, 21.1.1926 (in diesem Band S. 207–215).

In der Zeitschrift *Das Tagebuch* wurden fünf Aufsätze gedruckt:
Haarmann, 5. Jg. (1924), 1755–1762.
Zwischenfall im Haarmann-Prozeß, 5. Jg. (1924), 1795–1798.
Der Haarmann-Prozeß, 5. Jg. (1924), 1839–1844.
Gottes Mühlen mahlen langsam. Fall Haarmann, 6. Jg. (1925), 266–271.
Der Fall Hans Grans, 7. Jg. (1926), 216–218.

In der Zeitschrift *Die Justiz* hat Theodor Lessing weitere fünf Aufsätze zu diesem Themenkreis veröffentlicht:
Das Fehlurteil im Falle Hans Grans, 1. Jg. (1925), 387–397.
Epochen der Schuld, 2. Jg. (1926/27), 160–166 (in diesem Band S. 269–279).
Die Mordsache Hagedorn, 3. Jg. (1927/28), 43–52.
Die Mordsache Hagedorn, 3. Jg. (1927/28), 209f. (in diesem Band S. 219 bis 232).
Rechtsleben und Rechtsnorm, 7. Jg. (1931/32), 74–84.

Im *Berliner Börsen-Courier* v. 12.12.1924 erschien die Satire *Der Herr Kriminal:*
»Warum, ihr Götter, bin ich in Hannover nur als Philosoph geboren. Da lebe ich nun schon 50 Jahre und habe es zu nichts gebracht. Wenn ich mal wieder in Hannover geboren werde, dann werde ich ein Herr Kriminal.«

Ein Kriminalfall. In: *Prager Tagblatt* v. 8.7.1924.
Noske: Gustav N. (1868–1946). Politiker der SPD. 1920–1933 Ober-Präsident der Provinz Hannover.

Haarmann. Die Geschichte eines Werwolfs, Berlin 1925.
»Untergang der Erde am Geist«: Zuerst veröffentlicht unter dem Titel *Europa und Asien*, Berlin 1918; 1924 erschien in Hannover die dritte und vierte Auflage des Buches, wobei die beiden Titel ihre Plätze als Haupttitel tauschten. In der 4. und dann der 5., der letzten, völlig neu bearbeiteten Ausgabe, firmiert *Europa und Asien* als Haupttitel.
»Geschichte als Sinngebung des Sinnlosen«: Zuerst 1919 in München erschienen; die letzte, völlig umgearbeitete vierte Auflage erschien mit dem Untertitel *oder die Geburt der Geschichte aus dem Mythos*, Leipzig 1927.
»Symbolik der menschlichen Gestalt«: Ein Handbuch zur Menschenkenntnis von Carl Gustav Carus. Neu bearbeitet und erweitert von Theodor Lessing, 3. vielfach vermehrte Auflage mit 161 Holzschnitten, 2 Bde., Celle 1925.
dem um 1050 zuerst erwähnten Ort: 1150.

»Honovere«: Vgl. H. Plath: *Hanbruin. Hanovere, Honovere, Hannover.* In: *Hannoversche Geschichtsblätter,* Neue Folge, Bd. 38 (1984), 11–12; ders.: *Zur Bedeutung des Namens Hanovere,* in: *Hannoversche Geschichtsblätter,* Neue Folge, Bd. 39 (1985), 91–110.
Hölty: Ludwig Christoph Heinrich H. (1748–1776). Lyriker.
Bürger: Gottfried August B. (1747–1794). Lyriker.
die Brüder Schlegel: August Wilhelm Sch. (1767–1845). Übersetzer, Kritiker, Philologe; Friedrich Sch. (1772–1829). Kritiker, Schriftsteller, Theoretiker.
Lichtenberg: Georg Christoph L. (1742–1799). Physiker und Aphoristiker.
Leisewitz: Johann Anton L. (1752–1806). Dramatiker.
Detmold: Johann Hermann D. (1807–1856). Rechtsanwalt, Minister.
Feder: Johann Georg Heinrich F. (1740–1821). Philosoph.
Leibniz: Gottfried Wilhelm L. (1646–1716). Philosoph.
Moritz: Karl Philipp M. (1757–1793). Schriftsteller, Psychologe.
Iffland: August Wilhelm I. (1759–1814). Schauspieler, Bühnenschriftsteller.
Hartleben: Otto Erich H. (1864–1905). Lyriker, Dramatiker.
Frank Wedekind: (1864–1918). Dramatiker.
Bismarck: Otto von B. (1815–1898).
kaum 70 000 Einwohner: 1872: 100 000 Einwohner.
um 1918 etwa 450 000 Menschen: 1920: 422.435 Einwohner.
ein großer Dichter: Stefan George (1868–1933). Lyriker.
»fahlsten unserer Städte«: Aus dem Gedicht *Der Krieg* (1917).
Gesamtzahl der sogenannten Homosexuellen: Viel zu hoch geschätzt; eine genaue Statistik darüber gibt es nicht.
maurische Judentempel: Gegenüber der Synagoge lag Haarmanns letzte Wohnung, Rote Reihe 2.
Elektrotechniker Rühmkorff: Heinrich Daniel R. (1803–1877). Im Haus Rote Reihe 3.
gekütchebütcht: Diebesbeute verkaufen.
Rebbes: Gewinn, Ertrag.
Schloß Herrenhausen: 1666–1708 erbaut. Dreiflügeliges Schloß, 1820/21 durch Georg Ludwig Laves zu Ende gebaut. Im II. Weltkrieg zerbombt.
Brückmühle: Am Friederikenplatz. 1329 erstmals erwähnt.
Wasserkunst: die städtische Flußwasserkunst, 1897–1898 gebaut, mit Kolbenpumpen angetriebenes Wasserwerk an der Leine, in der Nähe des von Laves konstruierten Wangenheimpalais. Der von dem Hauptbahnhof-Architekten Hubert Stier erdachte Prachtbau überstand die Bombardements des II. Weltkriegs, nicht aber die Repräsentationssucht bundesdeutscher Parlamentarier: damit das Leineschloß, der Sitz des niedersächsischen Landtags, von weitem sofort sichtbar sein sollte, wurde die

Wasserkunst 1963 abgerissen. Nur die ins chemieverseuchte Leinewasser starrenden Flußgötterköpfe blieben erhalten.

»Werwolf«: Mann-Wolf. Aus der germanischen Sagenwelt stammender Mythos, wonach im Schlaf die Seele den Menschen verläßt und als Geist die Gestalt eines Wolfes annimmt, der Menschen tötet. Erste Erwähnungen davon schon bei Herodot und Plinius *(lykánthrópos).* Neben dem Verwandlungskult gibt es die zweite Bedeutung der Lykanthropie als Form einer schizophrenen Geisteskrankheit, die zu blindwütiger Raserei, zum Berserkertum, hinführt. Die Lykanthropie ist eine klassische Form der depressiven Wahnbildung aus früheren Jahrhunderten.

Das Signalement: kurze Personenbeschreibung mit Hilfe von charakteristischen, zumeist äußeren Merkmalen.

»wie eingespunden im Fasse ihres Ich«: Zitat von Henrik Ibsen (1828–1906). Auch für Hindenburgs Gestalt benutzt Lessing diese Formel: *Hindenburg,* in: Th. Lessing, *Ich warf eine Flaschenpost ins Eismeer der Geschichte,* Essays und Feuilletons. Herausgegeben und eingeleitet von R. Marwedel, Frankfurt/M. ²1989, 65–69 (65).

›androgyn‹: zweigeschlechtlich.

Sternes Korporal Trim: der redselige Korporal Trim ist der Diener von Onkel Toby in Laurence Sternes *The Life and Opinions of Tristram Shandy, Gentleman* (1739–1767).

»poussieren«: »an sich drücken«. Jmdn. umwerben. Als homosexuelle Praktik: gegenseitiges Onanieren.

wie im Mahabharata der Menschenfresser Hidimba: Mahābhārata: das zweite große Heldenepos der Inder neben dem Rāmāyana. Kollektivwerk, entstanden zwischen dem 4. Jh. v. u. Z. und dem 4. Jh. n. u. Z. mit 19 Büchern mit über 100 000 epischen Doppelversen.

Elternhaus und Jugend: Vgl. H. Giesemann, *Vor 60 Jahren starb in Hannover Friedrich Heinrich Karl Harmann. Genealogische Ergänzungen zu Veröffentlichungen in niedersächsischen Tageszeitungen.* In: *Norddeutsche Familienkunde,* H. 1 (1985), 287–289.

der »olle Haarmann«: 4.9.1844–25.12.1921.

Ehefrau Johanne: 16.1.1837–5.4.1901.

Kábakken: Kabüffken: Kammer, Diebeswinkel.

ebensoviel Erbbelastete wie in Zolas Familie Rougon-Macquart: Die Begriffe *Degeneration* und *Dekadenz* spielten eine wichtige Rolle in der Diskussion des 19. Jahrhunderts über die Anlage-Umwelt-Konstellation. In Zolas Roman *Doktor Pascal* (1893) wird die Familie Rougon-Macquart zum Untersuchungsgegenstand für erbbiologische Forschungen.

Rentenhysteriker: Vgl. M. Scheler, *Zur Psychologie der Rentenhysteriker.* In: *Archiv für Sozialwissenschaft und Sozialpolitik,* Bd. 37 (1913), H. 2.

kastriert: Entfernung der Keimdrüsen (Hoden oder Eierstöcke) im Unterschied zur Vasektomie, der operativen Durchtrennung der Samenleiter beim Mann. Vgl. P. Naecke, *Die Kastration bei gewissen Klassen von Degenerierten als wirksamer socialer Schutz.* In: *Archiv für Kriminologie*, Bd. 3/4 (1900), 58–84; der Medizinalrat Marloth erneuerte diese Forderung anläßlich des Haarmann-Prozesses: *Die Verhütung schwerster Sexualverbrechen.* In: *Deutsche Juristen-Zeitung*, 30. Jg. (1925), H. 11, 860–863; vgl. insgesamt P. Weingart / J. Kroll / K. Bayertz, *Rasse, Blut und Gene. Geschichte der Eugenik und Rassenhygiene in Deutschland*, Frankfurt/M. 1988, bes. 283ff.; einer der Beisitzer im Haarmann-Prozeß, der Landgerichtsrat Kleineberg, wußte Rat: »die persönliche Freiheit des einzelnen« habe sich »in allen ihren Betätigungen unter den Gesichtspunkt des Allgemeininteresses zu stellen. Von selbst ergibt sich dann der Ausschluß aller Ungeeigneten von der Fortpflanzung.« Kleineberg, *Der Fall Haarmann.* In: *Deutsche Juristen-Zeitung*, 30. Jg. (1925), H. 2. 150–153 (153).

§ 51 StGB: »Eine strafbare Handlung ist nicht vorhanden, wenn der Täter zur Zeit der Begehung der Handlung sich in einem Zustande von Bewußtlosigkeit oder krankhafter Störung der Geistestätigkeit befand, durch welchen seine freie Willensbestimmung ausgeschlossen war.«

»psychisches Trauma«: »Wunde«. In der Psychoanalyse bedeutet es die Bezeichnung für einen nachhaltigen Schock, der sich auf den psychischen Haushalt der Person auswirkt. Auf die pathogenen Wirkungen dieses Erlebnisses vermag die Person nicht zu antworten, sie ist dem Trauma hilflos ausgeliefert.

»Neurasthenie«: nervöse Störung, die vorwiegend bei Männern auftretende Neurose, als Ergänzung zur weiblichen Hysterie, so die Auffassung im 19. Jahrhundert. Freud unterschied zwischen zwei Formen der Aktualneurose: der Neurasthenie und der Angstneurose. Ihnen gegenüber standen die Psychoneurosen in ihren zwei Ausformungen: der Hysterie und der Zwangsneurose. Freud meinte, Aktualneurosen seien auf Störungen im sexuellen Leben (Coitus interruptus, Masturbation, Gebrauch von Kondomen) zurückzuführen.

gonorrhoisch: Gonorrhoe, Geschlechtskrankheit.

§ 175 StGB: »Die widernatürliche Unzucht, die zwischen Personen männlichen Geschlechts oder von Menschen mit Tieren begangen wird, ist mit Gefängnis zu bestrafen; auch kann auf Verlust der bürgerlichen Ehrenrechte erkannt werden.«

ein bißchen Kippe machte: zu gleichen Stücken teilen, die Beute teilen.

I gitte: Wie widerlich, scheußlich, ekelig! Lessing erklärt diesen Ausruf so: »Die wichtigsten dieser alten Tore der Stadt Hannover waren das Leintor, das Steintor und das Tor des heiligen Aegidius, welcher Heilige in der katholischen Zeit vor der Einführung der Reformation (1533) Schutzpatron war für alle norddeutschen Städte. In Gefahren und Nöten beteten die Bürger zum Stadtheiligen: ›O Aegidi, Aegidi‹, woran noch heute erinnert ein nur den Hannoveranern eigentümlicher Ausruf beim Anblick feindlicher Dinge: ›Gitte gitte‹.« Th. Lessing, *Einmal und nie wieder. Lebenserinnerungen*, Ndr. Gütersloh 1969, 19f.

Der politische Mord: Vgl. dazu Th. Lessing, *Irrende Helden.* In: ders., *Ich warf eine Flaschenpost ins Eismeer der Geschichte.* Essays und Feuilletons. Herausgegeben und eingeleitet von R. Marwedel, Frankfurt/M. [2]1989, 82–87. Sowie E. J. Gumbel, *Zwei Jahre Mord,* Berlin 1921; ders., *Vier Jahre politischer Mord*, Berlin 1922.

Die untere Polizeimannschaft [...] müssen: Aus der Darstellung von H. Hyan, *Massenmörder Haarmann. Eine kriminalistische Studie*, Berlin 1924, 38f. wortwörtlich abgeschrieben. – Es sind damals eine Unmenge an Broschüren und Sonderausgaben der Zeitungen erschienen. Einen guten Überblick dazu gibt I. Claßen, *Darstellung von Kriminalität in der deutschen Literatur, Presse und Wissenschaft 1900 bis 1930*, Frankfurt/M. 1988, 218–246. Vgl. auch D. Tasch, *Mörder Haarmann. Ein ungelöster Kriminalfall.* In: *Hannoversche Allgemeine Zeitung* v. 7., 8., 10., 11., 12., 13., 14. u. 15.9.1984. Sowie meine Darstellung *Entwertete Welten, wölfische Zeiten. Haarmann als Symptom* in meiner Theodor-Lessing-Biographie, a.a.O., 208–243.

Vigilanten: vigilieren: wachsam sein; Polizeispitzel.

von der Polizei in den Jahren 1918 bis 1924 beständig zu Spitzeldiensten herangezogen: Vgl. die scharfe Kritik des Berliner Oberverwaltungsgerichtsrats H. Lindenau an der hannoverschen Polizeiführung: *Die Massenmorde in Hannover.* In: *Deutsche Juristen-Zeitung*, 29. Jg. (1924), H. 17/18, 716f. Beschwichtigend dagegen der Regierungsdirektor am Polizeipräsidium Berlin, Weiß: *Der Fall Haarmann.* In: *Archiv für Kriminologie,* Bd. 76 (1924), H. 3, 161–174. Zur Organisationsform und Praxis der Polizei in diesen Jahren siehe H.-H. Liang, *Die Berliner Polizei in der Weimarer Republik*, Berlin/New York 1977. Mittlerweile ist der Ausbildungsgrad der Polizeispitzel in Hannover im Vergleich zu Haarmann außerordentlich gestiegen. Vgl. dazu S. Aust, *Mauss. Ein deutscher Agent*, Hamburg 1988.

Zur Seelenkunde: »die ganze Laboratoriumspsychologie, die alles Seelenleben in Stücke hackt und die Stücke triumphierend auf den Tisch des Hauses niederlegt.« Th. Lessing, *Philosophie als Tat,* Bd. 2, Göttingen 1914, 261.

»mitzuahmen«: Lessings *Ahmungspsychologie* beschreibt ein mimetisches Vermögen, den verborgenen inneren Zusammenhang von Phänomenen zu erraten im Medium verfeinerter Selbstwahrnehmung. Dazu Th. Lessing, *Prinzipien der Charakterologie*, Halle 1926, 3. Kapitel.

keine »Analogien« und »Parallelen«: Es gab gerade in diesen Jahren eine merkwürdige Häufung von Massenmorden, nicht nur in Deutschland. Näheres dazu in meiner Einleitung in diesem Buch.

»Sadismus«: Das Schlagwort wurde geprägt von Richard von Krafft-Ebing (1840–1902) in seinem Werk *Psychopathia Sexualis,* Stuttgart 1877, und sollte damit jene Lust bezeichnen, die entsteht, wenn sich Sexualität und Gewalt im Erlebnis als grausame Wollust mischen.

»Masochismus«: Gleichfalls von Krafft-Ebing 1890 in die sexualpathologische Diskussion eingeführt in Anlehnung an das Buch *Venus im Pelz* (1869) des Schriftstellers Leopold von Sacher-Masoch (1836–1895). Lust an phantasierter oder realer Demütigung oder Mißhandlung. Theodor Lessing lernte Sacher-Masoch kurz vor seinem Tod kennen und soll von ihm darum gebeten worden sein, Sacher-Masochs erotische Werke zu vernichten. »Er war ein treuer Vater, ein treuer Arbeiter, kein Schwächling, ein Seelenkranker, seine Zerknirschungslust brauchte seelischen und körperlichen Schmerz, er war naiv, selbstanklagend, ein weltfremder Fantast.« Theodor Lessing, Zit. n. F. u. G. Oberhauser, *Literarischer Führer durch Deutschland,* Frankfurt/M. 1983, 185.

Kriminalfall des Marquis de Sade: Donatien Alphonse François Marquis de Sade (1740–1814). 27 Jahre seines Lebens war de Sade eingesperrt, davon 14 Jahre im Gefängnis, 13 Jahre in verschiedenen Irrenhäusern. Die ihm angelasteten Verbrechen (Verabreichung von aufputschenden Bonbons an kleine Mädchen und Auspeitschungsszenen) wurden in der Legendenbildung zu ungeheuerlichen Verbrechen stilisiert. Der Vorwurf, im Blut gemordeter Kinder gebadet zu haben, gehört hierher; er trifft nicht einmal auf den Kindermassenmörder des Mittelalters, auf Gilles de Rais, zu. Man darf de Sades Schriften heute als bedeutende Vorentwürfe zu einer Pathologie der Sexualität begreifen. In einem unveröffentlichten Manuskript Theodor Lessings heißt es: (»Übrigens würde ich selbst im Fall des Marquis de Sade, der mit dem Fall des Haarmann keine Ähnlichkeit hat, bezweifeln, daß seine Wollustakte den Schmerz des andern zum Ziel hatten; es gibt Befriedigungen, die gleichsam nur durch diesen Schmerz hindurch erfahren werden.«) Th. Lessing, *Zum Fall Haarmann.* In: Stadtarchiv Hannover; Theodor Lessing-Nachlaß, StAH: ThLN 2557.

nur das Töten im Geschlechtsrausch: Dazu W. Riese, *Das Triebverbrechen. Untersuchungen über die unmittelbaren Ursachen des Sexual- und Affektdeliktes sowie ihre Bedeutung für die Zurechnungsfähigkeit des Täters,* Bern 1933, 26–33, der Lessings Studie über Haarmann zitiert und wie er der Auffassung ist, daß im Fall Haarmann die Tötung des Opfers ein unvermeidliches Nebenergebnis der primär geschlechtlichen Zielsetzung gewesen sein muß. Siehe außerdem Lessings Bemerkungen über

Wollust und Todestrieb: »Es ist sehr erklärlich, daß man die einfachen, unmittelbaren Phänomene stets weniger geachtet und beachtet hat als den Geist, auf welchen die Menschheit so stolz ist. Und doch ist alles Geistige ganz sekundär; das tiefste und metaphysischste aller Phänomene aber ist zunächst das Essen und Trinken und sodann die Wollust. Im Fressen und Gefressenwerden, d. h. im Einverleiben alles Stoffes von seiten der gestaltenden Bildkräfte und mithin im Wandel der Formen, erschöpft sich alles natürliche Leben; die Wollust aber ist der eigentliche metaphysische Knotenpunkt, der Punkt, darin die höchste Selbstbehauptung und die tiefste Selbsthingabe in Eines zusammenfallen. Sie ist zugleich Sterbe- und Tötetrieb, also Ausgeburt des Lebens, d. h. der Mortifikation.« Vgl. die Gedankengänge in dem Buch *Haarmann, Geschichte eines Werwolfs.* Th. Lessing, *Geschichte als Sinngebung des Sinnlosen oder die Geburt der Geschichte aus dem Mythos*, 4., völlig umgearbeitete Aufl., Leipzig 1927, 298, Anm. 1.

Karl Denke: Vgl. die Fallschilderung bei R. Herbertz, *Verbrecherdämmerung. Psychologische Deutung und weltanschauliche Perspektiven der jüngsten Mordfälle Haarmann, Angerstein, Denke usw.*, München 1925, 60–76. – E. Wulffen, *Kriminalpsychologie. Psychologie des Täters*, Berlin 1926, 412–415.

Hans Grans: (1901–ca. 1980). Vgl. D. Tasch, *Ein Brief im ›Anzeiger‹ rettete ihn vor dem Henker. Der Komplize des Massenmörders Haarmann lebt noch heute in Hannover.* In: *Hannoversche Allgemeine Zeitung* v. 19. 6. 1974.

Urbild einer Kulturgesellschaft: »Bedenke jeden Tag und jede Stunde und jede Minute: Es gibt drei Sorten von Menschen. Die eine kommt grade aus dem Zuchthaus. Die zweite wird morgen hineinkommen. Und die dritte, zu der Du selber gehören mögest, hat eben Glück gehabt.« Th. Lessing, *Philosophie als Tat*, Bd. 1, Göttingen 1914, 109.

Ik glöbe, hei let se rinn, aber sei komet nüch wedder rute: Ich glaube, er läßt sie herein, aber sie kommen nicht wieder heraus.

Dunnerslag: Donnerschlag.

Gesche Margarethe Gottfried: (1785–1831). Vgl. F. L. Voget, *Lebensgeschichte der Giftmörderin Gesche Margarethe Gottfried*, Bremen 1831.

»trampelten«: betrügen.

Stiesel: Bengel, Flegel, Lauser.

»Schupo« und »Sipo«: Schutzpolizei und Sicherheitspolizei. Die Kriminalpolizei wurde von 1919 an aufgebaut, Landeskriminalämter gab es erst ab 1925.

ein Beamter des Unzuchtsdezernats: Kriminalkommissar Lyss. Dazu E. Frey, *Ich beantrage Freispruch. Aus den Erinnerungen des Strafverteidigers Prof. Dr. Dr. Erich Frey*, Hamburg 1959, 59–82, bes. 65–69.

Asservate: in amtliche Verwahrung genommene, für eine Gerichtsverhandlung als Beweismittel wichtige Gegenstände.

Befragungsmarter: Haarmann wurde auch gefoltert (Quetschung der Hoden, Prügel mit Gummischläuchen). Vgl. dazu *Schlußwort über Haarmann und Grans. »Ein Justizmord ist begangen«.* In diesem Band S. 207–15.

Provinzial-Heil- und Pflegeanstalt: Vgl. H. Michling, *Haarmann in Göttingen: Sein ›Urteil‹ fiel im LKH. Der Psychiater Dr. Ernst Schultze hatte entscheidenden Anteil am Prozeß gegen den Massenmörder.* In: *Göttinger Jahresblätter*, 7. Jg. (1984), 71–89.

60 Bände: In der *Deutschen Juristen-Zeitung*, 31. Jg. (1926), H. 5, 355, wird von 112 Aktenbänden gesprochen. Das im Niedersächsischen Hauptstaatsarchiv Hannover lagernde Aktenmaterial über den Haarmann-Prozeß wurde vermutlich am 26. Juli 1943, nach einer amerikanischen und englischen Flächenbombardierung Hannovers, vernichtet; in den folgenden Monaten war das Archiv noch mehrere Male das Ziel von Brandbomben. Vgl. M. Hamann, *Geschichte des Niedersächsischen Hauptstaatsarchivs in Hannover, Zweiter Teil.* In: *Hannoversche Geschichtsblätter, Neue Folge*, Bd. 42 (1988), 35–119, bes. 75–83. – P. Schweder, *Die großen Kriminalprozesse des Jahrhunderts. Ein deutscher Pitaval*, Hamburg 1961, 307, behauptet, daß die Behörden nach dem Ende des Prozesses »die Gerichtsberichte« in der Preußischen Staatsbibliothek in Berlin mit dem Vermerk S. M. (Sekrete Manuskripte) »unter Verschluß legen ließen, da diese ein vernichtendes Material über die hannoversche Polizei enthielten.« Diesem Hinweis konnte nicht mehr nachgegangen werden.

Das Gerichtsgebäude: Ca. 1880 erbaut. Der Schwurgerichtssaal des Landgerichts Hannover bot Platz für 150 Personen. Auch das Landgericht wurde nach einem der Bombenangriffe von 1943 vollständig zerstört.

Noske: Gustav N. (1868–1946). Politiker der SPD. 1920–1933 Oberpräsident der Provinz Hannover.

§ 263 der Reichsstrafprozeßordnung: »Gegenstand der Urteilsfindung ist die in der Anklage bezeichnete Tat, wie sie sich nach dem Ergebnis der Verhandlungen darstellt.« (Heute § 264.)

Fritz Reuter: (1810–1874). Schriftsteller.

Zarathustra: (ca. 1000–500 v. u. Z.) persischer Religionsbegründer. Nach F. Nietzsche, *Also sprach Zarathustra. Ein Buch über Alle und Keinen* (1883–1885). In: ders., *Werke*, Bd. 2, München 1969, 281. Die genaue Zitatstelle lautet: »Wo ist doch der Blitz, der euch mit seiner Zunge lecke? Wo ist der Wahnsinn, mit dem ihr geimpft werden müßtet? Seht, ich lehre euch den Übermenschen: der ist dieser Blitz, der ist dieser Wahnsinn!«

kulörbrüderlicher: Anspielung auf die Couleurstudenten, die »schlagenden Verbindungen« der Corpsstudenten.

der völlig unfähigen Verteidigung: »Große Verteidiger müssen auf der Seele ihrer Klienten spielen. Dazu muß man Seele haben. Diese Herren hatten Klötze.« Th. Lessing, *Der Haarmann-Prozeß.* In: *Das Tagebuch,* 5. Jg. (1924), 1839–1844 (1842).

ein bedeutender Berliner Kriminalist: Erich Frey (1892–1964). Rechtsanwalt und Schriftsteller.

Katz: Iwan K. (1889–1956). Politiker der hannoverschen KPD. Reichstagsabgeordneter. 1926–28 Ausschluß aus der KPD. Wiedereintritt. 1933 KZ-Haft.

Gohr: Theodor G. (1881–1950). Politiker der hannoverschen KPD. Von 1924–1926 Bürgervorsteher.

politischer Spitzel: Hinweise bei I. Katz, *Zum Fall Haarmann,* Hannover 1924, 11; H. Hyan, *Massenmörder Haarmann. Eine kriminalistische Studie,* Berlin 1924, 12; *Haarmann, der 24fache Mörder vor dem Schwurgericht. Einziger ausführlicher Bericht der Verhandlung vor dem Schwurgericht,* Hannover 1925, 23: »Staatsanwalt: ›Haarmann, Sie haben der hannoverschen Polizei verschiedentlich Zuträgerdienste geleistet. Sind Sie auch in politischen Angelegenheiten verwendet?‹ ... Haarmann: ›Darum habe ich mich nie bekümmert. Ich weiß gar nicht, was Politik ist. Es wurden mir häufig gestohlene Sachen angeboten, und das habe ich der Polizei mitgeteilt.‹ Vorsitzender: ›Damit ist ja erwiesen [sic!], daß Haarmann nicht politisch tätig sein konnte.‹«

die folgenden Männer: außer den im Buch Genannten hat Lessing in dem Aufsatz *Friedrich Haarmann.* In: *Das Tagebuch,* 5. Jg. (1924), 1755–1762 (1760) noch Rudolf Borchardt (1877–1945), Franz Werfel (1890–1945) und Max Brod (1884–1968) als mögliche Prozeßbeobachter benannt.

Ludwig Klages: (1872–1956). Philosoph und Psychologe.

Alfred Döblin (1878–1957). Schriftsteller und Nervenarzt.

Sigmund Freud: (1856–1939). Begründer der Psychoanalyse.

Alfred Adler: (1870–1937). Begründer der Individualpsychologie.

Hans v. Hattingberg: (1879–ca. 1942). Psychoanalytiker.

Lotze: Rudolf Hermann L. (1817–1881). Philosoph.

Reichstagswahlkämpfe: Die Wahl zum 3. Reichstag war am 7. Dezember 1924.

Magnus Hirschfeld: (1868–1935). Sexualwissenschaftler.

Hans Hyan: (1868–1944). Schriftsteller und Kriminologe.

Goethe: Johann Wolfgang von G. (1749–1832).

Strindberg: August St. (1849–1912). Schriftsteller und Dramatiker.

Frauenmörder Großmann: Carl G., Würstchenverkäufer in Berlin. Tötete vierzehn Frauen und verwurstete die Leichen. Der Prozeß fand 1921 in Berlin statt. Vgl. E. Frey, *Ich beantrage Freispruch. Aus den Erinnerungen des Strafverteidigers Prof. Dr. Dr. Erich Frey,* Hamburg 1959, 42–59.

P. Schweder, *Die großen Kriminalprozesse des Jahrhunderts. Ein deutscher Pitaval,* Hamburg 1961, 259–265.

Ahnung für jenes Stückchen Träumer- oder Dichtertum: Vgl. den Brief von Freud an Schnitzler v. 14. 5. 1922. In: S. Freud, *Briefe 1873–1939.* Ausgewählt und herausgegeben von E. u. L. Freud, Zürich 1980, 356–358 (357f.): »daß Sie durch Intuition – eigentlich aber infolge feiner Selbstwahrnehmung – alles das wissen, was ich in mühseliger Arbeit an anderen Menschen aufgedeckt habe.«

Selbstrichtertum eines Sühnewilligen: Vgl. F. Nietzsche, *Also sprach Zarathustra. Ein Buch für Alle und Keinen* (1883–1885). In: ders., *Werke,* Bd. 2, München 1969, 303: »Ihr wollt nicht töten, ihr Richter und Opferer, bevor das Tier nicht genickt hat? Seht, der bleiche Verbrecher hat genickt: aus seinem Auge redet die große Verachtung. ›Mein Ich ist etwas, das überwunden werden soll: mein Ich ist mir die große Verachtung des Menschen‹: so redet es aus diesem Auge. Daß er sich selber richtet, war sein höchster Augenblick: laßt den Erhabenen nicht wieder zurück in sein Niederes! Es gibt keine Erlösung für den, der so an sich selber leidet, es sei denn der schnelle Tod.«

Lynchjustiz: Aber das ist Romantik. Th. Lessing, *Die Mordsache Hagedorn.* In: *Justiz,* Bd. 3 (1927/28), H. 1, 43–53 (52). Ders., *Schopenhauer, Wagner, Nietzsche. Einführung in moderne deutsche Philosophie,* München 1906, 473–475. – Karl Kraus, *Sittlichkeit und Kriminalität,* München 1970, 200: »Ich bin ja gewiß der Meinung, daß der alte Justizkrempel nicht tief genug verachtet werden kann, halte gewiß Lynchjustiz für kulturvoller als die Vollstreckung hundertjähriger Paragraphenweisheit.«

einer der besten Seelenerforscher unserer Tage: Der Diktion nach zu urteilen, könnte es sich um Theodor Lessing selbst handeln.

eins auf den Detz kriegen: etwas auf den Kopf geschlagen bekommen.

Die arme Undine: Erzählung von Friedrich de la Motte Fouqué (1777–1843). 1811 veröffentlicht. Geht auf Paracelsus zurück, dessen Elementargeister weder ganz Natur noch ganz Geist sind. Sie besitzen alle menschlichen Eigenschaften, aber es fehlt ihnen die Seele. Undine ist ein Elementargeist des Wassers; nur diese können menschliche Gestalt annehmen und, im Fall der Heirat mit einem menschlichen Wesen in Besitz einer Seele gelangen. Der Preis für die Seele ist das nun erfahrbare Leid.

Nick-Carter-Phantasie: Nick Carter. Populärer Serienheld einer Krimiheftchenreihe aus den zwanziger Jahren. Hauptautor war Fred Dey mit 1076 Heftchen; er beging 1927 Selbstmord.

mea culpa!: meine Schuld! – Allgemeines Sündenbekenntnis im christlichen Gottesdienst.

Darwin: Charles Robert D. (1809–1882). Naturforscher.

dune: betrunken.

mit zwei Schnitten: In unseren Tagen übernimmt die Fernsehreklame gelegentlich diese Arbeit, nur suggestiv natürlich: *Liebe auf den ersten Schnitt* lautete ein TV-Spot für Haushaltsmesser (November 1982).

27 Mordfälle: »Ich habe mit solcher Arbeitskraft mich in die objektive Sachlage hineingearbeitet, daß ich über jeden einzelnen Mordfall referieren und jeden der beiden Herrn Verteidiger darüber examinieren könnte.« Th. Lessing, *Zwischenfall im Haarmann-Prozeß.* In: *Das Tagebuch,* 5. Jg. (1924), 1795–1798 (1797).

getrampelt: betrogen.

»sistiert«: festgenommen.

Humpel: Haufen.

die Anfangsgründe der Kriminalpsychologie: Einen Literaturbericht dazu gibt R. Herren, *Freud und die Kriminologie. Einführung in die psychoanalytische Kriminologie,* Stuttgart 1973.

»Schmonzes«: Geschwätz.

Gilles de Rais: (1404–1440). Vgl. Philippe Reliquet, *Ritter, Tod und Teufel. Gilles de Rais oder Die Magie des Bösen,* München 1984: »Näher verwandt mit dem des Barons Gilles de Rais, ihm geradezu bestürzend ähnlich, ist der Fall Friedrich Haarmanns in Deutschland.« (334) Jedesmal sind die Opfer hübsche junge Knaben und in beiden Fällen dominiert ein Typus, der sich nach Entdeckung der grausigen Taten wirkungsvoll in Szene zu setzen versteht.

im »Schwulen Kessel«: Homosexuellenlokal in der Calenbergerstr. 33 (in den zwanziger Jahren).

die Lichtbilder: die Fotografien der Opfer sind wahrscheinlich zusammen mit den Gerichtsakten nach der Bombardierung Hannovers im Jahre 1943 verbrannt.

»Café Wellblech«: Hinter dem Café Kröpcke standen kleine »Bedürfnishäuschen«, sie waren damals für die homosexuelle Szene das Café Wellblech. Vgl. *Die Hamburger Post. Zeitschrift für scharfe Kritik öffentlicher Angelegenheiten. Haarmann-Sonderausgabe* (August 1924). In: NHStAH: Hann. 155 Nr. 864a.

§ 49 StGB: »Als Gehilfe wird bestraft, wer dem Täter zur Begehung des Verbrechens oder Vergehens durch Rat oder Tat wissentlich Hilfe geleistet hat. Die Strafe des Gehilfen ist nach denjenigem Gesetz festzusetzen, welches auf die Handlung Anwendung findet, zu welcher er wissentlich Hilfe geleistet hat, jedoch nach den über die Bestrafung des Versuches aufgestellten Grundsätzen zu ermäßigen.«

»logificatio post festum«: Sinngebung im nachhinein. Lessings kritischer Begriff, den er in seiner *Geschichte als Sinngebung des Sinnlosen* durchspielt.

»non quia peccatum sed ne peccetur«: Es muß nicht gestraft werden, »weil gesündigt worden ist, sondern damit nicht gesündigt werde«.

Haarmanns Schrift: Vgl. deren komische graphologische Deutung von A. u. G. Mendelssohn, *Die Handschrift Haarmanns.* In: diess., *Der Mensch in der Handschrift,* Leipzig [2]1929, 58–66.

Polizeiarzt Dr. Schackwitz: Der aus dem Fall Haarmann einen guten Profit schlug, indem er mit einem fast dreistündigen Lichtbildervortrag übers Land zog und Weisheiten verbreitete: »Dem Alkohol zog Haarmann Kaffee vor (typisch für Homosexuelle).« Zit. n. Reichel. In: *Deutsche Juristen-Zeitung,* 31. Jg. (1926), H. 5, 335.

§ 176 des Gerichtsverfassungsgesetzes: »Die Aufrechterhaltung der Ordnung in der Sitzung liegt dem Vorsitzenden ob.«

wenig einflußreiche Zeitung: Die *Neue Arbeiter Zeitung* (NAZ) der KPD.

»Panama der Kultur«: Anspielung auf die Bestechungsaffäre in Frankreich, als die 1888 gegründete Kanalgesellschaft ein Jahr später Konkurs anmelden mußte und 1892/93 französische Nationalisten einige Abgeordnete der Nationalversammlung beschuldigten, mit Aktien bestochen worden zu sein. Die Regierung Loubert trat zurück; ein 1897 durchgeführter Prozeß endete mit einem Freispruch für alle Angeklagten.

Wie weit darf ein Berichterstatter: Vgl. M. Alsberg, *Die moralische und juristische Verantwortung der Gerichtsberichterstattung.* In : *Deutsche Presse,* Nr. 22/33 (1927), 252f.; A. Ebner/W. Bretholz, *Die Strafbarkeit von Prozeßberichten.* In: *Zeitungs-Verlag,* 30. Jg. (1929), Nr. 7, 354–356; A. Hellwig, *Die Gerichtsberichterstattung im Urteil gerichtlicher Sachverständiger.* In: *Juristische Rundschau* v. 15. 1. 1930, Nr. 2, 13–18; F. C. Heidelberg, *Justizreportage. Journalistische Ziele und juristische Schranken,* Heidelberg 1932; für die gegenwärtige kritische Gerichtsreportage siehe G. Mauz, *Über Zwänge und Versuchungen des Journalisten bei der Kriminal- und Gerichtsberichterstattung.* In: *Kriminalsoziologische Bibliographie,* H. 11–13, Wien 1976, 3–14. Des Gerichtssaals verwiesen wurde der Spiegel-Gerichtsreporter G. Munz in den letzten 30 Jahren nicht. »Aufgrund seiner langjährigen Erfahrung, seiner Spitzenstellung unter den deutschen Gerichtsreportern und der Macht des hinter ihm stehenden Magazins beeinflußt Munz wie kein anderer Redakteur Strafprozesse.« J. Wagner, *Strafprozeßführung über Medien,* Baden-Baden 1987, 95.

Max Hoelz: (1889–1933). 1919 Mitglied der KPD. Organisierte gegen den Kapp-Putsch 1920 im Vogtland die *Rote Armee.* Nach dem gescheiterten Aufstand in Mitteldeutschland, 1921, zu lebenslänglicher Freiheitsstrafe verurteilt. 1928 freigelassen. 1933 unter mysteriösen Umständen in der Sowjetunion ertrunken.

Ernst Toller: (1893–1933). Schriftsteller und Dramatiker.

Adolf Hitler: (1889–1945).

Das Gebiet war so abstoßend ekelhaft: »Ich habe anderes zu tun; brachte mit der Hingabe an diese Sache nur Opfer und bin sehr froh, daß ich aus dem Ekelsumpf endlich heraus bin.« Th. Lessing, *Zwischenfall im Haarmann-Prozeß.* In: *Das Tagebuch,* 5. Jg. (1924), 1795–1798 (1797).

die Sachverständigen sich weigerten: Vgl. F. C. Heidelberg, *Justizreportage,* a.a.O., 98: »Diese Erklärung der Sachverständigen ist durchaus unbeachtlich, und wenn das Gericht sich dann trotzdem zu der Ansicht fand, die Art der Berichterstattung sei ungehörig und störe indirekt die Ordnung, so ist das eine Konstruktion, die jedem aufrichtigen Juristen erschaudern läßt. Die Sachverständigen sind gerichtsseitig geladen und haben ihre Gutachten pflichtmäßig zu erstatten; Bedingungen an die Erstattung von Gutachten zu knüpfen, ist nicht statthaft. Hat der Sachverständige tatsächlich Unrecht widerfahren, so steht ihm, wie jedem anderen der Klageweg offen. Ebenso frei und offen steht dieser Weg den Personen des Gerichts, die sich unrechtmäßig angegriffen glauben. Ein anderes Verfahren liefe wieder auf eine Art Kabinettsjustiz heraus.«

Zolas oder Voltaires Kriminalkritik: Emile Z. (1840–1902). – François-Marie Arouet V. (1694–1778). – Gemeint ist Zolas Engagement in der Affäre Dreyfus (1894) und Voltaires justizkritische Arbeiten, darunter die berühmteste über den Fall Calas (1762).

Oscar Wildes Ballade: (1854–1900). Schriftsteller. – *The Ballad of Reading Gaol,* London 1898.

Torquémada: Antonio de T. (16. Jh.). In seinem Buch *Jardin de flores curiosas* (1570) wird von Menschen erzählt, die sich in Wölfe verwandeln. – Tomás de T. (1420–1498) war Oberhaupt der spanischen Inquisition.

Dante: Dante Alighieri (1265–1321).

Robespierre: Maximilien de R. (1758–1794).

Wolfstum bei Radio und Elektrizität: Vgl. R. Musil, *Das hilflose Europa oder Reise vom Hundertsten ins Tausendste* [1922]. In: ders., *Gesammelte Werke,* Bd. 8: *Essays und Reden,* Reinbek 1978, 1075–1094 (1081): »Die Formel für diese Erfahrungen müßte ungefähr lauten: Große Amplitude der Äußerung, kleine im Innern. Es gehört gar nicht so viel dazu, um aus dem gotischen Menschen oder dem antiken Griechen den modernen Zivilisationsmenschen zu machen. Ein kleines, dauernd in einer bestimmten Richtung wirkendes Übergewicht von Umständen, von Außerseelischem, von Zufälligkeiten, Hinzugefallenem genügt dafür. Dieses Wesen ist ebensoleicht fähig der Menschenfresserei wie der Kritik der reinen Vernunft.«

in einem Lazarett: Vgl. die Artikelserie von 1929 über Lessings Lazaretterfahrungen während des I. Weltkriegs, in: Th. Lessing, *Ich warf eine*

Flaschenpost ins Eismeer der Geschichte. Essays und Feuilletons. Herausgegeben und eingeleitet von R. Marwedel, Frankfurt/M. [2]1989, 354–386.

die Stiefel putzte: »Sie gingen töten, nicht anders wie sie zum Sportfest gehen.« Th. Lessing, *Irrende Helden.* In: ders., *Ich warf eine Flaschenpost...,* a.a.O., 82–87 (85).

»Nekrophilie«: Auf Leichen gerichtetes sexuelles Verlangen. Vgl. Th. Spoerri, *Nekrophilie,* Basel/New York 1959.

die folgenden Worte Nietzsches: F. Nietzsche, *Vom bleichen Verbrecher.* In: ders., *Also sprach Zarathustra. Ein Buch für Alle und Keinen* (1883–1885). In: ders., *Werke,* Bd. 2, München 1969, 303–305 (304f.). Lessing läßt vier Absätze nach *Beute machen* aus und zitiert dann die letzten vier Absätze vollständig.

Motivationslosigkeit: die vollständige Geschichte findet sich unter dem Untertitel *Der Massenmörder* innerhalb der Artikelserie über *Das Lazarett,* in: Th. Lessing, *Ich warf eine Flaschenpost...,* a.a.O., 369–371.

Bilder der Opfer: Mehr noch, man legte Haarmann einen Sack mit Knochen der Opfer für eine Woche in seine Zelle.

»Symbolik der Gestalt«: Symbolik der menschlichen Gestalt. Ein Handbuch zur Menschenkenntnis von Carl Gustav Carus. Neu bearbeitet und erweitert von Theodor Lessing, 3. vielfach vermehrte Auflage mit 161 Holzschnitten, 2 Bde., Celle 1925.

»libido«: Lust, Wunsch. Zuerst als Begriff bei A. Moll, *Untersuchungen über die Libido sexualis,* Berlin 1897.

physiognomische Untersuchung: Zu Lessings Ausdrucksdenken vgl. meine Einleitung in die *Flaschenpost,* a.a.O., 36–40 sowie meine Darstellung: *Theodor Lessing. 1872–1933. Eine Biographie,* Darmstadt/Neuwied 1987, 201–205.

»Kompensation«: Ausgleichshandlung. Begriff der Psychoanalyse.

die Natur des dolosen Zweckverbrechers: arglistig, vorsätzlich (im juristischen Sinn).

Gleichwie das Licht und die Flamme: Moderne Rationalität objektiviert sich nach Lessing in zwei Formgestalten, als kaltes Licht und als wärmendes Feuer. Das Feuer der Vernunft kann beides bedeuten: *All-Beleber* und *All-Zerstörer.* Th. Lessing, *Euopa und Asien,* 5., völlig neu gearbeitete Auflage, Leipzig 1930, 18.

caput mortuum: toter Kopf; etwas, völlig Wertloses.

teuflisch leerlaufenden Intellekt: Vgl. Th. Lessing, *Leerlauf des Willens.* In: *Prager Tagblatt* v. 19.7.1932.

»Besten aller möglichen Welten«: Anspielung auf Leibniz' mißverstandene Formel, die man meist nur in der satirischen Verfremdung von Voltaire kennt, in: *Candide oder Der Glaube an die Beste der Welten* (1759).

meiner Rechtsphilosophie: Studien zur Wertaxiomatik. Untersuchungen über Reine Ethik und Reines Recht, 2., erweiterte Ausgabe, Leipzig 1914.

»Selbstrichtertum der menschlichen Gemeinschaft«: F. Nietzsche, *Morgenröte. Gedanken über die moralischen Vorurteile.* Drittes Buch, Aph. 187. In: ders., *Werke*, Bd. 1, München 1969, 1135: »Aus einer möglichen Zukunft. – Ist ein Zustand undenkbar, wo der Übeltäter sich selber zur Anzeige bringt, sich selber seine Strafe öffentlich diktiert, im stolzen Gefühle, daß er so das Gesetz ehrt, das er selber gemacht hat, daß er seine Macht ausübt, indem er sich straft, die Macht des Gesetzgebers [...] Dies wäre der Verbrecher einer möglichen Zukunft, welcher freilich auch eine Gesetzgebung der Zukunft voraussetzt, des Grundgedankens: ›ich beuge mich nur dem Gesetze, welches ich selber gegeben, im kleinen und großen‹. Es müssen so viele Versuche noch gemacht werden! Es muß so manche Zukunft noch ans Licht kommen!«

»großen Zeiten der Weltgeschichte«: Anspielung auf einen Aufsatz von Karl Kraus, *In dieser großen Zeit.* In: *Die Fackel*, 16. Jg. (5. 12. 1914). Nr. 404, 1–19.

Tier, Kind und Verbrecher: Vgl. F. Nietzsche, *Aus dem Nachlaß der Achtzigerjahre.* In: ders., *Werke*, Bd. 3, München 1969, 598: »Wer von uns hätte nicht, von den Umständen begünstigt, schon die ganze Skala der Verbrechen durchgemacht? ... Man soll deshalb nie sagen: ›Das und das hättest du nicht tun sollen‹, sondern immer nur: ›wie seltsam, daß ich das nicht schon hundertmal getan habe!‹«

»anathema sit«: die Formel des kirchlichen Bannfluchs.

mit ein paar Strichen: Vgl. Th. Lessing, *Der Haarmann-Prozeß.* In: *Das Tagebuch*, 5. Jg. (1924), 1839–1844 (1843): »Typen des Gerichtshofes [...] bildhaft sichtbar gezeichnet... und ich wünsche mir dazu die liebevolle Drolerie von Dickens und den lachenden Witz von Shaw.«

ein paar Tage Käfig: Vgl. Th. Lessing, *Das Lazarett.* In: ders., *Ich warf eine Flaschenpost...*, a.a.O., 354–386 (379f.): »Aber man kennt die Menschen nur dann, wenn der ganze logische oder sittliche Überbau eingestürzt ist. Man reiße den Menschen aus allen seinen bisherigen Gewöhnungen, versetze ihn in Todesangst, in den Irrsinn eines Trommelfeuers, treibe Menschen zu Haufen, lasse den Tod in den Haufen fahren, was bleibt vom ›Oberbau‹? [...] Nichts bleibt als ein Knäuel irrer Triebe, aus denen immer wieder siegreich bricht der Drang nach Selbsterhaltung.«

Am Morgen des 19. Dezember: 1924. Am 4. April 1925 Bestätigung des Todesurteils durch das preußische Kabinett. Vollstreckung des Urteils am 15. April 1925. Etwa vierzig Bürger der Stadt Hannover waren bei der Hinrichtung zugegen. Haarmanns letzte Worte: »Auf Wiedersehen, meine Herrschaften!« Zit. n. *Göttinger Zeitung* v. 16. 4. 1925. In: NHStAH: Hann. 155 Nr. 864a.

eine kleine Birke: Vgl. Th. Lessing, *Deutsche Bäume.* In: ders., *Ich warf eine Flaschenpost...*, a.a.O., 304–309 (308f.): »Lange Jahre führte mich mein lustloser Weg morgens an dieser Mauer vorbei. Dann winkte von der hohen Zuchthausmauer hernieder ein einsames Wunder: die kleine blühende Birke. Dann dachte ich an die Gefangenen hinter der Mauer.«

das Fallbeil: in der Leonhardtstraße. Der Kopf Haarmanns befindet sich, in einem mit Konservierungsmitteln gefüllten Glasbehälter, im Rechtsmedizinischen Institut der Universität Göttingen. Das Gehirn wurde zu Untersuchungszwecken in das von Emil Kraepelin begründete Hirnforschungsinstitut in München verbracht. Dies geht zurück auf eine Maßnahme des Reichsgerichtsrats Fritz Hartung, der darüber in seinen Erinnerungen berichtet. Vgl. F. Hartung, *Jurist unter 4 Reichen,* Köln 1971, 73. Das Gehirn war an mehreren Stellen mit der inneren Schädelhaut verwachsen, was auf eine früher erlittene Gehirnhautentzündung hindeutet, die zu epatanten Veränderungen der Charaktereigenschaften führen kann. Ein Unzurechnungsfähiger oder nicht ganz für seine Taten Verantwortlicher ist danach hingerichtet worden.

der rote Richter: der preußische Scharfrichter Franz Friedrich Carl Gröpler (1868–1946).

Das älteste Bauwerk Hannovers: Erste Erwähnung 1284. Bauzeit zwischen 1250–1284. Vgl. H. Mundhenke, *Hospital und Stift St. Nikolai zu Hannover.* In: *Hannoversche Geschichtsblätter,* Neue Folge, Bd. 11 (1958), 193–380 (200f.). – H. Plath, *Zur Baugeschichte der Nikolaikapelle. Ein Grabungsbericht.* In: *Hannoversche Geschichtsblätter,* Neue Folge, Bd. 11 (1958), 381–394 (393).

nicht verborgen auf einem Kirchhof: auf dem Stöckener Friedhof in Hannover befindet sich das Massengrab mit einem Gedenkstein, auf dem die Namen der Opfer zu lesen sind. Es geht aus der Inschrift aber nicht hervor, wer ihren Tod verschuldet hat. Seit dem Frühjahr 1989 gibt es ein Informationsblatt der Stöckener Friedhofsverwaltung, in dem auf diese Grabstätte ausdrücklich hingewiesen wird.

Kant: Immanuel K. (1724–1804). Philosoph.

Sykophantentum: Verräter, Verleumder.

eine Kirche: Die Neustädter Hof- und Stadtkirche St. Johannis, 1389 als erste Pfarrkirche in der Calenberger Neustadt gegründet.

Leibniz: Gottfried Wilhelm L. (1646–1716). Philosoph und Mathematiker.

»Unser aller Schuld«: Vgl. Th. Lessing, *Schopenhauer, Wagner, Nietzsche. Einführung in moderne deutsche Philosophie,* München 1906, 452–455. – ders.: *Der jüdische Selbsthaß,* Berlin 1930, 251: »Die Schuld und mithin auch der Selbsthaß ist die nie und nimmer verstummende, nie und nimmer vermeidbare Begleitmelodie jedes unsrer Gedanken, jedes unsrer Handlungen.«

»pseudologia fantastica«: Begriff aus der Psychiatrie des 19. Jahrhunderts: Glaube an selbsterfundene Geschichten und Erlebnisse, die als glaubhafte Wirklichkeiten umgedeutet werden.

seelenunkundigen Richterstand: Die Fachdiskussion zwischen Psychoanalyse und Justiz begann um 1925. Vgl. meine Einleitung in diesen Band.

Schopenhauer: Arthur Sch. (1788–1860). Philosoph.

das Todesurteil gegen Grans aufheben: Vgl. den in diesem Band enthaltenen Artikel über den zweiten Prozeß gegen Grans, *Schlußwort über Haarmann und Grans,* S. 207 sowie *Der Fall Hans Grans* In: *Das Tagebuch,* 7. Jg. (1926), 216–218.

den dunklen Resten von Tiermenschentum: Vgl. Th. Lessing, *Der Haarmann-Prozeß.* In: *Das Tagebuch,* 5. Jg. (1924), 1839–1844 (1842): »Von Haarmann läßt sich nur sagen, daß es nichts gibt, wozu man ihn nicht bringen könnte. Hier sind alle unsre bösen Urtriebe. Denn wir sind alle feige und wild verwegen, eigenbezüglich und hörig, brutal und sentimentalisch.«

»Atavismus«: Wiederauftreten von entwicklungsgeschichtlich älteren Merkmalen bei Pflanzen, Tieren und Menschen. Vgl. Th. Lessing, *Zum Fall Haarmann.* In: StAH: ThLN 2557: »Man würde nun freilich meine Lehre vom Atavismus vollkommen mißverstehen, wenn man sie in Zusammenhang bringt mit jenen älteren Theorien zumal der italienischen Kriminalpsychologen (Lombroso), welche das Verbrechen erläutern als Rückfall in die Tierheit und als Verlust der gegenwärtigen, vom Menschengeschlecht allmählich erreichten, fortgeschritteneren Seelenstufe zugunsten früherer vormenschlicher, aber einst historisch wirklich gewesener Stufen. [...] Jedenfalls aber braucht das Hervorbrechen einer allen Lebewesen gemeinsamen Naturgewalt nicht identisch zu sein mit irgendeiner historischen Stufe des Ehemals. Es dürfte genügen anzunehmen, daß Systeme von Hemmungen, daß ein verwickelter logisch-ethischer Oberbau, daß ein nur im wachen Bewußtsein und urteilendem Wollen verankerter sekundärer Charakter der Menschheit plötzlich dahinschwindet wie Spreu vor dem Winde und spurlos hinweggespült werden kann, wenn gewisse Elementarmächte und Naturdämonen hüllenlos zu Tage treten. Das kann im Verbrechen der Fall sein. Aber es kann auch der Fall sein im Enthusiasmus, in der Ekstase, in der Intuition, in der Genialität. Und somit deckt sich mein Begriff des Atavismus keineswegs mit jenem Begriff, der im Verbrechen einen Rückfall in überwundene Vorstufen sieht.«

»Naturgeschichte des Himmels«: I. Kant, *Allgemeine Naturgeschichte und Theorie des Himmels oder Versuch von der Verfassung und dem mechanischen Ursprunge des ganzen Weltgebäudes nach Newtonischen Grundsätzen abgehandelt,* Königsberg/Leipzig 1755.

Nietzsche: Friedrich N. (1844–1900). Philosoph.

»Untergang der Erde am Geist«: Th. Lessing, *Untergang der Erde am Geist,* Hannover 1924.

Boelitz: Otto B. (1876–1951). Preußischer Kultusminister (November 1921 bis Januar 1925).

Jhering: Rudolf J. (1818–1892). Rechtshistoriker.

vom Fall Fechenbach bis zum Fall Ebert (Magdeburg): Gemeint sind die zwei spektakulärsten politischen Strafprozesse aus den Jahren 1922–24. Der Journalist Felix Fechenbach (1894–1933) wurde vom Volksgericht I München in einem vom 3. bis 20. Oktober 1922 dauernden Prozeß wegen Landesverrat zu elf Jahren Zuchthaus verurteilt. F. war der Sekretär von Kurt Eisner gewesen und hatte im April 1919 einem Schweizer Journalisten zwei Dokumente übergeben, das Erzberger-Memorandum vom September 1914 und ein Telegramm des bayerischen Gesandten beim Vatikan vom Juli 1914; beide Dokumente wurden als Beleg für die deutsche Kriegsschuld in der Zeitung *Le Journal* abgedruckt. Der Prozeß gegen Fechenbach wurde von öffentlichen Protesten begleitet. Bayern hatte mit der Einrichtung von Volksgerichten sich ein Instrument geschaffen, mit dem die Zuständigkeit des preußischen Staatsgerichtshof unterlaufen wurde. Der 2. Strafsenat des Bayerischen Obersten Landesgerichts legte nach dem Ende des Prozesses ein das Terrorurteil billigendes Gutachten vor, zwei der gutachtenden Richter beteiligten sich wenig später an dem sogenannten »Hitler-Putsch« in München. Einer der beiden Richter wurde dabei erschossen, der andere brüstete sich vor Gericht mit der Aussage, fünf Jahre lang Hochverrat begangen zu haben. Fechenbach mußte über zwei Jahre der Zuchthausstrafe verbüßen, die bürgerlichen Ehrenrechte waren ihm für die Dauer von zehn Jahren aberkannt worden. Wie Theodor Lessing wurde Felix Fechenbach im ersten Jahr der Naziherrschaft von der SA ermordert. Vgl. H. Schueler, *Auf der Flucht erschossen. Felix Fechenbach 1894–1933. Eine Biographie,* Köln 1981.

Fall Ebert (Magdeburg): Am 23. Dezember 1924 stellte das Schöffengericht Magdeburg in einem Urteil fest, daß der Reichspräsident Friedrich Ebert (1871–1925) sich des *Landesverrats im strafrechtlichen Sinne* schuldig gemacht habe, als er im Januar 1918 der Streikleitung der Munitionsarbeiter beigetreten sie, obwohl Ebert dies nur zum Zwecke der Beendigung des Streiks getan hatte. Vorausgegangen war eine Beschimpfung Eberts als »Landesverräter« in einem völkischen Blatt. Die dem völkisch-nationalistischen Lager zugehörenden Richter versuchten mit diesem grotesken Urteilsspruch, es war Eberts 143. Verleumdungsklage, zur Demontage des verhaßten »Sattlergesellen« beizutragen. 1931 wies das Reichsgericht das in die Justizgeschichte eingegangene »Magdeburger Ebert-Urteil« zurück und führte zur Begründung an, es fehle schon das Tatbestandsmerkmal der Zufügung eines Nachteils. Der politische Vorteil dieser Art von Strafjustiz für die Feinde der Republik war zu diesem Zeitpunkt längst auf dem Haben-Konto verbucht.

Schlußwort über Haarmann und Grans. In: *Prager Tagblatt* v. 26. 1. 1926. Vgl. Döring, *Wiederaufnahme und Strafvollstreckung.* In: *Juristische Rundschau,* 3. Jg. (1927), Nr. 4, 96–105.

§ 49 StGB: »Als Gehilfe wird bestraft, wer dem Täter zur Begehung des Verbrechens oder Vergehens durch Rat oder Tat wissentlich Hilfe geleistet hat.«

der Hannoveraner Jhering: Herbert J. (1888–1977). Theaterkritiker und Dramaturg. Gemeint ist aber wohl Rudolf J. (1818–1892). Rechtshistoriker.

»Den Haarmann trek ik blot ute«: Den Haarmann trickse ich bloß aus.

einen der angesehensten Großindustriellen Hannovers: Herbert von Garvens.

pecciert: gesündigt.

Ephialtes-Tat: Ephialtes und Otos sind die Söhne des Aloeus (Poseidon) und der Iphimedeia, zwei Riesen aus der griechischen Mythologie, die im Kampf gegen die Götter die Berge Pelion und Ossa aufeinanderschichten, um den Olymp zu erobern. Der Mythos ist Ausdruck des Kampfes zwischen den herkömmlichen Gottheiten und der neuen Religion des Zeus. »Herostrat, Ephialtes, Cassius werden immer die Täter einer einzigen Tat sein.« Th. Lessing, *Geschichte als Sinngebung oder die Geburt der Geschichte aus dem Mythos,* 4., völlig umgearbeitete Aufl., Leipzig 1927, 228.

§ 176 des Gerichtsverfassungsgesetzes: »Die Aufrechterhaltung der Ordnung in der Sitzung liegt dem Vorsitzenden ob.«

eine durch Jahr und Tag andauernde Hetze: Vgl. das Kapitel *Öffentliche Pathologie. Hindenburg und das Fall Lessing* in meiner Arbeit *Theodor Lessing. 1872–1933. Eine Biographie,* Darmstadt/Neuwied 1987, 253–308.

Die Mordsache Hagedorn. In: *Die Justiz,* Bd. 3 (1927/28), 43–53. Vgl. auch Th. Lessing, *Die Umwelt der Käthe Hagedorn.* In: *Prager Tagblatt* v. 16. 6. 1927; ders. *Die Mordsache Hagedorn. Rede und Antwort.* In: *Die Justiz,* Bd. 3 (1927/28), 209 f.; StAH: ThNL

Schillers Werke: Friedrich v. Sch. (1759–1805).

Breslauer Kindermorde: Ein Lustmörder hatte 1927 in Breslau zwei Kinder gefesselt, dann ermordet und zerstückelt; die herausgeschnittenen Geschlechtsorgane schickte er in einem Paket an die Großeltern der beiden Opfer.

§§ 176, 3; 212; 74 StGB: »Mit Zuchthaus bis zu zehn Jahren wird bestraft, wer mit Personen unter vierzehn Jahren unzüchtige Handlungen vornimmt oder dieselben zur Verübung oder Duldung unzüchtiger Handlungen verleitet.« (§ 176, 3 StGB) »Wer vorsätzlich einen Menschen tötet, wird, wenn er die Tötung nicht, wird, wenn er die Tötung nicht mit Überlegung ausgeführt hat, wegen Totschlags mit Zuchthaus nicht unter fünf Jahren bestraft.«: (§ 212 StGB) »Gegen denjenigen, welcher durch mehrere selbständige Handlungen mehrere Verbrechen oder Vergehen oder dasselbe Verbrechen oder Vergehen mehrmals begangen und dadurch mehrere zeitige Freiheitsstrafen verwirkt hat, ist auf eine Gesamtstrafe zu erkennen, welche in einer Erhöhung der verwirkten schwersten Strafe besteht. Bei dem Zusammentreffen ungleichartiger Freiheitsstrafen tritt diese Erhöhung bei der ihrer Art nach schwersten Strafe ein. Das Maß der Gesamtstrafe darf den Betrag der verwirkten Einzelstrafen nicht erreichen und fünfzehnjähriges Zuchthaus, zehnjähriges Gefängnis oder fünfzehnjährige Festungshaft nicht übersteigen.« (§ 74 StGB)

§ 51: »Eine strafbare Handlung ist nicht vorhanden, wenn der Täter zur Zeit der Begehung der Handlung sich in einem Zustande von Bewußtlosigkeit oder krankhafter Störung der Geistestätigkeit befand, durch welche seine freie Willensbestimmung ausgeschlossen war.«

Magnus Hirschfeld: (1868–1935). Sexualwissenschaftler.

Mänaden: Im Dionysos-Mythos sind die M. im orgiastischen Rausch junge Rehkälbchen zerfleischende Frauen.

Korybanten: Diener der mythologischen Göttin Rheia. Während des kultischen Rituals zugunsten der Göttin werden orgiastische Tänze aufgeführt, wilde Schreie der Besessenheit ausgestoßen, kommt es zu Selbstverletzungen. Der ekstatische Kult wanderte im 7. Jh. v. u. Z. von Kleinasien nach Griechenland.

Messaline: Valeja Messalina (um 25–48). Wird als Inbegriff einer intriganten, zügellosen und genußsüchtigen Frau beschrieben. Als Gattin des Kaisers Claudius betrieb sie maßgeblich die Verbannung Senecas.

die grausamste aller Wissenschaften, die Psychoanalyse: Vgl. dazu meine Einleitung in diesem Band.

Kindertragödie. *In: Prager Tagblatt* v. 14. 2. 1928.

Vgl. dazu auch Sling, *Mordprozeß Krantz.* In: ders., *Richter und Gerichtete, Berlin 1929.*

Steglitz: Am 4. November 1901 wurde dort unter dem Namen *Wandervogel. Ausschuß für Schülerfahrten (AFS)* die erste Gruppe der Jugendbewegung gegründet.

Ludwig Gurlitt: (1855–1931). Reformpädagoge. War 1904 der erste Vorsitzende des *Wandervogel e. V. Steglitz.*

Hans Blüher: (1855–1955). Historiker und Theoretiker der Jugendbewegung. *Wandervogel. Geschichte einer Jugendbewegung,* Berlin 1912.

Deutschlands klarstem Kopf: Walther Rathenau (1867–1922). Industrieller, Politiker, Schriftsteller.

»Jungdeutschen Orden«: 1920 gegründet von Arthur Mahraun (1890–1950). Verbot der »nationalrevolutionären« Organisation im Juni 1933 durch die Nazis.

Paul Krantz: (1909–1983). Der Prozeß gegen den Oberprimaner begann am 9. Februar 1928 in Berlin-Moabit. Krantz wurde von der Anklage zur Anstiftung zum Mord freigesprochen und wegen unerlaubten Waffenbesitzes zu drei Wochen Gefängnis verurteilt, die mit der U-Haft als verbüßt galten. Unter dem Pseudonym Ernst Erich Noth veröffentlichte er das Buch *Roman junger Menschen,* Berlin 1931, es folgten weitere Bücher, die er bereits im französischen Exil schrieb, so der Roman *Weg ohne Rückkehr,* Paris 1937. In den vierziger Jahren lehrte er an amerikanischen Universitäten. Von 1971–1980 war er Gastprofessor an der Universität Frankfurt am Main. Vgl. seinen Rückblick auf die »Steglitzer Schülertragödie«: E. E. Noth, *Erinnerungen eines Deutschen,* Hamburg/Düsseldorf 1971, 93–111.

Klabund: d. i. Alfred Henschke (1890–1928). Schriftsteller und Lyriker.

Bronnen: Arnolt B. (1895–1959). Schriftsteller und zeitweise nationalistischer Agitator.

»tout mais ne pas ça«: Alles, nur das nicht.

Wedekind: Frank W. (1864–1918). Dramatiker.

Die Schüler und ihre Lehrer. In: *Prager Tagblatt* v. 1. 11. 1928.

Stahlhelm- oder Bibelkränzchenideale: Der Stahlhelm. Bund der Frontsoldaten. Der größte »Kampfbund« der »Nationalen Opposition« in der Weimarer Republik. 1918 gegründet, wurde er von den Nazis 1935 unter dem Namen *NSDFB (Nationalsozialistischer Deutscher Frontkämpfer-Bund)* weitergeführt.

Halsmann: Tragödie der Jugend. In: *Prager Tagblatt* v. 7. 9. 1930. Vgl. auch Th. Lessing, *Der Prozeß Halsmann.* In: *Prager Tagblatt* v. 14. 9. 1929. Sowie Müller-Heß/Hübner, *Die sexualpathologischen, psychiatrisch-psychologischen und gerichtlich-medizinischen Lehren des Hußmann-Prozesses.* In: *Deutsche Zeitschrift für die gesamte gerichtliche Medizin,* Bd. 14 (1930), 165 ff.

Bekannte Juristen, Psychologen, Schriftsteller: Vgl. C. Stooss, *Der Fall Halsmann.* In: *Schweizerische Zeitschrift für Strafrecht, 44. Jg. (1930), 57–63; E. Fromm, Ödipus in Innsbruck (Zum Fall Halsmann).* In: *Psychoanalytische Bewegung,* 2. Jg. (1930), H. 1, 75–79; S. Freud, *Stellung-*

nahme zum Fakultätsgutachten im Prozeß Halsmann. In: *Neue Freie Presse* v. 14. 12. 1930; W. Gutmann/E. Bleuler, *Das Fakultätsgutachten im Fall Halsmann (Möglichkeit und Wahrscheinliichkeit)*, Berlin 1931; F. Peßler/J. Hupka, *Der Fall Halsmann*, Wien 1931; K.Marbe, *Der Strafprozeß gegen Philipp Halsmann. Aktenmäßige Darstellung und kriminalpsychologische Würdigung*, Leipzig 1932.

Jakob Wassermann: (1873–1934). Schriftsteller. *Etzel Andergast*, Berlin 1930.

diese intimen Briefe: K. Blanck (Hrsg.), *Philipp Halsmanns Briefe aus der Haft an eine Freundin*, Suttgart 1930.

Hamlet: Tragödie in fünf Akten (1603) von William Shakespeare (1564–1616).

Coriolan: Coriolanus. Tragödie in fünf Akten (1623) von William Shakespeare.

Shaw: George Bernhard Sh. (1856–1950). Dramatiker.

Kafka: Franz K. (1883–1924).

Ilja Ehrenburg: (1891–1967). Schriftsteller.

dieses Fehlurteil: Halsmann wurde zu zehn Jahren schweren Kerkers verurteilt. In der Haft beging er einen Selbstmordversuch. Der Oberste Gerichtshof in Wien kassierte das Urteil im März 1929. Eine zweite Hauptverhandlung mit einem neu besetzten Gericht endete mit einer Verurteilung zu vier Jahren schweren Kerkers. Im Januar 1930 mußte Halsmann wieder in die Haftanstalt. Ein Gnadengesuch der Geschworenen führte schließlich am 30. September 1930 zur Begnadigung durch den österreichischen Bundespräsidenten.

Die Krankenschwester Flessa. In: *Prager Tagblatt* v. 10. 8. 1926. Vgl. auch S. Friedländer, *Der Flessa-Prozeß. Forensische und psychologische Folgerungen.* In: *Zeitschrift für die gesamte Neurologie und Psychiatrie*, Bd. 107, 724ff.

Sie tat, was Carmen tat: Carmen, Paris 1845, Novelle von Prosper Mérimée (1803–1870).

Zu Asche brennt im Zuchthaus: Das Schwurgericht in Frankfurt am Main verurteilte die Krankenschwester in erster Instanz zum Tode. Nach der Aufhebung des Todesurteils durch die Revisionsinstanz wurde die Krankenschwester in einem zweiten Prozeß wegen versuchten Totschlags in Tateinheit mit fahrlässiger Tötung zu sieben Jahren Zuchthaus verurteilt.

Nach dem Urteil. In: *Prager Tagblatt* v. 6. 2. 1931.

A.E.G.: Allgemeine-Elektrizitäts-Gesellschaft.

Emil und Walther Rathenau: Emil R. (1838–1915). Industrieller, Vater von Walther R. (1867–1922). Industrieller, Politiker, Schriftsteller.

Molnars Liliom: Franz M. (1878–1952). Schriftsteller. *Liliom. Eines Galgenvogels Leben und Tod.* Schauspiel. 1909.
kaduk: frz. caduc: hinfällig, gebrechlich, altersschwach.
Greta Garbo: d.i. Greta Gustaffsson (geb. 1903). Filmschauspielerin.
»Nietzsche als Gesetzgeber«: F. Meß, *Nietzsche als Gesetzgeber*, Leipzig 1930.

Revolte im Zuchthaus. In: *Prager Tagblatt* v. 11. 1. 1931.
Strafanstalt in Celle: 1710–1734 errichtet als »Werck-, Zucht- und Tollhaus«. Vgl. B. Polster/R. Möller, *Das feste Haus. Geschichte einer Straf-Fabrik*, Berlin 1984.
Fritz Kleist: (1891–?). Strafvollzugsdirektor in Celle von 1930 bis April 1933. Danach Versetzung durch die Nazis als Anstaltsoberlehrer an eine Strafanstalt im Oberlandesgerichtsbezirk Marienwerder. 1934, mit 43 Jahren, ließ er sich pensionieren, weil er die NS-Propaganda in der Anstalt nicht mitmachen wollte. Das Ende des II. Weltkrieges soll er noch miterlebt haben, weitere biographische Spuren haben sich nicht finden lassen. Vgl. R. Marwedel, *Die Welt ohne Zuchthaus. Erinnerung an einen avantgardistischen Strafanstaltsdirektor.* In: *Celler Zündel. Kommunale Monatszeitung,* Nr. 10 (1982), 24–27. Vgl. auch Th. Rasehorn, *Justizkritik in der Weimarer Republik. Das Beispiel der Zeitschrift »Die Justiz«*, Frankfurt/M. 1985, 81–84, wo Kleist und Th. Ussing als Autoren dieser Zeitschrift vorgestellt werden.
Moissi: Alexander M. (1880–1935). Schauspieler.
Lessings »Nathan der Weise«: Gotthold Ephraim L. (1729–1781). Versdrama in 5 Akten (1779), Uraufführung (1783).
Mozarts Zauberflöte: Wolfgang Amadeus M. (1756–1791). Komponist. – *Die Zauberflöte.* Eine große Oper in zwei Aufzügen. Textbuch von Emanuel Schikaneder. Musik von Wolfgang Amadeus Mozart, Uraufführung am 30. 9. 1791 in Wien.
»In diesen heiligen Hallen...: Arie Nr. 15 im 2. Aufzug der *Zauberflöte.*
Karl Liebknecht: (1871–1919). Rechtsanwalt und Politiker. Mitbegründer des Spartusbundes und der KPD.
Rosa Luxemburg: (1871–1919). Sozialwissenschaftlerin und Politikerin. Mitbegründerin des Spartakusbundes und der KPD.
Max Hölz: (1889–1919). Politiker. *Briefe aus dem Zuchthaus,* hrsg. v. E. E. Kisch, Berlin 1927. Hölz wurde 1919 Mitglied der KPD. Organisierte gegen den Kapp-Putsch 1920 im Vogtland die *Rote Armee.* Nach dem gescheiterten Aufstand in Mitteldeutschland, 1921, zu lebenslänglicher Freiheitsstrafe verurteilt. 1928 freigelassen. 1933 unter mysteriösen Umständen in der Sowjetunion ertrunken.
Ernst v. Salomon: (1902–1972). Schriftsteller. *Die Geächteten*, Berlin 1929.

Von 1922–1928 Zuchthausstrafe wegen Beteiligung an der Ermordung von Walther Rathenau.

Hans Leuß: (1861–1920). Publizist und Politiker. *Aus dem Zuchthause. Verbrecher und Strafrechtspflege,* Berlin 1903.

Ernst Toller: (1893–1939). Schriftsteller und Dramatiker. *Justiz. Erlebnisse,* Berlin 1927. – Vgl. auch F. Fechenbach, *Im Haus der Freudlosen. Bilder aus dem Zuchthaus,* Berlin 1925; C. Hau, *Das Todesurteil. Die Geschichte meines Prozesses,* Berlin 1925; ders., *Lebenslänglich. Erlebtes und Erlittenes,* Berlin 1925; A. Bertsch, *Zwanzig Jahre Zuchthaus. Erlebnisse und Gedanken,* Stuttgart 1926; E. Diestel, *Erlebnisse aus einem Vierteljahrhundert im Untersuchungsgefängnis von Berlin,* Berlin 1926; K. Petersen, *Literatur und Justiz in der Weimarer Republik,* Stuttgart 1988, bes. 183–193.

Karl Magnus Hirschfeld zum 60. Geburtstag. [Titel vom Hrsg.] In: R. Linsert/K. Hiller (Hrsg.), *Magnus Hirschfeld zu seinem 60. Geburtstag* als Beigabe zu den *Mitteilungen* des Wissenschaftlich-humanitären Komitees, e.V., Berlin 1928, 13f.

Richard Krafft-Ebing: (1840–1902). Psychiater und Sexualwissenschaftler.

Fackel der Aufklärung: Nach einem Lichtenberg-Aphorismus gebildet: Man könne nicht die »Fackel der Wahrheit durch das Gedränge tragen, ohne dem einen oder anderen den Bart zu versengen.«

Individualpsychologie: nach Alfred Adler (1870–1937).

§297: Gewerbsmäßige Unzucht. Antwort auf eine Rundfrage. [Titel vom Hrsg.] In: R. Linsert (Hrsg.), *§ 297 »Unzucht zwischen Männern«? Ein Beitrag zur Strafgesetzreform,* Berlin 1929, 119f.

Amtlicher Entwurf zu § 297 StGB: »Mit Gefängnis nicht unter sechs Monaten wird bestraft: 1. Ein Mann, der einen andern Mann unter Mißbrauch einer durch ein Dienst- oder Arbeitsverhältnis begründeten Abhängigkeit nötigt, sich zur Unzucht mißbrauchen zu lassen; 2. ein Mann, der gewohnheitsmäßig zum Erwerb mit einem Manne Unzucht treibt oder sich dazu anbietet; 3. ein Mann über 21 Jahren, der einen männlichen Minderjährigen verführt, sich zur Unzucht mißbrauchen zu lassen.« Vgl. F. Halle, *Geschlechtsleben und Strafrecht,* Berlin 1931.

Epochen der Schuld. In: *Die Justiz,* Bd. 2 (1926/27), H. 2, 160–167.

Culpa und Dolus: Schuld und Schmerz.

§ 51: »Eine strafbare Handlung ist nicht vorhanden, wenn der Täter zur Zeit der Begehung der Handlung sich in einem Zustande der Bewußtlosigkeit oder krankhafter Störung der Geistestätigkeit befand, durch welche seine freie Willensbestimmung ausgeschlossen war.«

Savigny: Friedrich Karl v. S. (1779–1861). Jurist. Vertreter der deutschen Rechtsschule.

Eduard Gans: (1798–1839). Jurist und Rechtsphilosoph.

Liszt: Franz v. L. (1851–1919). Professor für Strafrecht und Kriminalistik. Mitbegründer der soziologischen Strafrechtslehre. Forderte den »Einlaß der Psychologie in den Gerichtssaal«.

Rudolf Stammler: (1856–1938). Professor für Rechtsphilosophie. Vertreter des Neukantianismus.

Animismus: Glaube an seelische Geister und Mächte.

Ernst Mach: (1838–1916). Physiker und Philosoph.

Clifford: William Kingdon C. (1845–1879). Mathematiker und Philosoph.

Kung-Fu-Tse: Konfuzius (551–479 v. u. Z.). Philosoph und Politiker.

Studien zur Wertaxiomatik: Th. Lessing, *Studien zur Wertaxiomatik. Untersuchungen über Reine Ethik und Reines Recht*, 2., erweiterte Ausgabe, Leipzig 1914.

Talion: Vergeltung von Gleichem mit Gleichem.

Dostojewskij: Fjodor Michailowitsch D. (1821–1881). Schriftsteller. *Raskolnikow* Hauptfigur in Dostojewskijs Roman *Schuld und Sünde* (1866).

»Brüdern Karamasow«: Die Brüder Karamasow (1879/80) Roman von Dostojewskij.

Wir richten über die Schlange: Vgl. Th. Lessing *Haarmann. Die Geschichte eines Werwolfs.* In diesem Band S. 172.

Bildnachweise

Umschlagfotos: Polizeidirektion Hannover
S. 37 Polizeidirektion Hannover
S. 38/39 Privatbesitz Werner Heine
S. 40 beide Fotografien: Historisches Museum, Hannover
S. 41 Historisches Museum, Hannover
S. 42/43 Polizeidirektion Hannover
S. 44 Polizeidirektion Hannover
S. 45 Stadtarchiv Hannover
S. 46 Ullstein Bilderdienst

Herausgeber und Verlag danken für die freundliche Genehmigung des Abdrucks in diesem Band.

»Denken ist Funktion der Not«

Wer die Lebensgeschichte des Philosophen Theodor Lessing erzählen will, kann von entscheidenden Jahren der deutschen Geschichte nicht schweigen. Lessing wurde 1872 in Hannover geboren, ein Jahr nach der Gründung des Deutschen Reiches. Er starb am 8. August 1933, im Exil ermordet von Anhängern der Nationalsozialisten.

Rainer Marwedel
Theodor Lessing
1872–1933
Eine Biographie.
Mit 40 Abbildungen und einer kommentierten Bibliographie.
452 Seiten. Gebunden

»Diese Biographie war seit langem überfällig! Sie gilt dem Leben und Werk des von den Nazis 1933 gemeuchelten jüdischen Philosophen, Publizisten und Hochschullehrers aus Hannover, der sich wegen seiner Berichterstattung über den Haarmann-Prozeß und mehr noch durch seine Warnung vor der Kandidatur Hindenburgs zum Reichspräsidenten bei der politischen Rechten verhaßt gemacht hatte. Marwedel ist ein gewissenhafter, um Objektivität bemühter Chronist, der viel und gerne aus Lessings Arbeiten, aber auch aus entlegenen Quellen zitiert. So entstand eine ›erzählende Biographie‹ und zugleich ein Zeitbild aus der Perspektive eines unbequemen, charakterlich schwierigen, liberalen Intellektuellen und überzeugten Republikaners.«
ekz-Informationsdienst Reutlingen

»... ein Stück Zeitgeschichte im Gewand einer Lebensgeschichte. Erkennbar wird, wie ein alltäglicher Antisemitismus in Schule und Universität ganz selbstverständlich war.«
Deutsches Allgemeines Sonntagsblatt

»... diese Biographie ist ein großer Wurf, den kein Interessierter außer Acht lassen kann.«
Süddeutsche Zeitung

Jüdische Geschichte

im Luchterhand Literaturverlag

Kim Chernin
In meiner Mutter Haus
SL 881
Kim Chernin hat aufgeschrieben, was ihre Mutter erzählt hat: Rose Chernin, die 1903 in einem westrussischen Ghetto geboren wurde, 1914 in die USA auswanderte und dort Schule und College besuchen konnte, die in den USA zur aktiven Kommunistin wurde.

Detlev Claussen
Vom Judenhaß zum Antisemitismus
Materialien einer verleugneten Geschichte
SL 677

Friedrich Gorenstein
Die Sühne
Roman
SL 877

Peter Härtling
Felix Guttmann
Roman. 318 Seiten. Leinen
Auch als SL 795

Gert Hofmann
Veilchenfeld
Erzählung. 188 Seiten. Leinen
Auch als SL 750

Barbara Honigmann
Roman von einem Kinde
Sechs Erzählungen
120 Seiten. Leinen
Auch als SL 837

Hanna Krall
Die Untermieterin
Roman
SL 873

Beata Lipman
Alltag im Unfrieden
Frauen in Israel,
Frauen in Palästina
SL 833

Erwin Lichtenstein
Bericht an meine Familie
Ein Leben zwischen Danzig und Israel
244 Seiten. Leinen

Rainer Marwedel
Theodor Lessing 1872–1933
Eine Biographie
Mit Abb. und einer kommentierten Bibliographie
456 Seiten. Gebunden

Theodor Lessing
Ich warf eine Flaschenpost ins Eismeer der Geschichte
Essays und Feuilletons
Hg. von Rainer Marwedel
SL 639

Valentin Senger
Kaiserhofstraße 12
SL 291

Sammlung Luchterhand zu Fragen der Zeit

Erwin Chargaff
Das Feuer des Heraklit
Skizzen aus einem Leben vor der Natur. SL 844

Unbegreifliches Geheimnis
Wissenschaft als Kampf für und gegen die Natur. SL 849
Als einer der überragenden Gelehrten unserer Zeit, der selbst jahrzehntelang experimentelle Forschung betrieben hat, weiß Erwin Chargaff, wovon er spricht, wenn er den Wissenschaftsbetrieb vehement kritisiert.

Françoise Giroud
Günter Grass
Wenn wir von Europa sprechen
Ein Dialog. SL 835
Ein Gespräch über Europa im allgemeinen und über die Beziehungen zwischen Frankreich und der Bundesrepublik im besonderen.

In die Flucht geschlagen
Geschichten aus dem bundesdeutschen Asyl
Herausgegeben von Anja Tuckermann
Mit zahlreichen Abbildungen
SL 852
Die Autorinnen und Autoren dieses Buches leben unter uns im Exil. Sie schreiben über das Leben in ihren Heimatländern, den politischen Kampf, Verfolgung und Flucht, das Leben hier in der Bundesrepublik.

Lebensmitte
Eine Generation zieht Bilanz
Geschichten aus der DDR
Hg. Joochen Laabs und Manfred Wolter
SL 817. Originalausgabe

Beata Lipman
Wir schaffen uns ein freies Land
Frauen in Südafrika
SL 643
»Wenn Du schwarz und weiblich bist, darfst Du Dich nicht erheben. Du bist nicht gleich und hast keine Rechte.«

Alltag im Unfrieden
Frauen in Israel, Frauen in Palästina
SL 833
40 Jahre des Krieges und der Spannung zwischen Israelis und Arabern haben den Alltag dieser Frauen geprägt.

Orlando Mardones
Mensch, du lebst noch!
Ein Chilene erzählt
Hg. und übersetzt von Winfried Roth
SL 823. Originalausgabe
Kindheit, Jugend, Militärzeit – Stationen eines chilenischen Lebenslaufs.

Peter Nonnenmacher
Das blau-rote Königreich
Nachrichten und Geschichten aus Britannien
SL 802. Originalausgabe

Geschichten aus der Geschichte

in der Sammlung Luchterhand

Die Anthologien *Geschichten aus der Geschichte ...* versammeln Erzählungen, die den Alltag und die Lebensverhältnisse in bestimmten politischen Entwicklungen widerspiegeln.

Geschichten aus der Geschichte der Bundesrepublik Deutschland
Hg. von Klaus Roehler
SL 300. Originalausgabe
Aktuelle Neuauflage aus Anlaß des 40. Jahrestages der Gründung der Bundesrepublik Deutschland.

Geschichten aus der Geschichte der DDR
Hg. von Manfred Behn
SL 301. Originalausgabe
Aktuelle Neuauflage aus Anlaß des 40. Jahrestages der Gründung der Deutschen Demokratischen Republik.

Geschichten aus der Geschichte Österreichs 1945–1982
Hg. von Michael Scharang
SL 526. Originalausgabe

Geschichten aus der Geschichte Nordirlands
Hg. von Rosaleen O'Neill und Peter Nonnenmacher
SL 704. Originalausgabe

Geschichten aus der Geschichte Frankreichs seit 1945
Hg. und eingeleitet von Claude Prévost
SL. 836. Originalausgabe
Was wissen wir wirklich über unsere Nachbarn, die 1989 ihre große Revolution feiern? Der vorliegende Band lädt ein zu einer literarischen Annäherung an die zeitgeschichtliche und soziale Wirklichkeit des Nachbarlandes. Die gesammelten Erzählungen zeitgenössischer Autoren spiegeln 45 Jahre Nachkriegsgeschichte wider.

Geschichten aus der Geschichte Polens
Hg. von Per Ketman und Ewa Malicka
SL 856. Originalausgabe
Erzählungen, Kurzgeschichten und autobiographische Texte aus der Zeit von 1918 bis heute – einem historischen Abschnitt, in dem sich polnische und deutsche Geschichte immer wieder auf verhängnisvolle, schließlich aber auch hoffnungsvolle Weise verbunden haben.

»Wie war das eigentlich?«

Luchterhand Literaturverlag

Detlev Claussen
Vom Judenhaß zum Antisemitismus
Materialien einer verleugneten Geschichte
SL 677

Max von der Grün
Wie war das eigentlich?
Kindheit und Jugend im Dritten Reich
Mit einer Dokumentation von Christel Schütz und einem Nachwort von Malte Dahrendorf
SL 345

Josef Haslinger
Politik der Gefühle
Ein Essay über Österreich
SL 692. Originalausgabe

Peter Härtling
Felix Guttmann
Roman
320 Seiten. Gebunden
Auch lieferbar als SL 795

Gert Hofmann
Veilchenfeld
Erzählung
185 Seiten. Gebunden
Auch lieferbar als SL 750

Gabriele Kreis
Frauen im Exil
Dichtung und Wirklichkeit
SL 813
Dieses Buch ist ein Buch über das Exil, wie man es noch nicht kennt. Selten wurde bisher nach denen gefragt, die an der Seite berühmter Männer standen. Die Gespräche, die Gabriele Kreis mit diesen Weggefährtinnen und mit anderen Frauen, die Deutschland verlassen mußten, in ihren Exilorten führte, sind eine Spurensuche: Wie war es wirklich?

Erwin Lichtenstein
Bericht an meine Familie
Ein Leben zwischen Danzig und Israel
244 Seiten. Gebunden

Michael Schneider
Das »Unternehmen Barbarossa«
Die verdrängte Erblast von 1941 und die Folgen für das deutsch-sowjetische Verhältnis
SL 857

Peter Schneider
Vati
Erzählung
88 Seiten. Gebunden
Auch lieferbar als SL 847

Valentin Senger
Kaiserhofstraße 12
SL 291